노래로 배우는 한국어 1

русский язык(러시아어)

переведённое издание(번역판)

• 노래 **(имя существительное) : песня**
Сочетание слов и музыки; а также напевание этой мелодии вслух.

• 로 : **нет эквивалента**
Частица, указывающая на способ или метод для выполнения какой-либо работы.

• 배우다 **(глагол) : выучить**
Завладеть или обрести новые знания.

• -는 : **нет эквивалента**
Окончание, которое указывает на действие или событие в настоящем, преобразуя впередистоящее слово, словосочетание или придаточное предложение в определение.

• 한국어 **(имя существительное) : корейский язык**
Язык, который используют в Республике Корея.

※ 이 책의 폰트는 '함초롬 바탕체'를 사용하였습니다.

< 저자(автор) >

㈜한글2119연구소

- 연구개발전담부서
- ISO 9001 : 품질경영시스템 인증
- ISO 14001 : 환경경영시스템 인증
- 이메일(электронная почта) : gjh0675@naver.com

< 동영상(видео) 자료(материал) >

HANPUK_русский язык(перевод)
https://www.youtube.com/@HANPUK_Russian

HANPUK

제 2024153361 호

연구개발전담부서 인정서

1. 전담부서명: 연구개발전담부서

   [소속기업명: (주)한글2119연구소]

2. 소　재　지: 인천광역시 부평구 마장로264번길 33
   상가동 제지하층 제2호 (산곡동, 뉴서울아파트)

3. 신고 연월일: 2024년 05월 02일

과학기술정보통신부

「기초연구진흥 및 기술개발지원에 관한 법률」 제14조의 2제1항 및 같은 법 시행령 제27조제1항에 따라 위와 같이 기업의 연구개발전담부서로 인정합니다.

2024년 5월 13일

한국산업기술진흥협회장

G-CERTI *certificate*

hereby certifies that

Hangul 2119 Research Institute Co., Ltd.

Rm. 2, Lower level, Sangga-dong, 33, Majang-ro 264beon-gil, Bupyeong-gu, Incheon, Korea

meets the Standard Requirements & Scope as following

ISO 9001:2015
Quality Management Systems

Creation of Media Content, Publication of Korean Paper and Electronic Textbooks, Production and Release of Albums for Korean Language Education

Certificate No: GIS-6934-QC
Initial Date : 2024-05-21
Expiry Date : 2027-05-20

Code : 08, 39
Issue Date : 2024-05-21
Valid Period : 2024-05-21 ~ 2027-05-20

Signed for and on behalf of GCERTI
President I.K.Cho

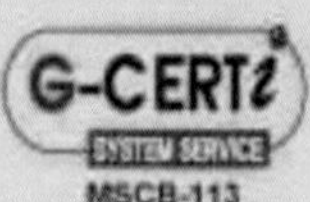

Certificate of Registration Certificate of Registration

G-CERTI *certificate*

hereby certifies that

Hangul 2119 Research Institute Co., Ltd.

Rm. 2, Lower level, Sangga-dong, 33, Majang-ro 264beon-gil, Bupyeong-gu, Incheon, Korea

meets the Standard Requirements & Scope as following

ISO 14001:2015
Environmental Management Systems

Creation of Media Content, Publication of Korean Paper and Electronic Textbooks, Production and Release of Albums for Korean Language Education

Certificate No:	**GIS-6934-EC**	**Code**	**: 08, 39**
Initial Date	**: 2024-05-21**	**Issue Date**	**: 2024-05-21**
Expiry Date	**: 2027-05-20**	**Valid Period**	**: 2024-05-21 ~ 2027-05-20**

Signed for and on behalf of GCERTI
President I.K.Cho

< 목차(оглавление) >

< 1 >

한글송

한글(корейские буквы)
송(песня)

[발음(произношение)]

< 전주(вступление) >

바 빠 파 다 따 타 가 까 카 자 짜 차 사 싸 하 마 나 아 라
바 빠 파 다 따 타 가 까 카 자 짜 차 사 싸 하 마 나 아 라
ba ppa pa da tta ta ga kka ka ja jja cha sa ssa ha ma na a ra

자음 열아홉 개 소리
자음 여라홉 개 소리
jaeum yeorahop gae sori

아 어 오 우 으 이 애 에 외 위 야 여 요 유 얘 예 와 워 왜 웨 의
아 어 오 우 으 이 애 에 외 위 야 여 요 유 얘 예 와 워 왜 웨 의
a eo o u eu i ae e oe wi ya yeo yo yu yae ye wa wo wae we ui

모음 스물한 개 소리
모음 스물한 개 소리
moeum seumulhan gae sori

< 1 절(куплет) >

다 같이 말해 봐
다 가치 말해 봐
da gachi malhae bwa

아설순치후
아설순치후
aseolsunchihu

다 함께 불러 봐
다 함께 불러 봐
da hamkke bulleo bwa

아설순치후
아설순치후
aseolsunchihu

우리 모두 느껴 봐
우리 모두 느껴 봐
uri modu neukkyeo bwa

발음 기관을 본뜬
바름 기과늘 본뜬
bareum gigwaneul bontteun

기역, 니은, 미음, 시옷, 이응
기역, 니은, 미음, 시옫, 이응
giyeok, nieun, mieum, siot, ieung

다섯 글자
다섣 글짜
daseot geulja

세상의 모든 소리를 들어 봐
세상에 모든 소리를 드러 봐
sesange modeun sorireul deureo bwa

또 하고 싶은 말을 다 외쳐 봐
또 하고 시픈 마를 다 외처 봐
tto hago sipeun mareul da oecheo bwa

신비로운 사연
신비로운 사연
sinbiroun sayeon

감추었던 비밀
감추얻떤 비밀
gamchueotdeon bimil

진실을 전해 줘
진시를 전해 줘
jinsireul jeonhae jwo

< 후렴(припев) >

아 야 어 여 오 요 우 유 으 이
아 야 어 여 오 요 우 유 으 이
a ya eo yeo o yo u yu eu i

가 나 다 라 마 바 사 아 자 차 카 타 파 하
가 나 다 라 마 바 사 아 자 차 카 타 파 하
ga na da ra ma ba sa a ja cha ka ta pa ha

이제부터 들려 줘 너의 마음을
이제부터 들려 줘 너에 마으믈
ijebuteo deullyeo jwo neoe maeumeul

지금부터 전해 줘 너의 사랑을
지금부터 전해 줘 너에 사랑을
jigeumbuteo jeonhae jwo neoe sarangeul

아 야 어 여 오 요 우 유 으 이
아 야 어 여 오 요 우 유 으 이
a ya eo yeo o yo u yu eu i

가 나 다 라 마 바 사 아 자 차 카 타 파 하
가 나 다 라 마 바 사 아 자 차 카 타 파 하
ga na da ra ma ba sa a ja cha ka ta pa ha

모음 스물하나에 자음 열아홉을 더해
모음 스물하나에 자음 여라호블 더해
moeum seumulhanae jaeum yeorahobeul deohae

마흔 가지 소리로 세상을 느껴 봐
마흔 가지 소리로 세상을 느껴 봐
maheun gaji soriro sesangeul neukkyeo bwa

< 2 절(куплет) >

하늘과 땅이 만나 ㅗ, ㅜ
하늘과 땅이 만나 ㅗ, ㅜ
haneulgwa ttangi manna o, u

사람과 만난다면 ㅏ, ㅓ
사람과 만난다면 ㅏ, ㅓ
saramgwa mannandamyeon a, eo

하루면은 충분해
하루며는 충분해
harumyeoneun chungbunhae

하늘, 땅, 사람을 본뜬
하늘, 땅, 사라믈 본뜬
haneul, ttang, sarameul bontteun

아 어 오 우 야 여 요 유 으 이
아 어 오 우 야 여 요 유 으 이
a eo o u ya yeo yo yu eu i

열 글자
열 글짜
yeol geulja

세상의 모든 소리를 들어 봐
세상에 모든 소리를 드러 봐
sesange modeun sorireul deureo bwa

또 하고 싶은 말을 다 외쳐 봐
또 하고 시픈 마를 다 외처 봐
tto hago sipeun mareul da oecheo bwa

신비로운 사연
신비로운 사연
sinbiroun sayeon

감추었던 비밀
감추얻떤 비밀
gamchueotdeon bimil

진실을 전해 줘
진시를 전해 줘
jinsireul jeonhae jwo

< 후렴(припев) >

아 어 오 우 야 여 요 유 으 이
아 어 오 우 야 여 요 유 으 이
a eo o u ya yeo yo yu eu i

가 나 다 라 마 바 사 아 자 차 카 타 파 하
가 나 다 라 마 바 사 아 자 차 카 타 파 하
ga na da ra ma ba sa a ja cha ka ta pa ha

이제부터 들려 줘 너의 마음을
이제부터 들려 줘 너에 마으믈
ijebuteo deullyeo jwo neoe maeumeul

지금부터 전해 줘 너의 사랑을
지금부터 전해 줘 너에 사랑을
jigeumbuteo jeonhae jwo neoe sarangeul

아 어 오 우 야 여 요 유 으 이
아 어 오 우 야 여 요 유 으 이
a eo o u ya yeo yo yu eu i

가 나 다 라 마 바 사 아 자 차 카 타 파 하
가 나 다 라 마 바 사 아 자 차 카 타 파 하
ga na da ra ma ba sa a ja cha ka ta pa ha

모음 스물하나에 자음 열아홉을 더해
모음 스물하나에 자음 여라호블 더해
moeum seumulhanae jaeum yeorahobeul deohae

마흔 가지 소리로 세상을 느껴 봐
마흔 가지 소리로 세상을 느껴 봐
maheun gaji soriro sesangeul neukkyeo bwa

들려 줘요
들려 줘요
deullyeo jwoyo

이 소리 들리나요.
이 소리 들리나요.
i sori deullinayo.

달콤하게, 부드럽게 우리 모두 말해 봐요.
달콤하게, 부드럽께 우리 모두 말해 봐요.
dalkomhage, budeureopge uri modu malhae bwayo.

< 전주(вступление) >

바 빠 파 다 따 타 가 까 카 자 짜 차 사 싸 하 마 나 아 라

ㅂ : 한글 자모의 여섯째 글자. 이름은 '비읍'으로, 소리를 낼 때의 입술 모양은 'ㅁ'과 같지만 더 세게 발음되므로 'ㅁ'에 획을 더해서 만든 글자이다.

нет эквивалента

Шестая буква корейского алфавита. Название буквы 'биып'. Графическая форма буквы образована путём добавления черт к букве 'ㅁ(м)', так как форма губ при образовании звука, обозначаемого данной буквой напоминает форму губ при образовании звука, обозначаемого буквой 'ㅁ(м)', но произносится с большей силой.

ㅃ : 한글 자모 'ㅂ'을 겹쳐 쓴 글자. 이름은 쌍비읍으로, 'ㅂ'의 된소리이다.

нет эквивалента

Буква, состоящая из соединения двух согласных 'ㅂ(б)'. Название буквы 'ссанбиып'. Сильный согласный звук от 'ㅂ(б)'.

ㅍ : 한글 자모의 열셋째 글자. 이름은 '피읖'으로, 'ㅁ, ㅂ'보다 소리가 거세게 나므로 'ㅁ'에 획을 더하여 만든 글자이다.

нет эквивалента

Тринадцатая буква корейского алфавита. Название буквы 'пхиып'. Графическая форма буквы образована путём добавления черт к букве 'ㅁ(м)', так как данный звук произносится с большим придыханием, чем звук обозначаемый буквами 'ㅁ(м)' и 'ㅂ(б)'.

ㄷ : 한글 자모의 셋째 글자. 이름은 '디귿'으로, 소리를 낼 때 혀의 모습은 'ㄴ'과 같지만 더 세게 발음되므로 한 획을 더해 만든 글자이다.

нет эквивалента

Третья буква корейского алфавита. Название буквы 'тигыд'. Графическая форма буквы образована путём добавления одной черты к букве 'ㄴ(н)', так как форма языка при образовании звука, обозначаемого данной буквой, напоминает форму языка при образовании звука, обозначаемого буквы 'ㄴ(н)', но произносится с большей силой.

ㄸ : 한글 자모 'ㄷ'을 겹쳐 쓴 글자. 이름은 쌍디귿으로, 'ㄷ'의 된소리이다.

нет эквивалента

Буква, состоящая из соединения двух согласных 'ㄷ(д)'. Название буквы 'ссантигыд'. Передаёт ильный согласный звук от 'ㄷ(д)'.

ㅌ : 한글 자모의 열두째 글자. 이름은 '티읕'으로, 'ㄷ'보다 소리가 거세게 나므로 'ㄷ'에 한 획을 더하여 만든 글자이다.

нет эквивалента

Двенадцатая буква корейского алфавита. Название буквы 'тхиыт'. Графическая форма буквы образована путём добавления черты к букве 'ㄷ(д)', так как данный звук произносится с большим придыханием, чем звук обозначаемый буквой 'ㄷ(д)'.

ㄱ : 한글 자모의 첫째 글자. 이름은 기역으로 소리를 낼 때 혀뿌리가 목구멍을 막는 모양을 본떠 만든 글자이다.

нет эквивалента

Первая буква корейского алфавита. Название буквы 'киёк'. Графическая форма буквы образована по форме языка, которую он принимает при образовании звука, передаваемого данной буквой. А именно, при образовании данного звука корень языка приподнимается и закрывает гортань.

ㄲ : 한글 자모 'ㄱ'을 겹쳐 쓴 글자. 이름은 쌍기역으로, 'ㄱ'의 된소리이다.

нет эквивалента

Буква, состоящая из двух букв 'ㄱ(к)' корейского алфавита. Название буквы 'ссанкиёк'. Передает гиминированный звук 'ㄱ(к)'.

ㅋ : 한글 자모의 열한째 글자. 이름은 '키읔'으로 'ㄱ'보다 소리가 거세게 나므로 'ㄱ'에 한 획을 더하여 만든 글자이다.

нет эквивалента

Одиннадцатая буква корейского алфавита. Название буквы 'кхиык'. Графическая форма буквы образована путём добавления черты к букве 'ㄱ(к)', так как данный звук произносится с большим придыханием, чем звук обозначаемый буквой 'ㄱ(к)'.

ㅈ : 한글 자모의 아홉째 글자. 이름은 '지읒'으로, 'ㅅ'보다 소리가 더 세게 나므로 'ㅅ'에 한 획을 더해 만든 글자이다.

нет эквивалента

Девятая буква корейского алфавита. Название буквы 'чжиыт'. Графическая форма буквы образована путём добавления одной черты к букве 'ㅅ(с)', так как данный звук произносится с большей силой, чем 'ㅅ(с)'.

ㅉ : 한글 자모 'ㅈ'을 겹쳐 쓴 글자. 이름은 쌍지읒으로, 'ㅈ'의 된소리이다.

нет эквивалента

Буква, состоящая из соединения двух согласных 'ㅈ(чж)'. Название буквы 'ссанчжиыт'. Передаёт сильный согласный звук от 'ㅈ(чж)'.

ㅊ : 한글 자모의 열째 글자. 이름은 '치읓'으로 '지읒'보다 소리가 거세게 나므로 '지읒'에 한 획을 더해서 만든 글자이다.

нет эквивалента

Десятая буква корейского алфавита. Название буквы 'чхиыт'. Графическая форма буквы образована путём добавления черты к букве 'ㅈ(чж)', так как данный звук произносится с большим придыханием, чем звук обозначаемый буквой 'ㅈ(чж)'.

ㅅ : 한글 자모의 일곱째 글자. 이름은 '시옷'으로 이의 모양을 본떠서 만든 글자이다.

нет эквивалента

Седьмая буква корейского алфавита. Название буквы 'сиот'. Графическая форма буквы создана по форме зубов, которую они принимают при образовании звука, обозначенного данной буквой.

ㅆ : 한글 자모 'ㅅ'을 겹쳐 쓴 글자. 이름은 쌍시옷으로, 'ㅅ'의 된소리이다.

нет эквивалента

Буква, состоящая из соединения двух согласных 'ㅅ(с)'. Название буквы 'ссансиот'. Сильный согласный звук от 'ㅅ(с)'.

ㅎ : 한글 자모의 열넷째 글자. 이름은 '히읗'으로, 이 글자의 소리는 목청에서 나므로 목구멍을 본떠 만든 'ㅇ'의 경우와 같지만 'ㅇ'보다 더 세게 나므로 'ㅇ'에 획을 더하여 만든 글자이다.

нет эквивалента

Четырнадцатая буква корейского алфавита. Придыхательный звук, который образуется в той же позиции, где образуется звук 'ㅇ'.

ㅁ : 한글 자모의 다섯째 글자. 이름은 '미음'으로, 소리를 낼 때 다물어지는 두 입술 모양을 본떠서 만든 글자이다.

нет эквивалента

Пятая буква корейского алфавита. Название буквы "миым". Графическая форма буквы создана по форме сомкнутых губ, которую они принимают при образовании данного звука.

ㄴ : 한글 자모의 둘째 글자. 이름은 '니은'으로 소리를 낼 때 혀끝이 윗잇몸에 붙는 모양을 본떠 만든 글자이다.

нет эквивалента

Вторая буква корейского алфавита. Название буквы 'ниын'. Графическая форма буквы образована по форме языка, которую он принимает при образовании звука, обозначенного данной буквой. А именно, при образовании данного звука кончик языка приподнимается и прислоняется к верхним альвеолам.

ㅇ : 한글 자모의 여덟째 글자. 이름은 '이응'으로 목구멍의 모양을 본떠서 만든 글자이다. 초성으로 쓰일 때 소리가 없다.

нет эквивалента

Восьмая буква корейского алфавита. Название буквы 'иын'. Графическая форма буквы образована по форме гортани, которую она принимает при образовании звука, обозначаемого данной буквой. Данная буква не передаёт никакой звук, если занимает начальную позицию при написании слога.

ㄹ : 한글 자모의 넷째 글자. 이름은 '리을'로 혀끝을 윗잇몸에 가볍게 대었다가 떼면서 내는 소리를 나타낸다.

нет эквивалента

Четвёртая буква корейского алфавита. Буква имеет название "риыль" и при образовании соответствующего звука кончик языка слегка прислоняется к верхнему нёбу и тут же отрывается от него.

자음 열아홉 개 소리

자음 (имя существительное) : 목, 입, 혀 등의 발음 기관에 의해 장애를 받으며 나는 소리.

согласный звук

Звук, издающийся, когда воздушный поток проходит через препятствие, создаваемое го рлом, ротовой полостью, языком и т.п.

열아홉 : 19

개 (имя существительное) : 낱으로 떨어진 물건을 세는 단위.

штука

Счётная единица для штучных предметов.

소리 (имя существительное) : 물체가 진동하여 생긴 음파가 귀에 들리는 것.

звук

То, что создаёт вибрационные волны, которые слышатся ухом.

아 어 오 우 으 이 애 에 외 위 야 여 요 유 얘 예 와 워 왜 웨 의

ㅏ : 한글 자모의 열다섯째 글자. 이름은 '아'이고 중성으로 쓴다.

нет эквивалента

Пятнадцатая буква корейского алфавита, название буквы 'а'. Буква занимает среднюю позицию при написании слога.

ㅓ : 한글 자모의 열일곱째 글자. 이름은 '어'이고 중성으로 쓴다.

нет эквивалента

Семнадцатая буква корейского алфавита, название буквы 'о'. Буква занимает среднюю позицию при написании слога.

ㅗ : 한글 자모의 열아홉째 글자. 이름은 '오'이고 중성으로 쓴다.

нет эквивалента

Девятнадцатая буква корейского алфавита, обозначающая гласный звук [о].

ㅜ : 한글 자모의 스물한째 글자. 이름은 '우'이고 중성으로 쓴다.
нет эквивалента
Двадцать первая буква корейского алфавита, название буквы 'у'. Буква занимает среднюю позицию при написании слога.

ㅡ : 한글 자모의 스물셋째 글자. 이름은 '으'이고 중성으로 쓴다.
нет эквивалента
Двадцать третья буква корейского алфавита, название буквы 'ы'. Буква занимает среднюю позицию при написании слога.

ㅣ : 한글 자모의 스물넷째 글자. 이름은 '이'이고 중성으로 쓴다.
нет эквивалента
Двадцать четвёртая буква корейского алфавита. Название буквы 'и'. Буква занимает среднюю позицию при написании слога.

ㅐ : 한글 자모 'ㅏ'와 'ㅣ'를 모아 쓴 글자. 이름은 '애'이고 중성으로 쓴다.
нет эквивалента
Буква, являющаяся сочетанием букв 'ㅏ' и 'ㅣ', название буквы 'э'. Буква занимает среднюю позицию при написании слога.

ㅔ : 한글 자모 'ㅓ'와 'ㅣ'를 모아 쓴 글자. 이름은 '에'이고 중성으로 쓴다.
нет эквивалента
Буква, являющаяся сочетанием букв 'ㅓ' и'ㅣ', название буквы 'э'. Буква занимает среднюю позицию при написании слога.

ㅚ : 한글 자모 'ㅗ'와 'ㅣ'를 모아 쓴 글자. 이름은 '외'이고 중성으로 쓴다.
нет эквивалента
Буква, являющаяся сочетанием букв 'ㅗ' и 'ㅣ', обозначающая гласный дифтонг [уе].

ㅟ : 한글 자모 'ㅜ'와 'ㅣ'를 모아 쓴 글자. 이름은 '위'이고 중성으로 쓴다.
нет эквивалента
Буква, являющаяся сочетанием букв 'ㅜ' и 'ㅣ', обозначающая гласный дифтонг [уи].

ㅑ : 한글 자모의 열여섯째 글자. 이름은 '야'이고 중성으로 쓴다.
нет эквивалента
Шестнадцатая буква корейского алфавита, название буквы 'я'. Буква занимает среднюю позицию при написании слога.

ㅕ : 한글 자모의 열여덟째 글자. 이름은 '여'이고 중성으로 쓴다.
нет эквивалента
Восемнадцатая буква корейского алфавита, название буквы 'ё'. Буква занимает среднюю позицию при написании слога.

ㅛ : 한글 자모의 스무째 글자. 이름은 '요'이고 중성으로 쓴다.
нет эквивалента
Двадцатая буква корейского алфавита, название буквы 'ё'. Буква занимает среднюю позицию при написании слога.

ㅠ : 한글 자모의 스물두째 글자. 이름은 '유'이고 중성으로 쓴다.
нет эквивалента
Двадцать вторая буква корейского алфавита, название буквы 'ю'. Буква занимает среднюю позицию при написании слога.

ㅒ : 한글 자모 'ㅑ'와 'ㅣ'를 모아 쓴 글자. 이름은 '얘'이고 중성으로 쓴다.
нет эквивалента
Буква, являющаяся сочетанием букв 'ㅑ' и'ㅣ', название буквы 'е'. Буква занимает среднюю позицию при написании слога.

ㅖ : 한글 자모 'ㅕ'와 'ㅣ'를 모아 쓴 글자. 이름은 '예'이고 중성으로 쓴다.
нет эквивалента
Буква, являющаяся сочетанием букв 'ㅕ' и 'ㅣ', название буквы 'е'. Буква занимает среднюю позицию при написании слога.

ㅘ : 한글 자모 'ㅗ'와 'ㅏ'를 모아 쓴 글자. 이름은 '와'이고 중성으로 쓴다.
нет эквивалента
Буква, являющаяся сочетанием букв 'ㅗ' и 'ㅏ', обозначающая гласный дифтонг [уа].

ㅝ : 한글 자모 'ㅜ'와 'ㅓ'를 모아 쓴 글자. 이름은 '워'이고 중성으로 쓴다.
нет эквивалента
Буква, являющаяся сочетанием букв 'ㅜ' и 'ㅓ', обозначающая гласный дифтонг [уо].

ㅙ : 한글 자모 'ㅗ'와 'ㅐ'를 모아 쓴 글자. 이름은 '왜'이고 중성으로 쓴다.
нет эквивалента
Буква, являющаяся сочетанием букв 'ㅗ' и 'ㅐ', обозначающая гласный дифтонг [уэ].

ㅞ : 한글 자모 'ㅜ'와 'ㅔ'를 모아 쓴 글자. 이름은 '웨'이고 중성으로 쓴다.
нет эквивалента
Буква, являющаяся сочетанием букв 'ㅜ' и ''ㅔ', обозначающая гласный дифтонг [уе].

ㅢ : 한글 자모 'ㅡ'와 'ㅣ'를 모아 쓴 글자. 이름은 '의'이고 중성으로 쓴다.
нет эквивалента
Буква, являющаяся сочетанием букв 'ㅡ' и 'ㅣ', обозначающая гласный дифтонг [ый].

모음 스물한 개 소리

모음 (имя существительное) : 사람이 목청을 울려 내는 소리로, 공기의 흐름이 방해를 받지 않고 나는 소리.

гласный звук

Звук, издающийся из гортани человека потоком воздуха, не встречающего на пути преграды.

스물한 : 21

개 (имя существительное) : 낱으로 떨어진 물건을 세는 단위.

штука

Счётная единица для штучных предметов.

소리 (имя существительное) : 물체가 진동하여 생긴 음파가 귀에 들리는 것.

звук

То, что создаёт вибрационные волны, которые слышатся ухом.

< 1 절(куплет) >

다 같이 말하+[여 보]+아.

말해 봐

다 (наречие) : 남거나 빠진 것이 없이 모두.

всё; все

Весь, полный, без изъятия, целиком.

같이 (наречие) : 둘 이상이 함께.

все вместе

Вдвоём и более.

말하다 (глагол) : 어떤 사실이나 자신의 생각 또는 느낌을 말로 나타내다.

говорить

Выражать словесно какой-либо факт, собственные мысли, чувства.

-여 보다 : 앞의 말이 나타내는 행동을 시험 삼아 함을 나타내는 표현.

нет эквивалента

Выражение, указывающее на пробу или попытку совершить какое-либо действие.

-아 : (두루낮춤으로) 어떤 사실을 서술하거나 물음, 명령, 권유를 나타내는 종결 어미.
нет эквивалента
(нейтральный стиль) Финитное окончание предиката в повествовательном, вопросительном или побудительном предложении. **<приказ>**

아설순치후

아 → 어금니 (имя существительное) : 송곳니의 안쪽에 있는 크고 가운데가 오목한 이.
коренной зуб
Большой зуб с углублением посередине, расположенный во внутренней стороне челюсти за клыком.

설 → 혀 (имя существительное) : 사람이나 동물의 입 안 아래쪽에 있는 길고 붉은 살덩어리.
язык
Длинный красный орган в полости рта человека или животного.

순 → 입술 (имя существительное) : 사람의 입 주위를 둘러싸고 있는 붉고 부드러운 살.
губы
Мягкие кожные складки красного цвета, образующие края рта человека.

치 → 이 (имя существительное) : 사람이나 동물의 입 안에 있으며 무엇을 물거나 음식물을 씹는 일을 하는 기관.
зубы
Органы, расположенные в ротовой полости человека или животного, с помощью которых кусают или что-либо пережёвывают.

후 → 목구멍 (имя существительное) : 목 안쪽에서 몸속으로 나 있는 깊숙한 구멍.
гортань
Глубокий проход, соединяющий горло с внутренними органами тела.

다 함께 부르(불ㄹ)+[어 보]+아.
불러 봐

다 (наречие) : 남거나 빠진 것이 없이 모두.
всё; все
Весь, полный, без изъятия, целиком.

함께 (наречие) : 여럿이서 한꺼번에 같이.
вместе; вместе с кем-чем
Все вместе, сообща.

부르다 (глагол) : 곡조에 따라 노래하다.
петь
Исполнять голосом какой-либо музыкальный мотив.

-어 보다 : 앞의 말이 나타내는 행동을 시험 삼아 함을 나타내는 표현.
нет эквивалента
Выражение, указывающее на пробу или попытку совершить какое-либо действие.

-아 : (두루낮춤으로) 어떤 사실을 서술하거나 물음, 명령, 권유를 나타내는 종결 어미.
нет эквивалента
(нейтральный стиль) Финитное окончание предиката в повествовательном, вопросительном или побудительном предложении. **<приказ>**

아설순치후

아 → 어금니 (имя существительное) : 송곳니의 안쪽에 있는 크고 가운데가 오목한 이.
коренной зуб
Большой зуб с углублением посередине, расположенный во внутренней стороне челюсти за клыком.

설 → 혀 (имя существительное) : 사람이나 동물의 입 안 아래쪽에 있는 길고 붉은 살덩어리.
язык
Длинный красный орган в полости рта человека или животного.

순 → 입술 (имя существительное) : 사람의 입 주위를 둘러싸고 있는 붉고 부드러운 살.
губы
Мягкие кожные складки красного цвета, образующие края рта человека.

치 → 이 (имя существительное) : 사람이나 동물의 입 안에 있으며 무엇을 물거나 음식물을 씹는 일을 하는 기관.
зубы
Органы, расположенные в ротовой полости человека или животного, с помощью которых кусают или что-либо пережёвывают.

후 → 목구멍 (имя существительное) : 목 안쪽에서 몸속으로 나 있는 깊숙한 구멍.
гортань
Глубокий проход, соединяющий горло с внутренними органами тела.

우리 모두 <u>느끼+[어 보]+아</u>.

느껴 봐

우리 (местоимение) : 말하는 사람이 자기와 듣는 사람 또는 이를 포함한 여러 사람들을 가리키는 말.
мы; наш
Слово, указывающее на несколько человек, включая говорящего и собеседника.

모두 (наречие) : 빠짐없이 다.
весь; все
Полностью, без остатка, без исключения.

느끼다 (глагол) : 특정한 대상이나 상황을 어떻다고 생각하거나 인식하다.
принимать; сознавать
Рассматривать какой-либо предмет, ситуацию каким-либо образом.

-어 보다 : 앞의 말이 나타내는 행동을 시험 삼아 함을 나타내는 표현.
нет эквивалента
Выражение, указывающее на пробу или попытку совершить какое-либо действие.

-아 : (두루낮춤으로) 어떤 사실을 서술하거나 물음, 명령, 권유를 나타내는 종결 어미.
нет эквивалента
(нейтральный стиль) Финитное окончание предиката в повествовательном, вопросительн ом или побудительном предложении. **<приказ>**

발음 기관+을 본뜨+ㄴ 기역, 니은, 미음, 시옷, 이응
본뜬

발음 기관 (имя существительное) : 말소리를 내는 데 쓰는 신체의 각 부분.
артикуляционный аппарат; речевой аппарат; речевые органы
Система органов человеческого тела, которые учавствуют в порождении звуков.

을 : 동작이 직접적으로 영향을 미치는 대상을 나타내는 조사.
нет эквивалента
Частица, указывающая на объект, на который действие оказывает непосредственное влияние.

본뜨다 (глагол) : 이미 있는 것을 그대로 따라서 만들다.
подражать
Точно воспроизводить что-либо уже существующее.

-ㄴ : 앞의 말이 관형어의 기능을 하게 만들고 사건이나 동작이 완료되어 그 상태가 유지되고 있음을 나타내는 어미.
нет эквивалента
Окончание, которое указывает на завершенное постоянное действие или событие, преобразуя впередистоящее слово, словосочетание или придаточное предложение в определение.

기역 (имя существительное) : 한글 자모 'ㄱ'의 이름.
нет эквивалента
Название согласной буквы 'ㄱ' корейского алфавита.

니은 (имя существительное) : 한글 자모 'ㄴ'의 이름.
нет эквивалента
Название согласной буквы "ㄴ" корейского алфавита.

미음 (имя существительное) : 한글 자모 'ㅁ'의 이름.
нет эквивалента
Название согласной буквы "ㅁ" корейского алфавита.

시옷 (имя существительное) : 한글 자모 'ㅅ'의 이름.
нет эквивалента
Название согласной буквы "ㅅ" корейского алфавита.

이응 (имя существительное) : 한글 자모 'ㅇ'의 이름.
нет эквивалента
Название согласной буквы "ㅇ" корейского алфавита.

다섯 글자

다섯 (атрибутивное слово) : 넷에 하나를 더한 수의.
пять
Количество, полученное путём прибавления одного к четырём.

글자 (имя существительное) : 말을 적는 기호.
буква; письменный знак; литера
Знак, при помощи которого записывают слова или речь.

세상+의 모든 소리+를 듣(들)+[어 보]+아.
들어 봐

세상 (имя существительное) : 지구 위 전체.
мир; свет
Всё, что находится на поверхности Земли.

의 : 앞의 말이 뒤의 말에 대하여 소유, 소속, 소재, 관계, 기원, 주체의 관계를 가짐을 나타내는 조사.
нет эквивалента
Частица, указывающая на то, что в предыдущем слове содержится значение собственности, принадлежности, сырья, источника, основы в отношении последующего.

모든 (атрибутивное слово) : 빠지거나 남는 것 없이 전부인.
все; весь; вся; всё
Всё полностью без остатка.

소리 (имя существительное) : 물체가 진동하여 생긴 음파가 귀에 들리는 것.
звук
То, что создаёт вибрационные волны, которые слышатся ухом.

를 : 동작이 직접적으로 영향을 미치는 대상을 나타내는 조사.
нет эквивалента
Частица, указывающая на объект, на который непосредственно распространяется влияние действия.

듣다 (глагол) : 귀로 소리를 알아차리다.
слышать; слушать
Распознавать звуки ушами.

-어 보다 : 앞의 말이 나타내는 행동을 시험 삼아 함을 나타내는 표현.
нет эквивалента
Выражение, указывающее на пробу или попытку совершить какое-либо действие.

-아 : (두루낮춤으로) 어떤 사실을 서술하거나 물음, 명령, 권유를 나타내는 종결 어미.
нет эквивалента
(нейтральный стиль) Финитное окончание предиката в повествовательном, вопросительном или побудительном предложении. **<приказ>**

또 하+[고 싶]+은 말+을 다 외치+[어 보]+아.
외쳐 봐

또 (наречие) : 그 밖에 더.
ещё; опять; заново; снова; ещё раз; вновь
Кроме того.

하다 (глагол) : 어떤 행동이나 동작, 활동 등을 행하다.
делать
Выполнять какое-либо действие, движение, работу и т.п.

-고 싶다 : 앞의 말이 나타내는 행동을 하기를 원함을 나타내는 표현.
хотеть (что-либо делать)
Выражение, указывающее на желание говорящего совершить какое-либо действие.

-은 : 앞의 말이 관형어의 기능을 하게 만들고 현재의 상태를 나타내는 어미.
нет эквивалента
Окончание, которое указывает на состояние лица или предмета в настоящем, преобразуя впередистоящее слово, словосочетание или придаточное предложение в определение.

말 (имя существительное) : 생각이나 느낌을 표현하고 전달하는 사람의 소리.
голос
Звук воспроизводимый голосовыми связками при выражении мыслей, чувств и т.п.

을 : 동작이 직접적으로 영향을 미치는 대상을 나타내는 조사.
нет эквивалента
Частица, указывающая на объект, на который действие оказывает непосредственное влияние.

다 (наречие) : 남거나 빠진 것이 없이 모두.
всё; все
Весь, полный, без изъятия, целиком.

외치다 (глагол) : 큰 소리를 지르다.
кричать; орать; говорить громким голосом
Издавать громкий звук.

-어 보다 : 앞의 말이 나타내는 행동을 시험 삼아 함을 나타내는 표현.
нет эквивалента
Выражение, указывающее на пробу или попытку совершить какое-либо действие.

-아 : (두루낮춤으로) 어떤 사실을 서술하거나 물음, 명령, 권유를 나타내는 종결 어미.
нет эквивалента
(нейтральный стиль) Финитное окончание предиката в повествовательном, вопросительн ом или побудительном предложении. **<приказ>**

신비롭(신비로우)+ㄴ 사연, 감추+었던 비밀
신비로운

신비롭다 (имя прилагательное) : 보통의 생각으로는 이해할 수 없을 정도로 놀랍고 신기한 느낌이 있다.
мистический
Удивительное и необычайное чувство, что не поддаётся объяснению обычными способами мышления.

-ㄴ : 앞의 말이 관형어의 기능을 하게 만들고 현재의 상태를 나타내는 어미.
нет эквивалента
Окончание, указывающее на состояние лица или предмета в настоящий момент, при котором впередистоящее слово, словосочетание или придаточное предложение выполняет функцию определения.

사연 (имя существительное) : 일어난 일의 앞뒤 사정과 까닭.
причина, обстоятельство
Предшествующие или последующие обстоятельства либо причина произошедшего.

감추다 (глагол) : 어떤 사실이나 감정을 남이 모르도록 알리지 않고 비밀로 하다.
скрывать
Не говорить и держать в тайне (чувства, правду и т.п).

-었던 : 과거의 사건이나 상태를 다시 떠올리거나 그 사건이나 상태가 완료되지 않고 중단되었다는 의미를 나타내는 표현.
нет эквивалента
Выражение, указывающее на событие или состояние в прошлом по воспоминаниям говорящего или же на то, что то событие или состояние было прервано и осталось незавершённым.

비밀 (имя существительное) : 숨기고 있어 남이 모르는 일.
секрет
Что-либо, что прячут от других и о чём не говорят вслух или не обсуждают.

진실+을 전하+[여 주]+어.
전해 줘

진실 (имя существительное) : 순수하고 거짓이 없는 마음.
искренность
Чистое и искреннее сердце, душа.

을 : 동작이 직접적으로 영향을 미치는 대상을 나타내는 조사.
нет эквивалента
Частица, указывающая на объект, на который действие оказывает непосредственное влияние.

전하다 (глагол) : 어떤 소식, 생각 등을 상대에게 알리다.
передавать
Сообщать, пересказывать кому-либо какую-либо новость, мысль и т.п.

-여 주다 : 남을 위해 앞의 말이 나타내는 행동을 함을 나타내는 표현.
нет эквивалента
Выражение, указывающее на то, что описанное действие выполняется в интересах другого лица.

-어 : (두루낮춤으로) 어떤 사실을 서술하거나 물음, 명령, 권유를 나타내는 종결 어미.
нет эквивалента
(нейтральный стиль) Финитное окончание предиката в повествовательном, вопросительн ом или побудительном предложении. **<приказ>**

< 후렴(припев) >

아 야 어 여 오 요 우 유 으 이

가 나 다 라 마 바 사 아 자 차 카 타 파 하

이제+부터 들리+[어 주]+어 너+의 마음+을.
들려 줘

이제 (имя существительное) : 말하고 있는 바로 이때.
теперь; сейчас; только что
Прямо во время разговора.

부터 : 어떤 일의 시작이나 처음을 나타내는 조사.
нет эквивалента
Окончание, указывающее на начало какой-либо области или какого-либо события.

들리다 (глагол) : 듣게 하다.
рассказывать; доносить
Делать слышным, услышанным.

-어 주다 : 남을 위해 앞의 말이 나타내는 행동을 함을 나타내는 표현.
нет эквивалента
Выражение, указывающее на то, что описанное действие выполняется в интересах другого лица.

-어 : (두루낮춤으로) 어떤 사실을 서술하거나 물음, 명령, 권유를 나타내는 종결 어미.
нет эквивалента
(нейтральный стиль) Финитное окончание предиката в повествовательном, вопросительном или побудительном предложении. **<приказ>**

너 (местоимение) : 듣는 사람이 친구나 아랫사람일 때, 그 사람을 가리키는 말.
ты
Употребляется при указании на собеседника, если он является ровесником или человеком, младшим по возрасту или статусу.

의 : 앞의 말이 뒤의 말에 대하여 소유, 소속, 소재, 관계, 기원, 주체의 관계를 가짐을 나타내는 조사.
нет эквивалента
Частица, указывающая на то, что в предыдущем слове содержится значение собственности, принадлежности, сырья, источника, основы в отношении последующего.

마음 (имя существительное) : 기분이나 느낌.
чувство; настроение
Настроение или ощущения.

을 : 동작이 직접적으로 영향을 미치는 대상을 나타내는 조사.
нет эквивалента
Частица, указывающая на объект, на который действие оказывает непосредственное влияние.

지금+부터 <u>전하+[여 주]+어</u> 너+의 사랑+을.
전해 줘

지금 (имя существительное) : 말을 하고 있는 바로 이때.
сейчас; теперь
Прямо в то время, когда говоришь.

부터 : 어떤 일의 시작이나 처음을 나타내는 조사.
нет эквивалента
Окончание, указывающее на начало какой-либо области или какого-либо события.

전하다 (глагол) : 어떤 소식, 생각 등을 상대에게 알리다.
передавать
Сообщать, пересказывать кому-либо какую-либо новость, мысль и т.п.

-여 주다 : 남을 위해 앞의 말이 나타내는 행동을 함을 나타내는 표현.
нет эквивалента
Выражение, указывающее на то, что описанное действие выполняется в интересах другого лица.

-어 : (두루낮춤으로) 어떤 사실을 서술하거나 물음, 명령, 권유를 나타내는 종결 어미.
нет эквивалента
(нейтральный стиль) Финитное окончание предиката в повествовательном, вопросительном или побудительном предложении. **<приказ>**

너 (местоимение) : 듣는 사람이 친구나 아랫사람일 때, 그 사람을 가리키는 말.
ты
Употребляется при указании на собеседника, если он является ровесником или человеком, младшим по возрасту или статусу.

의 : 앞의 말이 뒤의 말에 대하여 소유, 소속, 소재, 관계, 기원, 주체의 관계를 가짐을 나타내는 조사.
нет эквивалента
Частица, указывающая на то, что в предыдущем слове содержится значение собственности, принадлежности, сырья, источника, основы в отношении последующего.

사랑 (имя существительное) : 아끼고 소중히 여겨 정성을 다해 위하는 마음.
любовь
Чувство очень бережного и трепетного обращения по отношению к какому-либо предмет у или объекту.

을 : 동작이 직접적으로 영향을 미치는 대상을 나타내는 조사.
нет эквивалента
Частица, указывающая на объект, на который действие оказывает непосредственное влияние.

아 야 어 여 오 요 우 유 으 이

가 나 다 라 마 바 사 아 자 차 카 타 파 하

모음 스물하나+에 자음 열아홉+을 더하+여
더해

모음 (имя существительное) : 사람이 목청을 울려 내는 소리로, 공기의 흐름이 방해를 받지 않고 나는 소리.
гласный звук
Звук, издающийся из гортани человека потоком воздуха, не встречающего на пути преграды.

스물하나 : 21

에 : 앞말에 무엇이 더해짐을 나타내는 조사.
нет эквивалента
Окончание, указывающее на прибавление чего-либо.

자음 (имя существительное) : 목, 입, 혀 등의 발음 기관에 의해 장애를 받으며 나는 소리.
согласный звук
Звук, издающийся, когда воздушный поток проходит через препятствие, создаваемое горлом, ротовой полостью, языком и т.п.

열아홉 : 19

을 : 동작 대상의 수량이나 동작의 순서를 나타내는 조사.
нет эквивалента
Частица, указывающая на количество объектов действия или порядок действий.

더하다 (глагол) : 보태어 늘리거나 많게 하다.
усиливать; увеличивать; добавлять
Дополнив, увеличивать или делать больше.

-여 : 앞의 말이 뒤의 말보다 먼저 일어났거나 뒤의 말에 대한 방법이나 수단이 됨을 나타내는 연결 어미.
нет эквивалента
Соединительное окончание, указывающее на то, что действие, описанное в первой части предложения произошло раньше действия, описанного во второй части предложения, или на то, что оно является способом или средством его выполнения.

마흔 가지 소리+로 세상+을 느끼+[어 보]+아.
느껴 봐

마흔 (атрибутивное слово) : 열의 네 배가 되는 수의.
сорок; сороковой
Число, состоящее из четырёх десятков.

가지 (имя существительное) : 사물의 종류를 헤아리는 말.
род; вид; разновидность
Счётное слово для различения видов, разновидностей, категорий.

소리 (имя существительное) : 물체가 진동하여 생긴 음파가 귀에 들리는 것.
звук
То, что создаёт вибрационные волны, которые слышатся ухом.

로 : 어떤 일의 수단이나 도구를 나타내는 조사.
нет эквивалента
Частица, указывающая на средство или орудие для выполнения какой-либо работы.

세상 (имя существительное) : 지구 위 전체.
мир; свет
Всё, что находится на поверхности Земли.

을 : 동작이 직접적으로 영향을 미치는 대상을 나타내는 조사.
нет эквивалента
Частица, указывающая на объект, на который действие оказывает непосредственное влияние.

느끼다 (глагол) : 특정한 대상이나 상황을 어떻다고 생각하거나 인식하다.
принимать; сознавать
Рассматривать какой-либо предмет, ситуацию каким-либо образом.

-어 보다 : 앞의 말이 나타내는 행동을 시험 삼아 함을 나타내는 표현.
нет эквивалента
Выражение, указывающее на пробу или попытку совершить какое-либо действие.

-아 : (두루낮춤으로) 어떤 사실을 서술하거나 물음, 명령, 권유를 나타내는 종결 어미.
нет эквивалента
(нейтральный стиль) Финитное окончание предиката в повествовательном, вопросительном или побудительном предложении. **<приказ>**

< 2 절(куплет) >

하늘+과 땅+이 만나+(아) ㅗ, ㅜ
만나

하늘 (имя существительное) : 땅 위로 펼쳐진 무한히 넓은 공간.
небо
Необъятное пространство, раскинувшееся над землей.

과 : 앞과 뒤의 명사를 같은 자격으로 이어 줄 때 쓰는 조사.
нет эквивалента
Частица, связывающая предыдущее и последующее существительное по схожести.

땅 (имя существительное) : 지구에서 물로 된 부분이 아닌 흙이나 돌로 된 부분.
суша; земля
Часть земной поверхности, состоящая не из воды, а из глины и камней.

이 : 어떤 상태나 상황의 대상이나 동작의 주체를 나타내는 조사.
нет эквивалента
Частица, показывающая какое-либо состояние, объект ситуации или субъект действия.

만나다 (глагол) : 선이나 길, 강 등이 서로 마주 닿거나 연결되다.
встречаться
Соприкасаться или соединяться друг с другом (о линии, пути, реке и т.п.).

-아 : 앞의 말이 뒤의 말보다 먼저 일어났거나 뒤의 말에 대한 방법이나 수단이 됨을 나타내는 연결 어미.
нет эквивалента
Соединительное окончание, указывающее на то, что действие, описанное в первой части предложения произошло раньше действия, описанного во второй части предложения, или на то, что оно является способом или средством его выполнения.

ㅗ (имя существительное) : 한글 자모의 열아홉째 글자. 이름은 '오'이고 중성으로 쓴다.
нет эквивалента
Девятнадцатая буква корейского алфавита, обозначающая гласный звук [о].

ㅜ (имя существительное) : 한글 자모의 스물한째 글자. 이름은 '우'이고 중성으로 쓴다.
нет эквивалента
Двадцать первая буква корейского алфавита, название буквы 'у'. Буква занимает среднюю позицию при написании слога.

사람+과 <u>만나+ㄴ다면</u> ㅏ, ㅓ
만난다면

사람 (имя существительное) : 생각할 수 있으며 언어와 도구를 만들어 사용하고 사회를 이루어 사는 존재.
человек
Живое существо, образующее общество и обладающее способностью мыслить, производить и использовать язык и орудия труда.

과 : 누군가를 상대로 하여 어떤 일을 할 때 그 상대임을 나타내는 조사.
нет эквивалента
Частица, указывающая на то, что слово является объектом по отношению к кому-либо в каком-либо деле.

만나다 (глагол) : 선이나 길, 강 등이 서로 마주 닿거나 연결되다.
встречаться
Соприкасаться или соединяться друг с другом (о линии, пути, реке и т.п.).

-ㄴ다면 : 어떠한 사실이나 상황을 가정하는 뜻을 나타내는 연결 어미.
нет эквивалента
Соединительное окончание, указывающее на предположение или допущение какой-либо ситуации или факта в условных предложениях.

ㅏ (имя существительное) : 한글 자모의 열다섯째 글자. 이름은 ‘아’이고 중성으로 쓴다.
нет эквивалента
Пятнадцатая буква корейского алфавита, название буквы 'а'. Буква занимает среднюю позицию при написании слога.

ㅓ (имя существительное) : 한글 자모의 열일곱째 글자. 이름은 ‘어’이고 중성으로 쓴다.
нет эквивалента
Семнадцатая буква корейского алфавита, название буквы 'о'. Буква занимает среднюю позицию при написании слога.

하루+(이)+면+은 충분하+여.
충분해

하루 (имя существительное) : 밤 열두 시부터 다음 날 밤 열두 시까지의 스물네 시간.
день; сутки
Промежуток времени от одной полуночи до другой равный 24 часам.

이다 : 주어가 지시하는 대상의 속성이나 부류를 지정하는 뜻을 나타내는 서술격 조사.
нет эквивалента
Суффикс повествовательного падежа, выражающий смысл наименования свойства или разряда объекта, на который указывает подлежащее.

면 : 뒤에 오는 말에 대한 근거나 조건이 됨을 나타내는 연결 어미.
нет эквивалента
Соединительное окончание предиката, присоединяющее придаточное условия, указывающее на то, что является обоснованием или условием того, о чем говорится во второй части предложения.

은 : 강조의 뜻을 나타내는 조사.
нет эквивалента
Частица, выражающая смысл акцентирования.

충분하다 (имя прилагательное) : 모자라지 않고 넉넉하다.
достаточный
Удовлетворяющий потребностям.

-여 : (두루낮춤으로) 어떤 사실을 서술하거나 물음, 명령, 권유를 나타내는 종결 어미.
нет эквивалента
(нейтральный стиль) Финитное окончание предиката в повествовательном, вопросительном или побудительном предложении. **<изложение>**

하늘, 땅, 사람+을 본뜨+ㄴ 아 어 오 우 야 여 요 유 으 이
본뜬

하늘 (имя существительное) : 땅 위로 펼쳐진 무한히 넓은 공간.
небо
Необъятное пространство, раскинувшееся над землей.

땅 (имя существительное) : 지구에서 물로 된 부분이 아닌 흙이나 돌로 된 부분.
суша; земля
Часть земной поверхности, состоящая не из воды, а из глины и камней.

사람 (имя существительное) : 생각할 수 있으며 언어와 도구를 만들어 사용하고 사회를 이루어 사는 존재.
человек
Живое существо, образующее общество и обладающее способностью мыслить, производить и использовать язык и орудия труда.

을 : 동작이 직접적으로 영향을 미치는 대상을 나타내는 조사.
нет эквивалента
Частица, указывающая на объект, на который действие оказывает непосредственное влияние.

본뜨다 (глагол) : 이미 있는 것을 그대로 따라서 만들다.
подражать
Точно воспроизводить что-либо уже существующее.

-ㄴ : 앞의 말이 관형어의 기능을 하게 만들고 사건이나 동작이 완료되어 그 상태가 유지되고 있음을 나타내는 어미.
нет эквивалента
Окончание, которое указывает на завершенное постоянное действие или событие, преобразуя впередистоящее слово, словосочетание или придаточное предложение в определение.

아 (имя существительное) : 한글 자모의 열다섯째 글자. 이름은 '아'이고 중성으로 쓴다.
нет эквивалента
Пятнадцатая буква корейского алфавита, название буквы 'а'. Буква занимает среднюю позицию при написании слога.

어 **(имя существительное)** : 한글 자모의 열일곱째 글자. 이름은 '어'이고 중성으로 쓴다.
нет эквивалента
Семнадцатая буква корейского алфавита, название буквы 'о'. Буква занимает среднюю позицию при написании слога.

오 **(имя существительное)** : 한글 자모의 열아홉째 글자. 이름은 '오'이고 중성으로 쓴다.
нет эквивалента
Девятнадцатая буква корейского алфавита, обозначающая гласный звук [o].

우 **(имя существительное)** : 한글 자모의 스물한째 글자. 이름은 '우'이고 중성으로 쓴다.
нет эквивалента
Двадцать первая буква корейского алфавита, название буквы 'у'. Буква занимает среднюю позицию при написании слога.

야 **(имя существительное)** : 한글 자모의 열여섯째 글자. 이름은 '야'이고 중성으로 쓴다.
нет эквивалента
Шестнадцатая буква корейского алфавита, название буквы 'я'. Буква занимает среднюю позицию при написании слога.

여 **(имя существительное)** : 한글 자모의 열여덟째 글자. 이름은 '여'이고 중성으로 쓴다.
нет эквивалента
Восемнадцатая буква корейского алфавита, название буквы 'ё'. Буква занимает среднюю позицию при написании слога.

요 **(имя существительное)** : 한글 자모의 스무째 글자. 이름은 '요'이고 중성으로 쓴다.
нет эквивалента
Двадцатая буква корейского алфавита, название буквы 'ё'. Буква занимает среднюю позицию при написании слога.

유 **(имя существительное)** : 한글 자모의 스물두째 글자. 이름은 '유'이고 중성으로 쓴다.
нет эквивалента
Двадцать вторая буква корейского алфавита, название буквы 'ю'. Буква занимает среднюю позицию при написании слога.

으 **(имя существительное)** : 한글 자모의 스물셋째 글자. 이름은 '으'이고 중성으로 쓴다.
нет эквивалента
Двадцать третья буква корейского алфавита, название буквы 'ы'. Буква занимает среднюю позицию при написании слога.

이 **(имя существительное)** : 한글 자모의 스물넷째 글자. 이름은 '이'이고 중성으로 쓴다.
нет эквивалента
Двадцать четвёртая буква корейского алфавита. Название буквы 'и'. Буква занимает среднюю позицию при написании слога.

열 글자

열 (атрибутивное слово) : 아홉에 하나를 더한 수의.
Десять
количество единиц чего-либо, полученное путём прибавления одного к девяти.

글자 (имя существительное) : 말을 적는 기호.
буква; письменный знак; литера
Знак, при помощи которого записывают слова или речь.

세상+의 모든 소리+를 듣(들)+[어 보]+아.
들어 봐

세상 (имя существительное) : 지구 위 전체.
мир; свет
Всё, что находится на поверхности Земли.

의 : 앞의 말이 뒤의 말에 대하여 소유, 소속, 소재, 관계, 기원, 주체의 관계를 가짐을 나타내는 조사.
нет эквивалента
Частица, указывающая на то, что в предыдущем слове содержится значение собственности, принадлежности, сырья, источника, основы в отношении последующего.

모든 (атрибутивное слово) : 빠지거나 남는 것 없이 전부인.
все; весь; вся; всё
Всё полностью без остатка.

소리 (имя существительное) : 물체가 진동하여 생긴 음파가 귀에 들리는 것.
звук
То, что создаёт вибрационные волны, которые слышатся ухом.

를 : 동작이 직접적으로 영향을 미치는 대상을 나타내는 조사.
нет эквивалента
Частица, указывающая на объект, на который непосредственно распространяется влияние действия.

듣다 (глагол) : 귀로 소리를 알아차리다.
слышать; слушать
Распознавать звуки ушами.

-어 보다 : 앞의 말이 나타내는 행동을 시험 삼아 함을 나타내는 표현.
нет эквивалента
Выражение, указывающее на пробу или попытку совершить какое-либо действие.

-아 : (두루낮춤으로) 어떤 사실을 서술하거나 물음, 명령, 권유를 나타내는 종결 어미.
нет эквивалента
(нейтральный стиль) Финитное окончание предиката в повествовательном, вопросительном или побудительном предложении. **<приказ>**

또 하+[고 싶]+은 말+을 다 외치+[어 보]+아.
외쳐 봐

또 (наречие) : 그 밖에 더.
ещё; опять; заново; снова; ещё раз; вновь
Кроме того.

하다 (глагол) : 어떤 행동이나 동작, 활동 등을 행하다.
делать
Выполнять какое-либо действие, движение, работу и т.п.

-고 싶다 : 앞의 말이 나타내는 행동을 하기를 원함을 나타내는 표현.
хотеть (что-либо делать)
Выражение, указывающее на желание говорящего совершить какое-либо действие.

-은 : 앞의 말이 관형어의 기능을 하게 만들고 현재의 상태를 나타내는 어미.
нет эквивалента
Окончание, которое указывает на состояние лица или предмета в настоящем, преобразуя впередистоящее слово, словосочетание или придаточное предложение в определение.

말 (имя существительное) : 생각이나 느낌을 표현하고 전달하는 사람의 소리.
голос
Звук воспроизводимый голосовыми связками при выражении мыслей, чувств и т.п.

을 : 동작이 직접적으로 영향을 미치는 대상을 나타내는 조사.
нет эквивалента
Частица, указывающая на объект, на который действие оказывает непосредственное влияние.

다 (наречие) : 남거나 빠진 것이 없이 모두.
всё; все
Весь, полный, без изъятия, целиком.

외치다 (глагол) : 큰 소리를 지르다.
кричать; орать; говорить громким голосом
Издавать громкий звук.

-어 보다 : 앞의 말이 나타내는 행동을 시험 삼아 함을 나타내는 표현.
нет эквивалента
Выражение, указывающее на пробу или попытку совершить какое-либо действие.

-아 : (두루낮춤으로) 어떤 사실을 서술하거나 물음, 명령, 권유를 나타내는 종결 어미.
нет эквивалента
(нейтральный стиль) Финитное окончание предиката в повествовательном, вопросительн ом или побудительном предложении. **<приказ>**

신비롭(신비로우)+ㄴ 사연, 감추+었던 비밀
신비로운

신비롭다 (имя прилагательное) : 보통의 생각으로는 이해할 수 없을 정도로 놀랍고 신기한 느낌이 있다.
мистический
Удивительное и необычайное чувство, что не поддаётся объяснению обычными способами мышления.

-ㄴ : 앞의 말이 관형어의 기능을 하게 만들고 현재의 상태를 나타내는 어미.
нет эквивалента
Окончание, указывающее на состояние лица или предмета в настоящий момент, при котором впередистоящее слово, словосочетание или придаточное предложение выполняет функцию определения.

사연 (имя существительное) : 일어난 일의 앞뒤 사정과 까닭.
причина, обстоятельство
Предшествующие или последующие обстоятельства либо причина произошедшего.

감추다 (глагол) : 어떤 사실이나 감정을 남이 모르도록 알리지 않고 비밀로 하다.
скрывать
Не говорить и держать в тайне (чувства, правду и т.п).

-었던 : 과거의 사건이나 상태를 다시 떠올리거나 그 사건이나 상태가 완료되지 않고 중단되었다는 의미를 나타내는 표현.
нет эквивалента
Выражение, указывающее на событие или состояние в прошлом по воспоминаниям говорящего или же на то, что то событие или состояние было прервано и осталось незавершённым.

비밀 (имя существительное) : 숨기고 있어 남이 모르는 일.
секрет
Что-либо, что прячут от других и о чём не говорят вслух или не обсуждают.

진실+을 전하+[여 주]+어.
전해 줘

진실 (имя существительное) : 순수하고 거짓이 없는 마음.
искренность
Чистое и искреннее сердце, душа.

을 : 동작이 직접적으로 영향을 미치는 대상을 나타내는 조사.
нет эквивалента
Частица, указывающая на объект, на который действие оказывает непосредственное влияние.

전하다 (глагол) : 어떤 소식, 생각 등을 상대에게 알리다.
передавать
Сообщать, пересказывать кому-либо какую-либо новость, мысль и т.п.

-여 주다 : 남을 위해 앞의 말이 나타내는 행동을 함을 나타내는 표현.
нет эквивалента
Выражение, указывающее на то, что описанное действие выполняется в интересах другого лица.

-어 : (두루낮춤으로) 어떤 사실을 서술하거나 물음, 명령, 권유를 나타내는 종결 어미.
нет эквивалента
(нейтральный стиль) Финитное окончание предиката в повествовательном, вопросительном или побудительном предложении. **<приказ>**

< 후렴(припев) >

아 야 어 여 오 요 우 유 으 이

가 나 다 라 마 바 사 아 자 차 카 타 파 하

이제+부터 들리+[어 주]+어 너+의 마음+을.
들려 줘

이제 (имя существительное) : 말하고 있는 바로 이때.
теперь; сейчас; только что
Прямо во время разговора.

부터 : 어떤 일의 시작이나 처음을 나타내는 조사.
нет эквивалента
Окончание, указывающее на начало какой-либо области или какого-либо события.

들리다 (глагол) : 듣게 하다.
рассказывать; доносить
Делать слышным, услышанным.

-어 주다 : 남을 위해 앞의 말이 나타내는 행동을 함을 나타내는 표현.
нет эквивалента
Выражение, указывающее на то, что описанное действие выполняется в интересах другого лица.

-어 : (두루낮춤으로) 어떤 사실을 서술하거나 물음, 명령, 권유를 나타내는 종결 어미.
нет эквивалента
(нейтральный стиль) Финитное окончание предиката в повествовательном, вопросительном или побудительном предложении. **<приказ>**

너 (местоимение) : 듣는 사람이 친구나 아랫사람일 때, 그 사람을 가리키는 말.
ты
Употребляется при указании на собеседника, если он является ровесником или человеком, младшим по возрасту или статусу.

의 : 앞의 말이 뒤의 말에 대하여 소유, 소속, 소재, 관계, 기원, 주체의 관계를 가짐을 나타내는 조사.
нет эквивалента
Частица, указывающая на то, что в предыдущем слове содержится значение собственности, принадлежности, сырья, источника, основы в отношении последующего.

마음 (имя существительное) : 기분이나 느낌.
чувство; настроение
Настроение или ощущения.

을 : 동작이 직접적으로 영향을 미치는 대상을 나타내는 조사.
нет эквивалента
Частица, указывающая на объект, на который действие оказывает непосредственное влияние.

지금+부터 전하+[여 주]+어 너+의 사랑+을.
전해 줘

지금 (имя существительное) : 말을 하고 있는 바로 이때.
сейчас; теперь
Прямо в то время, когда говоришь.

부터 : 어떤 일의 시작이나 처음을 나타내는 조사.
нет эквивалента
Окончание, указывающее на начало какой-либо области или какого-либо события.

전하다 (глагол) : 어떤 소식, 생각 등을 상대에게 알리다.
передавать
Сообщать, пересказывать кому-либо какую-либо новость, мысль и т.п.

-여 주다 : 남을 위해 앞의 말이 나타내는 행동을 함을 나타내는 표현.
нет эквивалента
Выражение, указывающее на то, что описанное действие выполняется в интересах другого лица.

-어 : (두루낮춤으로) 어떤 사실을 서술하거나 물음, 명령, 권유를 나타내는 종결 어미.
нет эквивалента
(нейтральный стиль) Финитное окончание предиката в повествовательном, вопросительном или побудительном предложении. **<приказ>**

너 (местоимение) : 듣는 사람이 친구나 아랫사람일 때, 그 사람을 가리키는 말.
ты
Употребляется при указании на собеседника, если он является ровесником или человеком, младшим по возрасту или статусу.

의 : 앞의 말이 뒤의 말에 대하여 소유, 소속, 소재, 관계, 기원, 주체의 관계를 가짐을 나타내는 조사.
нет эквивалента
Частица, указывающая на то, что в предыдущем слове содержится значение собственности, принадлежности, сырья, источника, основы в отношении последующего.

사랑 (имя существительное) : 아끼고 소중히 여겨 정성을 다해 위하는 마음.
любовь
Чувство очень бережного и трепетного обращения по отношению к какому-либо предмет у или объекту.

을 : 동작이 직접적으로 영향을 미치는 대상을 나타내는 조사.
нет эквивалента
Частица, указывающая на объект, на который действие оказывает непосредственное влияние.

아 야 어 여 오 요 우 유 으 이

가 나 다 라 마 바 사 아 자 차 카 타 파 하

모음 스물하나+에 자음 열아홉+을 더하+여

더해

모음 (имя существительное) : 사람이 목청을 울려 내는 소리로, 공기의 흐름이 방해를 받지 않고 나는 소리.
гласный звук
Звук, издающийся из гортани человека потоком воздуха, не встречающего на пути преграды.

스물하나 : 21

에 : 앞말에 무엇이 더해짐을 나타내는 조사.
нет эквивалента
Окончание, указывающее на прибавление чего-либо.

자음 (имя существительное) : 목, 입, 혀 등의 발음 기관에 의해 장애를 받으며 나는 소리.
согласный звук
Звук, издающийся, когда воздушный поток проходит через препятствие, создаваемое горлом, ротовой полостью, языком и т.п.

열아홉 : 19

을 : 동작 대상의 수량이나 동작의 순서를 나타내는 조사.
нет эквивалента
Частица, указывающая на количество объектов действия или порядок действий.

더하다 (глагол) : 보태어 늘리거나 많게 하다.
усиливать; увеличивать; добавлять
Дополнив, увеличивать или делать больше.

-여 : 앞의 말이 뒤의 말보다 먼저 일어났거나 뒤의 말에 대한 방법이나 수단이 됨을 나타내는 연결 어미.
нет эквивалента
Соединительное окончание, указывающее на то, что действие, описанное в первой части предложения произошло раньше действия, описанного во второй части предложения, или на то, что оно является способом или средством его выполнения.

마흔 가지 소리+로 세상+을 느끼+[어 보]+아.
느껴 봐

마흔 (атрибутивное слово) : 열의 네 배가 되는 수의.
сорок; сороковой
Число, состоящее из четырёх десятков.

가지 (имя существительное) : 사물의 종류를 헤아리는 말.
род; вид; разновидность
Счётное слово для различения видов, разновидностей, категорий.

소리 (имя существительное) : 물체가 진동하여 생긴 음파가 귀에 들리는 것.
звук
То, что создаёт вибрационные волны, которые слышатся ухом.

로 : 어떤 일의 수단이나 도구를 나타내는 조사.
нет эквивалента
Частица, указывающая на средство или орудие для выполнения какой-либо работы.

세상 (имя существительное) : 지구 위 전체.
мир; свет
Всё, что находится на поверхности Земли.

을 : 동작이 직접적으로 영향을 미치는 대상을 나타내는 조사.
нет эквивалента
Частица, указывающая на объект, на который действие оказывает непосредственное влияние.

느끼다 (глагол) : 특정한 대상이나 상황을 어떻다고 생각하거나 인식하다.
принимать; сознавать
Рассматривать какой-либо предмет, ситуацию каким-либо образом.

-어 보다 : 앞의 말이 나타내는 행동을 시험 삼아 함을 나타내는 표현.
нет эквивалента
Выражение, указывающее на пробу или попытку совершить какое-либо действие.

-아 : (두루낮춤으로) 어떤 사실을 서술하거나 물음, 명령, 권유를 나타내는 종결 어미.
нет эквивалента
(нейтральный стиль) Финитное окончание предиката в повествовательном, вопросительном или побудительном предложении. **<приказ>**

< 후렴(припев) >

들리+[어 주]+어요.
들려 줘요

들리다 (глагол) : 듣게 하다.
рассказывать; доносить
Делать слышным, услышанным.

-어 주다 : 남을 위해 앞의 말이 나타내는 행동을 함을 나타내는 표현.
нет эквивалента
Выражение, указывающее на то, что описанное действие выполняется в интересах другого лица.

-어요 : (두루높임으로) 어떤 사실을 서술하거나 질문, 명령, 권유함을 나타내는 종결 어미.
нет эквивалента
(нейтрально-вежливый стиль) Финитное окончание предиката в повествовательном, вопросительном или побудительном предложении. **<приказ>**

이 소리 들리+나요?

이 (атрибутивное слово) : 말하는 사람에게 가까이 있거나 말하는 사람이 생각하고 있는 대상을 가리키는 말.
этот; это
Слово, указывающее на что-либо, находящееся возле говорящего, или на то, о чём он думает.

소리 (имя существительное) : 물체가 진동하여 생긴 음파가 귀에 들리는 것.
звук
То, что создаёт вибрационные волны, которые слышатся ухом.

들리다 (глагол) : 소리가 귀를 통해 알아차려지다.
слышаться; доноситься; быть услышанным
Восприниматься ушами (о звуках).

-나요 : (두루높임으로) 앞의 내용에 대해 상대방에게 물어볼 때 쓰는 표현.
нет эквивалента
(нейтрально-вежливый стиль) Выражение, употребляемое при обращении с вопросом к собеседнику.

달콤하+게, 부드럽+게 우리 모두 말하+[여 보]+아요.

말해 봐요

달콤하다 (имя прилагательное) : 느낌이 좋고 기분이 좋다.
сладкий
Приятное чувство и хорошее настроение.

-게 : 앞의 말이 뒤에서 가리키는 일의 목적이나 결과, 방식, 정도 등이 됨을 나타내는 연결 어미.
нет эквивалента
Соединительное окончание предиката, указывающее на то, описанное в первой части предложения действие или состояние является целью, результатом, образом действия, степенью и т.п. того, о чём говорится в последующей главной части предложения.
<форма>

부드럽다 (имя прилагательное) : 성격이나 마음씨, 태도 등이 다정하고 따뜻하다.
покладистый
Послушный, ровный, мягкий (о характере или впечатлении о ком-либо).

-게 : 앞의 말이 뒤에서 가리키는 일의 목적이나 결과, 방식, 정도 등이 됨을 나타내는 연결 어미.
нет эквивалента
Соединительное окончание предиката, указывающее на то, описанное в первой части предложения действие или состояние является целью, результатом, образом действия, степенью и т.п. того, о чём говорится в последующей главной части предложения.
<форма>

우리 (местоимение) : 말하는 사람이 자기와 듣는 사람 또는 이를 포함한 여러 사람들을 가리키는 말.
мы; наш
Слово, указывающее на несколько человек, включая говорящего и собеседника.

모두 (наречие) : 빠짐없이 다.
весь; все
Полностью, без остатка, без исключения.

말하다 (глагол) : 어떤 사실이나 자신의 생각 또는 느낌을 말로 나타내다.
говорить
Выражать словесно какой-либо факт, собственные мысли, чувства.

-여 보다 : 앞의 말이 나타내는 행동을 시험 삼아 함을 나타내는 표현.
нет эквивалента
Выражение, указывающее на пробу или попытку совершить какое-либо действие.

-아요 : (두루높임으로) 어떤 사실을 서술하거나 질문, 명령, 권유함을 나타내는 종결 어미.
нет эквивалента
(нейтрально-вежливый стиль) Финитное окончание предиката в повествовательном, вопросительном или побудительном предложении. **<приказ>**

아 야 어 여 오 요 우 유 으 이

가 나 다 라 마 바 사 아 자 차 카 타 파 하

이제+부터 들리+[어 주]+어 너+의 마음+을.
들려 줘

이제 (имя существительное) : 말하고 있는 바로 이때.
теперь; сейчас; только что
Прямо во время разговора.

부터 : 어떤 일의 시작이나 처음을 나타내는 조사.
нет эквивалента
Окончание, указывающее на начало какой-либо области или какого-либо события.

들리다 (глагол) : 듣게 하다.
рассказывать; доносить
Делать слышным, услышанным.

-어 주다 : 남을 위해 앞의 말이 나타내는 행동을 함을 나타내는 표현.
нет эквивалента
Выражение, указывающее на то, что описанное действие выполняется в интересах другого лица.

-어 : (두루낮춤으로) 어떤 사실을 서술하거나 물음, 명령, 권유를 나타내는 종결 어미.
нет эквивалента
(нейтральный стиль) Финитное окончание предиката в повествовательном, вопросительном или побудительном предложении. **<приказ>**

너 (местоимение) : 듣는 사람이 친구나 아랫사람일 때, 그 사람을 가리키는 말.
ты
Употребляется при указании на собеседника, если он является ровесником или человеком, младшим по возрасту или статусу.

의 : 앞의 말이 뒤의 말에 내하여 소유, 소속, 소재, 관계, 기원, 주체의 관계를 가짐을 나타내는 조사.
нет эквивалента
Частица, указывающая на то, что в предыдущем слове содержится значение собственности, принадлежности, сырья, источника, основы в отношении последующего.

마음 (имя существительное) : 기분이나 느낌.
чувство; настроение
Настроение или ощущения.

을 : 동작이 직접적으로 영향을 미치는 대상을 나타내는 조사.
нет эквивалента
Частица, указывающая на объект, на который действие оказывает непосредственное влияние.

지금+부터 전하+[여 주]+어 너+의 사랑+을.
전해 줘

지금 (имя существительное) : 말을 하고 있는 바로 이때.
сейчас; теперь
Прямо в то время, когда говоришь.

부터 : 어떤 일의 시작이나 처음을 나타내는 조사.
нет эквивалента
Окончание, указывающее на начало какой-либо области или какого-либо события.

전하다 (глагол) : 어떤 소식, 생각 등을 상대에게 알리다.
передавать
Сообщать, пересказывать кому-либо какую-либо новость, мысль и т.п.

-여 주다 : 남을 위해 앞의 말이 나타내는 행동을 함을 나타내는 표현.
нет эквивалента
Выражение, указывающее на то, что описанное действие выполняется в интересах другого лица.

-어 : (두루낮춤으로) 어떤 사실을 서술하거나 물음, 명령, 권유를 나타내는 종결 어미.
нет эквивалента
(нейтральный стиль) Финитное окончание предиката в повествовательном, вопросительном или побудительном предложении. **<приказ>**

너 (местоимение) : 듣는 사람이 친구나 아랫사람일 때, 그 사람을 가리키는 말.
ты
Употребляется при указании на собеседника, если он является ровесником или человеком, младшим по возрасту или статусу.

의 : 앞의 말이 뒤의 말에 대하여 소유, 소속, 소재, 관계, 기원, 주체의 관계를 가짐을 나타내는 조사.
нет эквивалента
Частица, указывающая на то, что в предыдущем слове содержится значение собственности, принадлежности, сырья, источника, основы в отношении последующего.

사랑 (имя существительное) : 아끼고 소중히 여겨 정성을 다해 위하는 마음.
любовь
Чувство очень бережного и трепетного обращения по отношению к какому-либо предмет у или объекту.

을 : 동작이 직접적으로 영향을 미치는 대상을 나타내는 조사.
нет эквивалента
Частица, указывающая на объект, на который действие оказывает непосредственное влияние.

아 야 어 여 오 요 우 유 으 이

가 나 다 라 마 바 사 아 자 차 카 타 파 하

모음 스물하나+에 자음 열아홉+을 더하+여
더해

모음 (имя существительное) : 사람이 목청을 울려 내는 소리로, 공기의 흐름이 방해를 받지 않고 나는 소리.
гласный звук
Звук, издающийся из гортани человека потоком воздуха, не встречающего на пути преграды.

스물하나 : 21

에 : 앞말에 무엇이 더해짐을 나타내는 조사.
нет эквивалента
Окончание, указывающее на прибавление чего-либо.

자음 (имя существительное) : 목, 입, 혀 등의 발음 기관에 의해 장애를 받으며 나는 소리.
согласный звук
Звук, издающийся, когда воздушный поток проходит через препятствие, создаваемое го рлом, ротовой полостью, языком и т.п.

열아홉 : 19

을 : 동직 대상의 수량이나 동작의 순서를 나타내는 조사.
нет эквивалента
Частица, указывающая на количество объектов действия или порядок действий.

더하다 (глагол) : 보태어 늘리거나 많게 하다.
усиливать; увеличивать; добавлять
Дополнив, увеличивать или делать больше.

-여 : 앞의 말이 뒤의 말보다 먼저 일어났거나 뒤의 말에 대한 방법이나 수단이 됨을 나타내는 연결 어미.
нет эквивалента
Соединительное окончание, указывающее на то, что действие, описанное в первой части предложения произошло раньше действия, описанного во второй части предложения, или на то, что оно является способом или средством его выполнения.

마흔 가지 소리+로 세상+을 느끼+[어 보]+아.

느껴 봐

마흔 (атрибутивное слово) : 열의 네 배가 되는 수의.
сорок; сороковой
Число, состоящее из четырёх десятков.

가지 (имя существительное) : 사물의 종류를 헤아리는 말.
род; вид; разновидность
Счётное слово для различения видов, разновидностей, категорий.

소리 (имя существительное) : 물체가 진동하여 생긴 음파가 귀에 들리는 것.
звук
То, что создаёт вибрационные волны, которые слышатся ухом.

로 : 어떤 일의 수단이나 도구를 나타내는 조사.
нет эквивалента
Частица, указывающая на средство или орудие для выполнения какой-либо работы.

세상 (имя существительное) : 지구 위 전체.
мир; свет
Всё, что находится на поверхности Земли.

을 : 동작이 직접적으로 영향을 미치는 대상을 나타내는 조사.
нет эквивалента
Частица, указывающая на объект, на который действие оказывает непосредственное влияние.

느끼다 (глагол) : 특정한 대상이나 상황을 어떻다고 생각하거나 인식하다.
принимать; сознавать
Рассматривать какой-либо предмет, ситуацию каким-либо образом.

-어 보다 : 앞의 말이 나타내는 행동을 시험 삼아 함을 나타내는 표현.
нет эквивалента
Выражение, указывающее на пробу или попытку совершить какое-либо действие.

-아 : (두루낮춤으로) 어떤 사실을 서술하거나 물음, 명령, 권유를 나타내는 종결 어미.
нет эквивалента
(нейтральный стиль) Финитное окончание предиката в повествовательном, вопросительном или побудительном предложении. **<приказ>**

< 2 >

과일송

과일(фрукты) 송(песня)

[발음(произношение)]

< 1 절(куплет) >

맛있는 과일 과일 과일
마신는 과일 과일 과일
masinneun gwail gwail gwail

아삭아삭 과일 과일
아삭아삭 과일 과일
asagasak gwail gwail

먹고 싶어 과일 과일
먹꼬 시퍼 과일 과일
meokgo sipeo gwail gwail

빨간색 딸기 사과 앵두
빨간색 딸기 사과 앵두
ppalgansaek ttalgi sagwa aengdu

노란색 참외 레몬 망고
노란색 참외 레몬 망고
noransaek chamoe remon manggo

초록색 수박 매실 멜론
초록쌕 수박 매실 멜론
choroksaek subak maesil mellon

보라색 포도 자두 오디
보라색 포도 자두 오디
borasaek podo jadu odi

맛이 어때요?
마시 어때요?
masi eottaeyo?

달아요 달아요 달아요
다라요 다라요 다라요
darayo darayo darayo

맛이 어때요?
마시 어때요?
masi eottaeyo?

달콤해 날콤해 달콤해
달콤해 달콤해 달콤해
dalkomhae dalkomhae dalkomhae

어때요? 어때요?
어때요? 어때요?
eottaeyo? eottaeyo?

달아요 셔요 달콤해 새콤해
다라요 셔요 달콤해 새콤해
darayo syeoyo dalkomhae saekomhae

< 2 절(куплет) >

맛있는 과일 과일 과일
마신는 과일 과일 과일
masinneun gwail gwail gwail

아삭아삭 과일 과일
아삭아삭 과일 과일
asagasak gwail gwail

먹고 싶어 과일 과일
먹꼬 시퍼 과일 과일
meokgo sipeo gwail gwail

빨간색 딸기 사과 앵두
빨간색 딸기 사과 앵두
ppalgansaek ttalgi sagwa aengdu

노란색 참외 레몬 망고
노란색 참외 레몬 망고
noransaek chamoe remon manggo

초록색 수박 매실 멜론
초록쌕 수박 매실 멜론
choroksaek subak maesil mellon

보라색 포도 자두 오디
보라색 포도 자두 오디
borasaek podo jadu odi

맛이 어때요?
마시 어때요?
masi eottaeyo?

셔요 셔요 셔요
셔요 셔요 셔요
syeoyo syeoyo syeoyo

맛이 어때요?
마시 어때요?
masi eottaeyo?

새콤해 새콤해 새콤해
새콤해 새콤해 새콤해
saekomhae saekomhae saekomhae

어때요? 어때요?
어때요? 어때요?
eottaeyo? eottaeyo?

달아요 셔요 달콤해 새콤해
다라요 셔요 달콤해 새콤해
darayo syeoyo dalkomhae saekomhae

맛있는 과일 과일 과일
마신는 과일 과일 과일
masinneun gwail gwail gwail

아삭아삭 과일 과일
아삭아삭 과일 과일
asagasak gwail gwail

먹고 싶어 과일 과일
먹꼬 시퍼 과일 과일
meokgo sipeo gwail gwail

맛있는 과일 과일 과일
마신는 과일 과일 과일
masinneun gwail gwail gwail

아삭아삭 과일 과일
아삭아삭 과일 과일
asagasak gwail gwail

먹고 싶어 과일 과일
먹꼬 시퍼 과일 과일
meokgo sipeo gwail gwail

먹고 싶어 과일 과일

먹꼬 시퍼 과일 과일

meokgo sipeo gwail gwail

< 1절(куплет) >

맛있+는 과일 과일 과일.

맛있다 (имя прилагательное) : 맛이 좋다.
вкусный
Имеющий хороший вкус.

-는 : 앞의 말이 관형어의 기능을 하게 만들고 사건이나 동작이 현재 일어남을 나타내는 어미.
нет эквивалента
Окончание, которое указывает на действие или событие в настоящем, преобразуя впереди стоящее слово, словосочетание или придаточное предложение в определение.

과일 (имя существительное) : 사과, 배, 포도, 밤 등과 같이 나뭇가지나 줄기에 열리는 먹을 수 있는 열매.
фрукты
Яблоко, груша, виноград, каштан и другие съедобные плоды какого-либо дерева или кустарника.

아삭아삭 과일 과일.

아삭아삭 (наречие) : 연하고 싱싱한 과일이나 채소를 베어 물 때 나는 소리.
хрум
Звук, издающийся при откусывании тонкого и свежего фрукта или овоща.

과일 (имя существительное) : 사과, 배, 포도, 밤 등과 같이 나뭇가지나 줄기에 열리는 먹을 수 있는 열매.
фрукты
Яблоко, груша, виноград, каштан и другие съедобные плоды какого-либо дерева или кустарника.

먹+[고 싶]+어, 과일 과일.

먹다 (глагол) : 음식 등을 입을 통하여 배 속에 들여보내다.
есть; кушать
Принимать пищу во внутрь посредством ротовой полости.

-고 싶다 : 앞의 말이 나타내는 행동을 하기를 원함을 나타내는 표현.
хотеть (что-либо делать)
Выражение, указывающее на желание говорящего совершить какое-либо действие.

-어 : (두루낮춤으로) 어떤 사실을 서술하거나 물음, 명령, 권유를 나타내는 종결 어미.
нет эквивалента
(нейтральный стиль) Финитное окончание предиката в повествовательном, вопросительн ом или побудительном предложении. **<изложение>**

과일 (имя существительное) : 사과, 배, 포도, 밤 등과 같이 나뭇가지나 줄기에 열리는 먹을 수 있는 열매.
фрукты
Яблоко, груша, виноград, каштан и другие съедобные плоды какого-либо дерева или ку старника.

빨간색 딸기 사과 앵두.

빨간색 (имя существительное) : 흐르는 피나 잘 익은 사과, 고추처럼 붉은 색.
красный цвет
Цвет крови, спелого яблока или красного перца.

딸기 (имя существительное) : 줄기가 땅 위로 뻗으며, 겉에 씨가 박혀 있는 빨간 열매가 열리는 여러 해살이풀. 또는 그 열매.
клубника; земляника
Травянистое растение, стебель которого лежит на земле, с красными ягодами с семенам и на внешней стороне. А также его ягоды.

사과 (имя существительное) : 모양이 둥글고 붉으며 새콤하고 단맛이 나는 과일.
яблоко
Плод яблони, кисло-сладкий на вкус фрукт круглой формы.

앵두 (имя существительное) : 모양이 작고 둥글며 달콤하면서 신맛을 지닌 붉은색 과일.
вишня
Красные круглые маленькие плоды с кисло-сладким вкусом.

노란색 참외 레몬 망고.

노란색 (имя существительное) : 병아리나 바나나와 같은 색.
жёлтый цвет
Цвет, похожий на цвет цыплёнка или банана.

참외 (имя существительное) : 색이 노랗고 단맛이 나며 주로 여름에 먹는 열매.
дыня
Бахчевое растение с крупным сладким плодом желтоватого цвета.

레몬 (имя существительное) : 신맛이 강하고 새콤한 향기가 나는 타원형의 노란색 열매.
лимон
Кислый ароматный плод жёлтого цвета овальной формы.

망고 (имя существительное) : 타원형에 과육이 노랗고 부드러우며 단맛이 나는 열대 과일.
манго
Плод тропического дерева овальной формы с сладкой мякотью жёлтого цвета.

초록색 수박 매실 멜론.

초록색 (имя существительное) : 파랑과 노랑의 중간인, 짙은 풀과 같은 색.
зелёный цвет
Цвет между жёлтым и голубым; цвет травы, зелени.

수박 (имя существительное) : 둥글고 크며 초록 빛깔에 검푸른 줄무늬가 있으며 속이 붉고 수분이 많은 과일.
арбуз
Большой, круглый плод зелёного цвета с чёрными полосками и красной сочной мякоть ю.

매실 (имя существительное) : 달고 신맛이 나며 술이나 음료 등을 만들어 먹는 초록색의 둥근 열매.
слива
Кисло-сладкая ягода зелёного цвета, из которой делают алкогольные и безалкогольные напитки.

멜론 (имя существительное) : 동그랗고 보통 녹색이며 겉에 그물 모양의 무늬가 있는, 향기가 좋고 단맛이 나는 과일.
дыня
Фрукт округлой формы, обычно зелёного цвета с узором в виде сети на кожуре, имеющи й приятный запах и сладкую мякоть.

보라색 포도 자두 오디.

보라색 (имя существительное) : 파랑과 빨강을 섞은 색.
фиолетовый цвет
Цвет, образованный смешением красного и синего цветов.

포도 (имя существительное) : 달면서도 약간 신맛이 나는 작은 열매가 뭉쳐서 송이를 이루는 보라색 과일.
виноград
Фрукт фиолетового цвета, имеющий сладко-кисловатый привкус, формирующийся из гро здей, образованных маленькими плодами.

자두 (имя существительное) : 살구보다 조금 크고 새콤하고 달콤한 맛이 나는 붉은색 과일.
слива
Фрукт красного цвета с кисло-сладковатым вкусом, размером чуть больше абрикоса.

오디 (имя существительное) : 뽕나무의 열매.
тутовник
Ягоды тутового дерева.

맛+이 어떻+어요?
어때요

맛 (имя существительное) : 음식 등을 혀에 댈 때 느껴지는 감각.
вкус
Чувство, ощущаемое при прикосновении языком к пище и т.п.

이 : 어떤 상태나 상황의 대상이나 동작의 주체를 나타내는 조사.
нет эквивалента
Частица, показывающая какое-либо состояние, объект ситуации или субъект действия.

어떻다 (имя прилагательное) : 생각, 느낌, 상태, 형편 등이 어찌 되어 있다.
нет эквивалента
Быть в каком-то состоянии, проходить некоторым образом (о мыслях, чувствах, состоян ии, положении и т.п.).

-어요 : (두루높임으로) 어떤 사실을 서술하거나 질문, 명령, 권유함을 나타내는 종결 어미.
нет эквивалента
(нейтрально-вежливый стиль) Финитное окончание предиката в повествовательном, вопр осительном или побудительном предложении. **<вопрос>**

달+아요. 달+아요. 달+아요.

달다 (имя прилагательное) : 꿀이나 설탕의 맛과 같다.
сладкий; вкусный
Имеющий вкус, свойственный сахару или мёду.

-아요 : (두루높임으로) 어떤 사실을 서술하거나 질문, 명령, 권유함을 나타내는 종결 어미.
нет эквивалента
(нейтрально-вежливый стиль) Финитное окончание предиката в повествовательном, вопросительном или побудительном предложении. **<изложение>**

맛+이 어떻+어요?
어때요

맛 (имя существительное) : 음식 등을 혀에 댈 때 느껴지는 감각.
вкус
Чувство, ощущаемое при прикосновении языком к пище и т.п.

이 : 어떤 상태나 상황의 대상이나 동작의 주체를 나타내는 조사.
нет эквивалента
Частица, показывающая какое-либо состояние, объект ситуации или субъект действия.

어떻다 (имя прилагательное) : 생각, 느낌, 상태, 형편 등이 어찌 되어 있다.
нет эквивалента
Быть в каком-то состоянии, проходить некоторым образом (о мыслях, чувствах, состоянии, положении и т.п.).

-어요 : (두루높임으로) 어떤 사실을 서술하거나 질문, 명령, 권유함을 나타내는 종결 어미.
нет эквивалента
(нейтрально-вежливый стиль) Финитное окончание предиката в повествовательном, вопросительном или побудительном предложении. **<вопрос>**

달콤하+여. 달콤하+여. 달콤하+여.
달콤해 달콤해 달콤해

달콤하다 (имя прилагательное) : 맛이나 냄새가 기분 좋게 달다.
сладкий; сладковатый; сладостный
Сладкий вкус или запах, поднимающий настроение.

-여 : (두루낮춤으로) 어떤 사실을 서술하거나 물음, 명령, 권유를 나타내는 종결 어미.
нет эквивалента
(нейтральный стиль) Финитное окончание предиката в повествовательном, вопросительном или побудительном предложении. **<изложение>**

어떻+어요? 어떻+어요?
어때요 어때요

어떻다 (имя прилагательное) : 생각, 느낌, 상태, 형편 등이 어찌 되어 있다.
нет эквивалента
Быть в каком-то состоянии, проходить некоторым образом (о мыслях, чувствах, состоян ии, положении и т.п.).

-어요 : (두루높임으로) 어떤 사실을 서술하거나 질문, 명령, 권유함을 나타내는 종결 어미.
нет эквивалента
(нейтрально-вежливый стиль) Финитное окончание предиката в повествовательном, вопр осительном или побудительном предложении. **<вопрос>**

달+아요. 시+어요. 달콤하+여. 새콤하+여.
셔요 달콤해 새콤해

달다 (имя прилагательное) : 꿀이나 설탕의 맛과 같다.
сладкий; вкусный
Имеющий вкус, свойственный сахару или мёду.

-아요 : (두루높임으로) 어떤 사실을 서술하거나 질문, 명령, 권유함을 나타내는 종결 어미.
нет эквивалента
(нейтрально-вежливый стиль) Финитное окончание предиката в повествовательном, вопр осительном или побудительном предложении. **<изложение>**

시다 (имя прилагательное) : 맛이 식초와 같다.
кислый; терпкий
Имеющий специфический вкус, подобный вкусу уксуса.

-어요 : (두루높임으로) 어떤 사실을 서술하거나 질문, 명령, 권유함을 나타내는 종결 어미.
нет эквивалента
(нейтрально-вежливый стиль) Финитное окончание предиката в повествовательном, вопр осительном или побудительном предложении. **<изложение>**

달콤하다 (имя прилагательное) : 맛이나 냄새가 기분 좋게 달다.
сладкий; сладковатый; сладостный
Сладкий вкус или запах, поднимающий настроение.

-여 : (두루낮춤으로) 어떤 사실을 서술하거나 물음, 명령, 권유를 나타내는 종결 어미.
нет эквивалента
(нейтральный стиль) Финитное окончание предиката в повествовательном, вопросительном или побудительном предложении. **<изложение>**

새콤하다 (имя прилагательное) : 맛이 조금 시면서 상큼하다.
кисловатый; с кислинкой
Содержащий кислый привкус.

-여 : (두루낮춤으로) 어떤 사실을 서술하거나 물음, 명령, 권유를 나타내는 종결 어미.
нет эквивалента
(нейтральный стиль) Финитное окончание предиката в повествовательном, вопросительном или побудительном предложении. **<изложение>**

< 2 절(куплет) >

맛있+는 과일 과일 과일.

맛있다 (имя прилагательное) : 맛이 좋다.
вкусный
Имеющий хороший вкус.

-는 : 앞의 말이 관형어의 기능을 하게 만들고 사건이나 동작이 현재 일어남을 나타내는 어미.
нет эквивалента
Окончание, которое указывает на действие или событие в настоящем, преобразуя впередистоящее слово, словосочетание или придаточное предложение в определение.

과일 (имя существительное) : 사과, 배, 포도, 밤 등과 같이 나뭇가지나 줄기에 열리는 먹을 수 있는 열매.
фрукты
Яблоко, груша, виноград, каштан и другие съедобные плоды какого-либо дерева или кустарника.

아삭아삭 과일 과일.

아삭아삭 (наречие) : 연하고 싱싱한 과일이나 채소를 베어 물 때 나는 소리.
хрум
Звук, издающийся при откусывании тонкого и свежего фрукта или овоща.

과일 (имя существительное) : 사과, 배, 포도, 밤 등과 같이 나뭇가지나 줄기에 열리는 먹을 수 있는 열매.

фрукты

Яблоко, груша, виноград, каштан и другие съедобные плоды какого-либо дерева или ку старника.

먹+[고 싶]+어, 과일 과일.

먹다 (глагол) : 음식 등을 입을 통하여 배 속에 들여보내다.

есть; кушать

Принимать пищу во внутрь посредством ротовой полости.

-고 싶다 : 앞의 말이 나타내는 행동을 하기를 원함을 나타내는 표현.

хотеть (что-либо делать)

Выражение, указывающее на желание говорящего совершить какое-либо действие.

-어 : (두루낮춤으로) 어떤 사실을 서술하거나 물음, 명령, 권유를 나타내는 종결 어미.

нет эквивалента

(нейтральный стиль) Финитное окончание предиката в повествовательном, вопросительн ом или побудительном предложении. **<изложение>**

과일 (имя существительное) : 사과, 배, 포도, 밤 등과 같이 나뭇가지나 줄기에 열리는 먹을 수 있는 열매.

фрукты

Яблоко, груша, виноград, каштан и другие съедобные плоды какого-либо дерева или ку старника.

빨간색 딸기 사과 앵두.

빨간색 (имя существительное) : 흐르는 피나 잘 익은 사과, 고추처럼 붉은 색.

красный цвет

Цвет крови, спелого яблока или красного перца.

딸기 (имя существительное) : 줄기가 땅 위로 뻗으며, 겉에 씨가 박혀 있는 빨간 열매가 열리는 여러해살이풀. 또는 그 열매.

клубника; земляника

Травянистое растение, стебель которого лежит на земле, с красными ягодами с семенам и на внешней стороне. А также его ягоды.

사과 (имя существительное) : 모양이 둥글고 붉으며 새콤하고 단맛이 나는 과일.
яблоко
Плод яблони, кисло-сладкий на вкус фрукт круглой формы.

앵두 (имя существительное) : 모양이 작고 둥글며 달콤하면서 신맛을 지닌 붉은색 과일.
вишня
Красные круглые маленькие плоды с кисло-сладким вкусом.

노란색 참외 레몬 망고.

노란색 (имя существительное) : 병아리나 바나나와 같은 색.
жёлтый цвет
Цвет, похожий на цвет цыплёнка или банана.

참외 (имя существительное) : 색이 노랗고 단맛이 나며 주로 여름에 먹는 열매.
дыня
Бахчевое растение с крупным сладким плодом желтоватого цвета.

레몬 (имя существительное) : 신맛이 강하고 새콤한 향기가 나는 타원형의 노란색 열매.
лимон
Кислый ароматный плод жёлтого цвета овальной формы.

망고 (имя существительное) : 타원형에 과육이 노랗고 부드러우며 단맛이 나는 열대 과일.
манго
Плод тропического дерева овальной формы с сладкой мякотью жёлтого цвета.

초록색 수박 매실 멜론.

초록색 (имя существительное) : 파랑과 노랑의 중간인, 짙은 풀과 같은 색.
зелёный цвет
Цвет между жёлтым и голубым; цвет травы, зелени.

수박 (имя существительное) : 둥글고 크며 초록 빛깔에 검푸른 줄무늬가 있으며 속이 붉고 수분이 많은 과일.
арбуз
Большой, круглый плод зелёного цвета с чёрными полосками и красной сочной мякотью.

매실 (имя существительное) : 달고 신맛이 나며 술이나 음료 등을 만들어 먹는 초록색의 둥근 열매.
слива
Кисло-сладкая ягода зелёного цвета, из которой делают алкогольные и безалкогольные напитки.

멜론 (имя существительное) : 동그랗고 보통 녹색이며 겉에 그물 모양의 무늬가 있는, 향기가 좋고 단 맛이 나는 과일.
дыня
Фрукт округлой формы, обычно зелёного цвета с узором в виде сети на кожуре, имеющи й приятный запах и сладкую мякоть.

보라색 포도 자두 오디.

보라색 (имя существительное) : 파랑과 빨강을 섞은 색.
фиолетовый цвет
Цвет, образованный смешением красного и синего цветов.

포도 (имя существительное) : 달면서도 약간 신맛이 나는 작은 열매가 뭉쳐서 송이를 이루는 보라색 과일.
виноград
Фрукт фиолетового цвета, имеющий сладко-кисловатый привкус, формирующийся из гро здей, образованных маленькими плодами.

자두 (имя существительное) : 살구보다 조금 크고 새콤하고 달콤한 맛이 나는 붉은색 과일.
слива
Фрукт красного цвета с кисло-сладковатым вкусом, размером чуть больше абрикоса.

오디 (имя существительное) : 뽕나무의 열매.
тутовник
Ягоды тутового дерева.

맛+이 어떻+어요?
어때요

맛 (имя существительное) : 음식 등을 혀에 댈 때 느껴지는 감각.
вкус
Чувство, ощущаемое при прикосновении языком к пище и т.п.

이 : 어떤 상태나 상황의 대상이나 동작의 주체를 나타내는 조사.
нет эквивалента
Частица, показывающая какое-либо состояние, объект ситуации или субъект действия.

어떻다 (имя прилагательное) : 생각, 느낌, 상태, 형편 등이 어찌 되어 있다.
нет эквивалента
Быть в каком-то состоянии, проходить некоторым образом (о мыслях, чувствах, состоян ии, положении и т.п.).

-어요 : (두루높임으로) 어떤 사실을 서술하거나 질문, 명령, 권유함을 나타내는 종결 어미.
нет эквивалента
(нейтрально-вежливый стиль) Финитное окончание предиката в повествовательном, вопр осительном или побудительном предложении. **<вопрос>**

시+어요. 시+어요. 시+어요.
셔요 셔요 셔요

시다 (имя прилагательное) : 맛이 식초와 같다.
кислый; терпкий
Имеющий специфический вкус, подобный вкусу уксуса.

-어요 : (두루높임으로) 어떤 사실을 서술하거나 질문, 명령, 권유함을 나타내는 종결 어미.
нет эквивалента
(нейтрально-вежливый стиль) Финитное окончание предиката в повествовательном, вопр осительном или побудительном предложении. **<изложение>**

맛+이 어떻+어요?
어때요

맛 (имя существительное) : 음식 등을 혀에 댈 때 느껴지는 감각.
вкус
Чувство, ощущаемое при прикосновении языком к пище и т.п.

이 : 어떤 상태나 상황의 대상이나 동작의 주체를 나타내는 조사.
нет эквивалента
Частица, показывающая какое-либо состояние, объект ситуации или субъект действия.

어떻다 (имя прилагательное) : 생각, 느낌, 상태, 형편 등이 어찌 되어 있다.
нет эквивалента
Быть в каком-то состоянии, проходить некоторым образом (о мыслях, чувствах, состоянии, положении и т.п.).

-어요 : (두루높임으로) 어떤 사실을 서술하거나 질문, 명령, 권유함을 나타내는 종결 어미.
нет эквивалента
(нейтрально-вежливый стиль) Финитное окончание предиката в повествовательном, вопросительном или побудительном предложении. **<вопрос>**

<u>새콤하+여</u>. <u>새콤하+여</u>. <u>새콤하+여</u>.
새콤해 새콤해 새콤해

새콤하다 (имя прилагательное) : 맛이 조금 시면서 상큼하다.
кисловатый; с кислинкой
Содержащий кислый привкус.

-여 : (두루낮춤으로) 어떤 사실을 서술하거나 물음, 명령, 권유를 나타내는 종결 어미.
нет эквивалента
(нейтральный стиль) Финитное окончание предиката в повествовательном, вопросительном или побудительном предложении. **<изложение>**

<u>어떻+어요</u>? <u>어떻+어요</u>?
어때요 어때요

어떻다 (имя прилагательное) : 생각, 느낌, 상태, 형편 등이 어찌 되어 있다.
нет эквивалента
Быть в каком-то состоянии, проходить некоторым образом (о мыслях, чувствах, состоянии, положении и т.п.).

-어요 : (두루높임으로) 어떤 사실을 서술하거나 질문, 명령, 권유함을 나타내는 종결 어미.
нет эквивалента
(нейтрально-вежливый стиль) Финитное окончание предиката в повествовательном, вопросительном или побудительном предложении. **<вопрос>**

달+아요. <u>시+어요</u>. <u>달콤하+여</u>. <u>새콤하+여</u>.
셔요 달콤해 새콤해

달다 (имя прилагательное) : 꿀이나 설탕의 맛과 같다.
сладкий; вкусный
Имеющий вкус, свойственный сахару или мёду.

-아요 : (두루높임으로) 어떤 사실을 서술하거나 질문, 명령, 권유함을 나타내는 종결 어미.
нет эквивалента
(нейтрально-вежливый стиль) Финитное окончание предиката в повествовательном, вопросительном или побудительном предложении. **<изложение>**

시다 (имя прилагательное) : 맛이 식초와 같다.
кислый; терпкий
Имеющий специфический вкус, подобный вкусу уксуса.

-어요 : (두루높임으로) 어떤 사실을 서술하거나 질문, 명령, 권유함을 나타내는 종결 어미.
нет эквивалента
(нейтрально-вежливый стиль) Финитное окончание предиката в повествовательном, вопросительном или побудительном предложении. **<изложение>**

달콤하다 (имя прилагательное) : 맛이나 냄새가 기분 좋게 달다.
сладкий; сладковатый; сладостный
Сладкий вкус или запах, поднимающий настроение.

-여 : (두루낮춤으로) 어떤 사실을 서술하거나 물음, 명령, 권유를 나타내는 종결 어미.
нет эквивалента
(нейтральный стиль) Финитное окончание предиката в повествовательном, вопросительном или побудительном предложении. **<изложение>**

새콤하다 (имя прилагательное) : 맛이 조금 시면서 상큼하다.
кисловатый; с кислинкой
Содержащий кислый привкус.

-여 : (두루낮춤으로) 어떤 사실을 서술하거나 물음, 명령, 권유를 나타내는 종결 어미.
нет эквивалента
(нейтральный стиль) Финитное окончание предиката в повествовательном, вопросительном или побудительном предложении. **<изложение>**

맛있+는 과일 과일 과일.

맛있다 (имя прилагательное) : 맛이 좋다.
вкусный
Имеющий хороший вкус.

-는 : 앞의 말이 관형어의 기능을 하게 만들고 사건이나 동작이 현재 일어남을 나타내는 어미.

нет эквивалента

Окончание, которое указывает на действие или событие в настоящем, преобразуя впереди стоящее слово, словосочетание или придаточное предложение в определение.

과일 (имя существительное) : 사과, 배, 포도, 밤 등과 같이 나뭇가지나 줄기에 열리는 먹을 수 있는 열매.

фрукты

Яблоко, груша, виноград, каштан и другие съедобные плоды какого-либо дерева или кустарника.

아삭아삭 과일 과일.

아삭아삭 (наречие) : 연하고 싱싱한 과일이나 채소를 베어 물 때 나는 소리.

хрум

Звук, издающийся при откусывании тонкого и свежего фрукта или овоща.

과일 (имя существительное) : 사과, 배, 포도, 밤 등과 같이 나뭇가지나 줄기에 열리는 먹을 수 있는 열매.

фрукты

Яблоко, груша, виноград, каштан и другие съедобные плоды какого-либо дерева или кустарника.

먹+[고 싶]+어, 과일 과일.

먹다 (глагол) : 음식 등을 입을 통하여 배 속에 들여보내다.

есть; кушать

Принимать пищу во внутрь посредством ротовой полости.

-고 싶다 : 앞의 말이 나타내는 행동을 하기를 원함을 나타내는 표현.

хотеть (что-либо делать)

Выражение, указывающее на желание говорящего совершить какое-либо действие.

-어 : (두루낮춤으로) 어떤 사실을 서술하거나 물음, 명령, 권유를 나타내는 종결 어미.

нет эквивалента

(нейтральный стиль) Финитное окончание предиката в повествовательном, вопросительном или побудительном предложении. **<изложение>**

과일 (имя существительное) : 사과, 배, 포도, 밤 등과 같이 나뭇가지나 줄기에 열리는 먹을 수 있는 열매.
фрукты
Яблоко, груша, виноград, каштан и другие съедобные плоды какого-либо дерева или ку старника.

맛있+는 과일 과일 과일.

맛있다 (имя прилагательное) : 맛이 좋다.
вкусный
Имеющий хороший вкус.

-는 : 앞의 말이 관형어의 기능을 하게 만들고 사건이나 동작이 현재 일어남을 나타내는 어미.
нет эквивалента
Окончание, которое указывает на действие или событие в настоящем, преобразуя вперед истоящее слово, словосочетание или придаточное предложение в определение.

과일 (имя существительное) : 사과, 배, 포도, 밤 등과 같이 나뭇가지나 줄기에 열리는 먹을 수 있는 열매.
фрукты
Яблоко, груша, виноград, каштан и другие съедобные плоды какого-либо дерева или ку старника.

아삭아삭 과일 과일.

아삭아삭 (наречие) : 연하고 싱싱한 과일이나 채소를 베어 물 때 나는 소리.
хрум
Звук, издающийся при откусывании тонкого и свежего фрукта или овоща.

과일 (имя существительное) : 사과, 배, 포도, 밤 등과 같이 나뭇가지나 줄기에 열리는 먹을 수 있는 열매.
фрукты
Яблоко, груша, виноград, каштан и другие съедобные плоды какого-либо дерева или ку старника.

먹+[고 싶]+어, 과일 과일.

먹다 (глагол) : 음식 등을 입을 통하여 배 속에 들여보내다.
есть; кушать
Принимать пищу во внутрь посредством ротовой полости.

-고 싶다 : 앞의 말이 나타내는 행동을 하기를 원함을 나타내는 표현.
хотеть (что-либо делать)
Выражение, указывающее на желание говорящего совершить какое-либо действие.

-어 : (두루낮춤으로) 어떤 사실을 서술하거나 물음, 명령, 권유를 나타내는 종결 어미.
нет эквивалента
(нейтральный стиль) Финитное окончание предиката в повествовательном, вопросительном или побудительном предложении. **<изложение>**

과일 (имя существительное) : 사과, 배, 포도, 밤 등과 같이 나뭇가지나 줄기에 열리는 먹을 수 있는 열매.
фрукты
Яблоко, груша, виноград, каштан и другие съедобные плоды какого-либо дерева или кустарника.

먹+[고 싶]+어, 과일 과일.

먹다 (глагол) : 음식 등을 입을 통하여 배 속에 들여보내다.
есть; кушать
Принимать пищу во внутрь посредством ротовой полости.

-고 싶다 : 앞의 말이 나타내는 행동을 하기를 원함을 나타내는 표현.
хотеть (что-либо делать)
Выражение, указывающее на желание говорящего совершить какое-либо действие.

-어 : (두루낮춤으로) 어떤 사실을 서술하거나 물음, 명령, 권유를 나타내는 종결 어미.
нет эквивалента
(нейтральный стиль) Финитное окончание предиката в повествовательном, вопросительном или побудительном предложении. **<изложение>**

과일 (имя существительное) : 사과, 배, 포도, 밤 등과 같이 나뭇가지나 줄기에 열리는 먹을 수 있는 열매.
фрукты
Яблоко, груша, виноград, каштан и другие съедобные плоды какого-либо дерева или кустарника.

< 3 >

신체송

신체(тело) 송(песня)

[발음(произношение)]

< 1 절(куплет) >

머리, 어깨, 무릎, 발, 무릎, 발, 머리, 어깨, 무릎, 발, 무릎, 발
머리, 어깨, 무릅, 발, 무릅, 발, 머리, 어깨, 무릅, 발, 무릅, 발
meori, eokkae, mureup, bal, mureup, bal, meori, eokkae, mureup, bal, mureup, bal

머리, 어깨, 무릎, 발, 머리, 어깨, 무릎, 발
머리, 어깨, 무릅, 발, 머리, 어깨, 무릅, 발
meori, eokkae, mureup, bal, meori, eokkae, mureup, bal

머리, 어깨, 무릎, 발, 머리, 어깨, 무릎, 발
머리, 어깨, 무릅, 발, 머리, 어깨, 무릅, 발
meori, eokkae, mureup, bal, meori, eokkae, mureup, bal

머리, 머리, 머리카락
머리, 머리, 머리카락
meori, meori, meorikarak

얼굴, 얼굴, 얼굴, 이마
얼굴, 얼굴, 얼굴, 이마
eolgul, eolgul, eolgul, ima

눈, 코, 입, 귀, 눈, 코, 입, 귀
눈, 코, 입, 귀, 눈, 코, 입, 귀
nun, ko, ip, gwi, nun, ko, ip, gwi

머리, 머리, 머리카락
머리, 머리, 머리카락
meori, meori, meorikarak

얼굴, 얼굴, 얼굴, 이마
얼굴, 얼굴, 얼굴, 이마
eolgul, eolgul, eolgul, ima

눈, 코, 입, 귀, 눈, 코, 입, 귀
눈, 코, 입, 귀, 눈, 코, 입, 귀
nun, ko, ip, gwi, nun, ko, ip, gwi

신나게 흔들어요
신나게 흔드러요
sinnage heundeureoyo

다 함께 춤을 춰요
다 함께 추믈 춰요
da hamkke chumeul chwoyo

즐겁게 흔들어요
즐겁께 흔드러요
jeulgeopge heundeureoyo

우리 모두 춤을 춰요
우리 모두 추믈 춰요
uri modu chumeul chwoyo

< 2 절(куплет) >

머리, 어깨, 무릎, 발, 무릎, 발, 머리, 어깨, 무릎, 발, 무릎, 발
머리, 어깨, 무릅, 발, 무릅, 발, 머리, 어깨, 무릅, 발, 무릅, 발
meori, eokkae, mureup, bal, mureup, bal, meori, eokkae, mureup, bal, mureup, bal

머리, 어깨, 무릎, 발, 머리, 어깨, 무릎, 발
머리, 어깨, 무릅, 발, 머리, 어깨, 무릅, 발
meori, eokkae, mureup, bal, meori, eokkae, mureup, bal

팔, 팔, 팔, 손
팔, 팔, 팔, 손
pal, pal, pal, son

다리, 다리, 다리, 발
다리, 다리, 다리, 발
dari, dari, dari, bal

가슴, 허리, 엉덩이, 가슴, 허리, 엉덩이
가슴, 허리, 엉덩이, 가슴, 허리, 엉덩이
gaseum, heori, eongdeongi, gaseum, heori, eongdeongi

팔, 팔, 팔, 손
팔, 팔, 팔, 손
pal, pal, pal, son

다리, 다리, 다리, 발
다리, 다리, 다리, 발
dari, dari, dari, bal

가슴, 허리, 엉덩이, 가슴, 허리, 엉덩이
가슴, 허리, 엉덩이, 가슴, 허리, 엉덩이
gaseum, heori, eongdeongi, gaseum, heori, eongdeongi

신나게 흔들어요
신나게 흔드러요
sinnage heundeureoyo

다 함께 춤을 춰요
다 함께 추믈 춰요
da hamkke chumeul chwoyo

즐겁게 흔들어요
즐겁께 흔드러요
jeulgeopge heundeureoyo

우리 모두 춤을 춰요
우리 모두 추믈 춰요
uri modu chumeul chwoyo

< 3 절(куплет) >

머리, 어깨, 무릎, 발, 무릎, 발, 머리, 어깨, 무릎, 발, 무릎, 발
머리, 어깨, 무릅, 발, 무릅, 발, 머리, 어깨, 무릅, 발, 무릅, 발
meori, eokkae, mureup, bal, mureup, bal, meori, eokkae, mureup, bal, mureup, bal

머리, 어깨, 무릎, 발, 머리, 어깨, 무릎, 발
머리, 어깨, 무릅, 발, 머리, 어깨, 무릅, 발
meori, eokkae, mureup, bal, meori, eokkae, mureup, bal

< 1 절(куплет) >

머리, 어깨, 무릎, 발, 무릎, 발, 머리, 어깨, 무릎, 발, 무릎, 발

머리 (имя существительное) : 사람이나 동물의 몸에서 얼굴과 머리털이 있는 부분을 모두 포함한 목 위의 부분.

голова

Верхняя часть тела человека или животного, начинающаяся от шеи и включающая в себя лицо и волосы.

어깨 (имя существительное) : 목의 아래 끝에서 팔의 위 끝에 이르는 몸의 부분.

плечо

Часть тела, начинающаяся с нижнего конца шеи до верхнего края руки.

무릎 (имя существительное) : 허벅지와 종아리 사이에 앞쪽으로 둥글게 튀어나온 부분.

колено

Круглая, выпуклая часть тела, расположенная между бедром и голенью.

발 (имя существительное) : 사람이나 동물의 다리 맨 끝부분.

ступня; нога

Самая конечная часть на ногах человека или животного.

머리, 어깨, 무릎, 발, 머리, 어깨, 무릎, 발

머리 (имя существительное) : 사람이나 동물의 몸에서 얼굴과 머리털이 있는 부분을 모두 포함한 목 위의 부분.

голова

Верхняя часть тела человека или животного, начинающаяся от шеи и включающая в себя лицо и волосы.

어깨 (имя существительное) : 목의 아래 끝에서 팔의 위 끝에 이르는 몸의 부분.

плечо

Часть тела, начинающаяся с нижнего конца шеи до верхнего края руки.

무릎 (имя существительное) : 허벅지와 종아리 사이에 앞쪽으로 둥글게 튀어나온 부분.

колено

Круглая, выпуклая часть тела, расположенная между бедром и голенью.

발 (имя существительное) : 사람이나 동물의 다리 맨 끝부분.
ступня; нога
Самая конечная часть на ногах человека или животного.

머리, 어깨, 무릎, 발, 머리, 어깨, 무릎, 발

머리 (имя существительное) : 사람이나 동물의 몸에서 얼굴과 머리털이 있는 부분을 모두 포함한 목 위의 부분.
голова
Верхняя часть тела человека или животного, начинающаяся от шеи и включающая в себ я лицо и волосы.

어깨 (имя существительное) : 목의 아래 끝에서 팔의 위 끝에 이르는 몸의 부분.
плечо
Часть тела, начинающаяся с нижнего конца шеи до верхнего края руки.

무릎 (имя существительное) : 허벅지와 종아리 사이에 앞쪽으로 둥글게 튀어나온 부분.
колено
Круглая, выпуклая часть тела, расположенная между бедром и голенью.

발 (имя существительное) : 사람이나 동물의 다리 맨 끝부분.
ступня; нога
Самая конечная часть на ногах человека или животного.

머리, 머리, 머리카락

머리 (имя существительное) : 사람이나 동물의 몸에서 얼굴과 머리털이 있는 부분을 모두 포함한 목 위의 부분.
голова
Верхняя часть тела человека или животного, начинающаяся от шеи и включающая в себ я лицо и волосы.

머리카락 (имя существительное) : 머리털 하나하나.
волос
Одно из многих тонких роговых нитевидных образований, вырастающих на коже человек а.

얼굴, 얼굴, 얼굴, 이마

얼굴 (имя существительное) : 눈, 코, 입이 있는 머리의 앞쪽 부분.
лицо
Часть передней стороны головы, на которой расположены глаза, нос, рот.

이마 (имя существительное) : 얼굴의 눈썹 위부터 머리카락이 난 아래까지의 부분.
лоб
Часть лица над бровями до начала линии волос.

눈, 코, 입, 귀, 눈, 코, 입, 귀

눈 (имя существительное) : 사람이나 동물의 얼굴에 있으며 빛의 자극을 받아 물체를 볼 수 있는 감각 기관.
глаз
Органы чувств, которые расположены на лице или морде, при помощи которых можно в идеть.

코 (имя существительное) : 숨을 쉬고 냄새를 맡는 몸의 한 부분.
нос
Наружная часть органа обоняния на лице человека или морды животного.

입 (имя существительное) : 음식을 먹고 소리를 내는 기관으로 입술에서 목구멍까지의 부분.
рот
Часть тела от губ до глотки, которая используется для употребления пищи или издава ния звуков.

귀 (имя существительное) : 사람이나 동물의 머리 양옆에 있어 소리를 듣는 몸의 한 부분.
ухо
Часть тела человека или животного, которая расположена по обеим сторонам головы и предназначена для слуха.

머리, 머리, 머리카락

머리 (имя существительное) : 사람이나 동물의 몸에서 얼굴과 머리털이 있는 부분을 모두 포함한 목 위의 부분.
голова
Верхняя часть тела человека или животного, начинающаяся от шеи и включающая в себ я лицо и волосы.

머리카락 (имя существительное) : 머리털 하나하나.
волос
Одно из многих тонких роговых нитевидных образований, вырастающих на коже человек а.

얼굴, 얼굴, 얼굴, 이마

얼굴 (имя существительное) : 눈, 코, 입이 있는 머리의 앞쪽 부분.
лицо
Часть передней стороны головы, на которой расположены глаза, нос, рот.

이마 (имя существительное) : 얼굴의 눈썹 위부터 머리카락이 난 아래까지의 부분.
лоб
Часть лица над бровями до начала линии волос.

눈, 코, 입, 귀, 눈, 코, 입, 귀

눈 (имя существительное) : 사람이나 동물의 얼굴에 있으며 빛의 자극을 받아 물체를 볼 수 있는 감각 기관.
глаз
Органы чувств, которые расположены на лице или морде, при помощи которых можно в идеть.

코 (имя существительное) : 숨을 쉬고 냄새를 맡는 몸의 한 부분.
нос
Наружная часть органа обоняния на лице человека или морды животного.

입 (имя существительное) : 음식을 먹고 소리를 내는 기관으로 입술에서 목구멍까지의 부분.
рот
Часть тела от губ до глотки, которая используется для употребления пищи или издава ния звуков.

귀 (имя существительное) : 사람이나 동물의 머리 양옆에 있어 소리를 듣는 몸의 한 부분.
ухо
Часть тела человека или животного, которая расположена по обеим сторонам головы и предназначена для слуха.

신나+게 흔들+어요.

신나다 (глагол) : 흥이 나고 기분이 아주 좋아지다.
радоваться; развеселиться
Улучшаться (о настроении).

-게 : 앞의 말이 뒤에서 가리키는 일의 목적이나 결과, 방식, 정도 등이 됨을 나타내는 연결 어미.
нет эквивалента
Соединительное окончание предиката, указывающее на то, описанное в первой части предложения действие или состояние является целью, результатом, образом действия, степенью и т.п. того, о чём говорится в последующей главной части предложения.
<форма>

흔들다 (глагол) : 무엇을 좌우, 앞뒤로 자꾸 움직이게 하다.
качать; трясти
Постоянно заставлять что-либо двигаться слева-направо или вперёд-назад.

-어요 : (두루높임으로) 어떤 사실을 서술하거나 질문, 명령, 권유함을 나타내는 종결 어미.
нет эквивалента
(нейтрально-вежливый стиль) Финитное окончание предиката в повествовательном, вопросительном или побудительном предложении. **<приказ>**

다 함께 춤+을 추+어요.
춰요

다 (наречие) : 남거나 빠진 것이 없이 모두.
всё; все
Весь, полный, без изъятия, целиком.

함께 (наречие) : 여럿이서 한꺼번에 같이.
вместе; вместе с кем-чем
Все вместе, сообща.

춤 (имя существительное) : 음악이나 규칙적인 박자에 맞춰 몸을 움직이는 것.
танец
Телодвижения в определенном темпе и ритме в такт музыке.

을 : 서술어의 명사형 목적어임을 나타내는 조사.
нет эквивалента
Частица, указывающая на дополнение излагательного характера к сказуемому.

추다 (глагол) : 춤 동작을 하다.
танцевать; плясать
Совершать танцевальные движения.

-어요 : (두루높임으로) 어떤 사실을 서술하거나 질문, 명령, 권유함을 나타내는 종결 어미.
нет эквивалента
(нейтрально-вежливый стиль) Финитное окончание предиката в повествовательном, вопросительном или побудительном предложении. **<приказ>**

즐겁+게 흔들+어요.

즐겁다 (имя прилагательное) : 마음에 들어 흐뭇하고 기쁘다.
весёлый; довольный; радостный; приятный
Нравящийся, довольный и радостный.

-게 : 앞의 말이 뒤에서 가리키는 일의 목적이나 결과, 방식, 정도 등이 됨을 나타내는 연결 어미.
нет эквивалента
Соединительное окончание предиката, указывающее на то, описанное в первой части предложения действие или состояние является целью, результатом, образом действия, степенью и т.п. того, о чём говорится в последующей главной части предложения.
<форма>

흔들다 (глагол) : 무엇을 좌우, 앞뒤로 자꾸 움직이게 하다.
качать; трясти
Постоянно заставлять что-либо двигаться слева-направо или вперёд-назад.

-어요 : (두루높임으로) 어떤 사실을 서술하거나 질문, 명령, 권유함을 나타내는 종결 어미.
нет эквивалента
(нейтрально-вежливый стиль) Финитное окончание предиката в повествовательном, вопросительном или побудительном предложении. **<приказ>**

우리 모두 춤+을 추+어요.
춰요

우리 (местоимение) : 말하는 사람이 자기와 듣는 사람 또는 이를 포함한 여러 사람들을 가리키는 말.
мы; наш
Слово, указывающее на несколько человек, включая говорящего и собеседника.

모두 (наречие) : 빠짐없이 다.
весь; все
Полностью, без остатка, без исключения.

춤 (имя существительное) : 음악이나 규칙적인 박자에 맞춰 몸을 움직이는 것.
танец
Телодвижения в определенном темпе и ритме в такт музыке.

을 : 서술어의 명사형 목적어임을 나타내는 조사.
нет эквивалента
Частица, указывающая на дополнение излагательного характера к сказуемому.

추다 (глагол) : 춤 동작을 하다.
танцевать; плясать
Совершать танцевальные движения.

-어요 : (두루높임으로) 어떤 사실을 서술하거나 질문, 명령, 권유함을 나타내는 종결 어미.
нет эквивалента
(нейтрально-вежливый стиль) Финитное окончание предиката в повествовательном, вопр осительном или побудительном предложении. **<приказ>**

< 2 절(куплет) >

머리, 어깨, 무릎, 발, 무릎, 발, 머리, 어깨, 무릎, 발, 무릎, 발

머리 (имя существительное) : 사람이나 동물의 몸에서 얼굴과 머리털이 있는 부분을 모두 포함한 목 위의 부분.
голова
Верхняя часть тела человека или животного, начинающаяся от шеи и включающая в себ я лицо и волосы.

어깨 (имя существительное) : 목의 아래 끝에서 팔의 위 끝에 이르는 몸의 부분.
плечо
Часть тела, начинающаяся с нижнего конца шеи до верхнего края руки.

무릎 (имя существительное) : 허벅지와 종아리 사이에 앞쪽으로 둥글게 튀어나온 부분.
колено
Круглая, выпуклая часть тела, расположенная между бедром и голенью.

발 (имя существительное) : 사람이나 동물의 다리 맨 끝부분.
ступня; нога
Самая конечная часть на ногах человека или животного.

머리, 어깨, 무릎, 발, 머리, 어깨, 무릎, 발

머리 (имя существительное) : 사람이나 동물의 몸에서 얼굴과 머리털이 있는 부분을 모두 포함한 목 위의 부분.

голова

Верхняя часть тела человека или животного, начинающаяся от шеи и включающая в себ я лицо и волосы.

어깨 (имя существительное) : 목의 아래 끝에서 팔의 위 끝에 이르는 몸의 부분.

плечо

Часть тела, начинающаяся с нижнего конца шеи до верхнего края руки.

무릎 (имя существительное) : 허벅지와 종아리 사이에 앞쪽으로 둥글게 튀어나온 부분.

колено

Круглая, выпуклая часть тела, расположенная между бедром и голенью.

발 (имя существительное) : 사람이나 동물의 다리 맨 끝부분.

ступня; нога

Самая конечная часть на ногах человека или животного.

머리, 어깨, 무릎, 발, 머리, 어깨, 무릎, 발

머리 (имя существительное) : 사람이나 동물의 몸에서 얼굴과 머리털이 있는 부분을 모두 포함한 목 위의 부분.

голова

Верхняя часть тела человека или животного, начинающаяся от шеи и включающая в себ я лицо и волосы.

어깨 (имя существительное) : 목의 아래 끝에서 팔의 위 끝에 이르는 몸의 부분.

плечо

Часть тела, начинающаяся с нижнего конца шеи до верхнего края руки.

무릎 (имя существительное) : 허벅지와 종아리 사이에 앞쪽으로 둥글게 튀어나온 부분.

колено

Круглая, выпуклая часть тела, расположенная между бедром и голенью.

발 (имя существительное) : 사람이나 동물의 다리 맨 끝부분.

ступня; нога

Самая конечная часть на ногах человека или животного.

팔, 팔, 팔, 손

팔 (имя существительное) : 어깨에서 손목까지의 신체 부위.
рука
Верхняя конечность человека от плечевого сустава до запястья.

손 (имя существительное) : 팔목 끝에 있으며 무엇을 만지거나 잡을 때 쓰는 몸의 부분.
кисть; рука
Часть тела, находящаяся на конце запястья, используемая для того, чтобы трогать или брать что-либо.

다리, 다리, 다리, 발

다리 (имя существительное) : 사람이나 동물의 몸통 아래에 붙어, 서고 걷고 뛰는 일을 하는 신체 부위.
нога
Нижняя конечность тела человека или животного, позволяющая стоять, ходить или бега ть.

발 (имя существительное) : 사람이나 동물의 다리 맨 끝부분.
ступня; нога
Самая конечная часть на ногах человека или животного.

가슴, 허리, 엉덩이, 가슴, 허리, 엉덩이

가슴 (имя существительное) : 인간이나 동물의 목과 배 사이에 있는 몸의 앞 부분.
грудь; грудная клетка
Передняя часть туловища от шеи до живота, у человека и животных.

허리 (имя существительное) : 사람이나 동물의 신체에서 갈비뼈 아래에서 엉덩이뼈까지의 부분.
поясница; талия; пояс
Часть тела человека или животного с низа ребер до тазовых костей.

엉덩이 (имя существительное) : 허리와 허벅지 사이의 부분으로 앉았을 때 바닥에 닿는, 살이 많은 부위.
ягодицы; седалище
Часть тела человека с большим количеством жира, расположенная между спиной и бедр ами, место, которым садятся на пол.

팔, 팔, 팔, 손

팔 (имя существительное) : 어깨에서 손목까지의 신체 부위.
рука
Верхняя конечность человека от плечевого сустава до запястья.

손 (имя существительное) : 팔목 끝에 있으며 무엇을 만지거나 잡을 때 쓰는 몸의 부분.
кисть; рука
Часть тела, находящаяся на конце запястья, используемая для того, чтобы трогать или брать что-либо.

다리, 다리, 다리, 발

다리 (имя существительное) : 사람이나 동물의 몸통 아래에 붙어, 서고 걷고 뛰는 일을 하는 신체 부위.
нога
Нижняя конечность тела человека или животного, позволяющая стоять, ходить или бегать.

발 (имя существительное) : 사람이나 동물의 다리 맨 끝부분.
ступня; нога
Самая конечная часть на ногах человека или животного.

가슴, 허리, 엉덩이, 가슴, 허리, 엉덩이

가슴 (имя существительное) : 인간이나 동물의 목과 배 사이에 있는 몸의 앞 부분.
грудь; грудная клетка
Передняя часть туловища от шеи до живота, у человека и животных.

허리 (имя существительное) : 사람이나 동물의 신체에서 갈비뼈 아래에서 엉덩이뼈까지의 부분.
поясница; талия; пояс
Часть тела человека или животного с низа ребер до тазовых костей.

엉덩이 (имя существительное) : 허리와 허벅지 사이의 부분으로 앉았을 때 바닥에 닿는, 살이 많은 부위.
ягодицы; седалище
Часть тела человека с большим количеством жира, расположенная между спиной и бедрами, место, которым садятся на пол.

신나+게 흔들+어요.

신나다 (глагол) : 흥이 나고 기분이 아주 좋아지다.
радоваться; развеселиться
Улучшаться (о настроении).

-게 : 앞의 말이 뒤에서 가리키는 일의 목적이나 결과, 방식, 정도 등이 됨을 나타내는 연결 어미.
нет эквивалента
Соединительное окончание предиката, указывающее на то, описанное в первой части предложения действие или состояние является целью, результатом, образом действия, степенью и т.п. того, о чём говорится в последующей главной части предложения.
<форма>

흔들다 (глагол) : 무엇을 좌우, 앞뒤로 자꾸 움직이게 하다.
качать; трясти
Постоянно заставлять что-либо двигаться слева-направо или вперёд-назад.

-어요 : (두루높임으로) 어떤 사실을 서술하거나 질문, 명령, 권유함을 나타내는 종결 어미.
нет эквивалента
(нейтрально-вежливый стиль) Финитное окончание предиката в повествовательном, вопросительном или побудительном предложении. **<приказ>**

다 함께 춤+을 추+어요.
춰요

다 (наречие) : 남거나 빠진 것이 없이 모두.
всё; все
Весь, полный, без изъятия, целиком.

함께 (наречие) : 여럿이서 한꺼번에 같이.
вместе; вместе с кем-чем
Все вместе, сообща.

춤 (имя существительное) : 음악이나 규칙적인 박자에 맞춰 몸을 움직이는 것.
танец
Телодвижения в определенном темпе и ритме в такт музыке.

을 : 서술어의 명사형 목적어임을 나타내는 조사.
нет эквивалента
Частица, указывающая на дополнение излагательного характера к сказуемому.

추다 (глагол) : 춤 동작을 하다.
танцевать; плясать
Совершать танцевальные движения.

-어요 : (두루높임으로) 어떤 사실을 서술하거나 질문, 명령, 권유함을 나타내는 종결 어미.
нет эквивалента
(нейтрально-вежливый стиль) Финитное окончание предиката в повествовательном, вопросительном или побудительном предложении. **<приказ>**

즐겁+게 흔들+어요.

즐겁다 (имя прилагательное) : 마음에 들어 흐뭇하고 기쁘다.
весёлый; довольный; радостный; приятный
Нравящийся, довольный и радостный.

-게 : 앞의 말이 뒤에서 가리키는 일의 목적이나 결과, 방식, 정도 등이 됨을 나타내는 연결 어미.
нет эквивалента
Соединительное окончание предиката, указывающее на то, описанное в первой части предложения действие или состояние является целью, результатом, образом действия, степенью и т.п. того, о чём говорится в последующей главной части предложения.
<форма>

흔들다 (глагол) : 무엇을 좌우, 앞뒤로 자꾸 움직이게 하다.
качать; трясти
Постоянно заставлять что-либо двигаться слева-направо или вперёд-назад.

-어요 : (두루높임으로) 어떤 사실을 서술하거나 질문, 명령, 권유함을 나타내는 종결 어미.
нет эквивалента
(нейтрально-вежливый стиль) Финитное окончание предиката в повествовательном, вопросительном или побудительном предложении. **<приказ>**

우리 모두 춤+을 추+어요.
춰요

우리 (местоимение) : 말하는 사람이 자기와 듣는 사람 또는 이를 포함한 여러 사람들을 가리키는 말.
мы; наш
Слово, указывающее на несколько человек, включая говорящего и собеседника.

모두 (наречие) : 빠짐없이 다.
весь; все
Полностью, без остатка, без исключения.

춤 (имя существительное) : 음악이나 규칙적인 박자에 맞춰 몸을 움직이는 것.
танец
Телодвижения в определенном темпе и ритме в такт музыке.

을 : 서술어의 명사형 목적어임을 나타내는 조사.
нет эквивалента
Частица, указывающая на дополнение излагательного характера к сказуемому.

추다 (глагол) : 춤 동작을 하다.
танцевать; плясать
Совершать танцевальные движения.

-어요 : (두루높임으로) 어떤 사실을 서술하거나 질문, 명령, 권유함을 나타내는 종결 어미.
нет эквивалента
(нейтрально-вежливый стиль) Финитное окончание предиката в повествовательном, вопросительном или побудительном предложении. **<приказ>**

< 3 절(куплет) >

머리, 어깨, 무릎, 발, 무릎, 발, 머리, 어깨, 무릎, 발, 무릎, 발

머리 (имя существительное) : 사람이나 동물의 몸에서 얼굴과 머리털이 있는 부분을 모두 포함한 목의 위의 부분.
голова
Верхняя часть тела человека или животного, начинающаяся от шеи и включающая в себя лицо и волосы.

어깨 (имя существительное) : 목의 아래 끝에서 팔의 위 끝에 이르는 몸의 부분.
плечо
Часть тела, начинающаяся с нижнего конца шеи до верхнего края руки.

무릎 (имя существительное) : 허벅지와 종아리 사이에 앞쪽으로 둥글게 튀어나온 부분.
колено
Круглая, выпуклая часть тела, расположенная между бедром и голенью.

발 (имя существительное) : 사람이나 동물의 다리 맨 끝부분.
ступня; нога
Самая конечная часть на ногах человека или животного.

머리, 어깨, 무릎, 발, 머리, 어깨, 무릎, 발

머리 (имя существительное) : 사람이나 동물의 몸에서 얼굴과 머리털이 있는 부분을 모두 포함한 목 위의 부분.
голова
Верхняя часть тела человека или животного, начинающаяся от шеи и включающая в себя лицо и волосы.

어깨 (имя существительное) : 목의 아래 끝에서 팔의 위 끝에 이르는 몸의 부분.
плечо
Часть тела, начинающаяся с нижнего конца шеи до верхнего края руки.

무릎 (имя существительное) : 허벅지와 종아리 사이에 앞쪽으로 둥글게 튀어나온 부분.
колено
Круглая, выпуклая часть тела, расположенная между бедром и голенью.

발 (имя существительное) : 사람이나 동물의 다리 맨 끝부분.
ступня; нога
Самая конечная часть на ногах человека или животного.

머리, 어깨, 무릎, 발, 머리, 어깨, 무릎, 발

머리 (имя существительное) : 사람이나 동물의 몸에서 얼굴과 머리털이 있는 부분을 모두 포함한 목 위의 부분.
голова
Верхняя часть тела человека или животного, начинающаяся от шеи и включающая в себя лицо и волосы.

어깨 (имя существительное) : 목의 아래 끝에서 팔의 위 끝에 이르는 몸의 부분.
плечо
Часть тела, начинающаяся с нижнего конца шеи до верхнего края руки.

무릎 (имя существительное) : 허벅지와 종아리 사이에 앞쪽으로 둥글게 튀어나온 부분.
колено
Круглая, выпуклая часть тела, расположенная между бедром и голенью.

발 (имя существительное) : 사람이나 동물의 다리 맨 끝부분.

ступня; нога

Самая конечная часть на ногах человека или животного.

< 4 >

어때요?

나 어때요?
(Как на счет меня?)

[발음(произношение)]

< 1 절(куплет) >

청바지 입었는데 어때요?
청바지 이번는데 어때요?
cheongbaji ibeonneunde eottaeyo?

치마 입었는데 어때요?
치마 이번는데 어때요?
chima ibeonneunde eottaeyo?

반바지는?
반바지는?
banbajineun?

원피스는?
원피스는?
wonpiseuneun?

어때요? 어때요? 어때요? 어때요? 어때요?
어때요? 어때요? 어때요? 어때요? 어때요?
eottaeyo? eottaeyo? eottaeyo? eottaeyo? eottaeyo?

머리 묶었는데 어때요?
머리 무껀는데 어때요?
meori mukkeonneunde eottaeyo?

머리 풀었는데 어때요?
머리 푸런는데 어때요?
meori pureonneunde eottaeyo?

긴 머리는?
긴 머리는?
gin meorineun?

짧은 머리는?
짤븐 머리는?
jjalbeun meorineun?

어때요? 어때요? 어때요? 어때요? 어때요?
어때요? 어때요? 어때요? 어때요? 어때요?
eottaeyo? eottaeyo? eottaeyo? eottaeyo? eottaeyo?

제 눈과 코와 입술이 얼마나 예뻐 보이나요?
제 눈과 코와 입쑤리 얼마나 예뻐 보이나요?
je nungwa kowa ipsuri eolmana yeppeo boinayo?

나 어때요?
나 어때요?
na eottaeyo?

나 예뻐요?
나 예뻐요?
na yeppeoyo?

어때요? 어때요? 어때요? 어때요? 어때요?
어때요? 어때요? 어때요? 어때요? 어때요?
eottaeyo? eottaeyo? eottaeyo? eottaeyo? eottaeyo?

< 2 절(куплет) >

운동화 신었는데 어때요?
운동화 시넌는데 어때요?
undonghwa sineonneunde eottaeyo?

구두 신었는데 어때요?
구두 시넌는데 어때요?
gudu sineonneunde eottaeyo?

검은색은?
거믄새근?
geomeunsaegeun?

흰색은?
힌새근?
hinsaegeun?

어때요? 어때요? 어때요? 어때요? 어때요?
어때요? 어때요? 어때요? 어때요? 어때요?
eottaeyo? eottaeyo? eottaeyo? eottaeyo? eottaeyo?

목걸이 찼는데 어때요?
목꺼리 찬는데 어때요?
mokgeori channeunde eottaeyo?

반지 끼었는데 어때요?
반지 끼언는데 어때요?
banji kkieonneunde eottaeyo?

귀걸이는?
귀거리는?
gwigeorineun?

팔찌는?
팔찌는?
paljjineun?

어때요? 어때요? 어때요? 어때요? 어때요?
어때요? 어때요? 어때요? 어때요? 어때요?
eottaeyo? eottaeyo? eottaeyo? eottaeyo? eottaeyo?

제 눈과 코와 입술이 얼마나 예뻐 보이나요?
제 눈과 코와 입쑤리 얼마나 예뻐 보이나요?
je nungwa kowa ipsuri eolmana yeppeo boinayo?

나 어때요?
나 어때요?
na eottaeyo?

나 예뻐요?
나 예뻐요?
na yeppeoyo?

어때요? 어때요? 어때요? 어때요? 어때요?
어때요? 어때요? 어때요? 어때요? 어때요?
eottaeyo? eottaeyo? eottaeyo? eottaeyo? eottaeyo?

< 1 절(куплет) >

청바지 입+었+는데 어떻+어요?

어때요

청바지 (имя существительное) : 질긴 무명으로 만든 푸른색 바지.
джинсы
Синие штаны, сделанные из жёсткой, грубой хлопчатобумажной ткани.

입다 (глагол) : 옷을 몸에 걸치거나 두르다.
надевать; одевать[ся]
Натягивать или накидывать одежду на тело.

-었- : 어떤 사건이 과거에 완료되었거나 그 사건의 결과가 현재까지 지속되는 상황을 나타내는 어미.
нет эквивалента
Окончание, указывающее на полное завершение какого-либо события в прошлом и сохранения данного результата до настоящего времени.

-는데 : 뒤의 말을 하기 위하여 그 대상과 관련이 있는 상황을 미리 말함을 나타내는 연결 어미.
нет эквивалента
Соединительное окончание, вводящее некую предварительную информацию об объекте, о котором говорится в последующей части предложения.

어떻다 (имя прилагательное) : 생각, 느낌, 상태, 형편 등이 어찌 되어 있다.
нет эквивалента
Быть в каком-то состоянии, проходить некоторым образом (о мыслях, чувствах, состоянии, положении и т.п.).

-어요 : (두루높임으로) 어떤 사실을 서술하거나 질문, 명령, 권유함을 나타내는 종결 어미.
нет эквивалента
(нейтрально-вежливый стиль) Финитное окончание предиката в повествовательном, вопросительном или побудительном предложении. **<вопрос>**

치마 입+었+는데 어떻+어요?

어때요

치마 (имя существительное) : 여자가 입는 아래 겉옷으로 다리가 들어가도록 된 부분이 없는 옷.
юбка
Женская одежда, надеваемая на нижнюю часть тела и не имеющая специального места, чтобы просунуть ноги.

입다 (глагол) : 옷을 몸에 걸치거나 두르다.
надевать; одевать[ся]
Натягивать или накидывать одежду на тело.

-었- : 어떤 사건이 과거에 완료되었거나 그 사건의 결과가 현재까지 지속되는 상황을 나타내는 어미.
нет эквивалента
Окончание, указывающее на полное завершение какого-либо события в прошлом и сохра нения данного результата до настоящего времени.

-는데 : 뒤의 말을 하기 위하여 그 대상과 관련이 있는 상황을 미리 말함을 나타내는 연결 어미.
нет эквивалента
Соединительное окончание, вводящее некую предварительную информацию об объекте, о котором говорится в последующей части предложения.

어떻다 (имя прилагательное) : 생각, 느낌, 상태, 형편 등이 어찌 되어 있다.
нет эквивалента
Быть в каком-то состоянии, проходить некоторым образом (о мыслях, чувствах, состоян ии, положении и т.п.).

-어요 : (두루높임으로) 어떤 사실을 서술하거나 질문, 명령, 권유함을 나타내는 종결 어미.
нет эквивалента
(нейтрально-вежливый стиль) Финитное окончание предиката в повествовательном, вопр осительном или побудительном предложении. **<вопрос>**

반바지+는?

반바지 (имя существительное) : 길이가 무릎 위나 무릎 정도까지 내려오는 짧은 바지.
шорты
Короткие брюки, доходящие до колен или немного выше.

는 : 문장 속에서 어떤 대상이 화제임을 나타내는 조사.
нет эквивалента
Частица, указывающая на то, что какой-либо объект является основной темой в предло жении.

원피스+는?

원피스 (имя существительное) : 윗옷과 치마가 하나로 붙어 있는 여자 겉옷.
платье
Женская одежда, верхняя часть и юбка которой соединены в одно.

는 : 문장 속에서 어떤 대상이 화제임을 나타내는 조사.
нет эквивалента
Частица, указывающая на то, что какой-либо объект является основной темой в предло жении.

어떻+어요?
어때요

어떻다 (имя прилагательное) : 생각, 느낌, 상태, 형편 등이 어찌 되어 있다.
нет эквивалента
Быть в каком-то состоянии, проходить некоторым образом (о мыслях, чувствах, состоян ии, положении и т.п.).

-어요 : (두루높임으로) 어떤 사실을 서술하거나 질문, 명령, 권유함을 나타내는 종결 어미.
нет эквивалента
(нейтрально-вежливый стиль) Финитное окончание предиката в повествовательном, вопр осительном или побудительном предложении. **<вопрос>**

머리 묶+었+는데 어떻+어요?
어때요

머리 (имя существительное) : 머리에 난 털.
волосы
Волосы, растущие на голове.

묶다 (глагол) : 끈 등으로 물건을 잡아매다.
завязывать; связывать
Собрав что-либо вместе, перевязать при помощи верёвки и т.п.

-었- : 어떤 사건이 과거에 완료되었거나 그 사건의 결과가 현재까지 지속되는 상황을 나타내는 어미.
нет эквивалента
Окончание, указывающее на полное завершение какого-либо события в прошлом и сохра нения данного результата до настоящего времени.

-는데 : 뒤의 말을 하기 위하여 그 대상과 관련이 있는 상황을 미리 말함을 나타내는 연결 어미.
нет эквивалента
Соединительное окончание, вводящее некую предварительную информацию об объекте, о котором говорится в последующей части предложения.

어떻다 (имя прилагательное) : 생각, 느낌, 상태, 형편 등이 어찌 되어 있다.
нет эквивалента
Быть в каком-то состоянии, проходить некоторым образом (о мыслях, чувствах, состоянии, положении и т.п.).

-어요 : (두루높임으로) 어떤 사실을 서술하거나 질문, 명령, 권유함을 나타내는 종결 어미.
нет эквивалента
(нейтрально-вежливый стиль) Финитное окончание предиката в повествовательном, вопросительном или побудительном предложении. **<вопрос>**

머리 풀+었+는데 어떻+어요?
어때요

머리 (имя существительное) : 머리에 난 털.
волосы
Волосы, растущие на голове.

풀다 (глагол) : 매이거나 묶이거나 얽힌 것을 원래의 상태로 되게 하다.
развязывать; распутывать
Возвращать в исходное состояние что-либо связанное, завязанное или спутанное.

-었- : 어떤 사건이 과거에 완료되었거나 그 사건의 결과가 현재까지 지속되는 상황을 나타내는 어미.
нет эквивалента
Окончание, указывающее на полное завершение какого-либо события в прошлом и сохранения данного результата до настоящего времени.

-는데 : 뒤의 말을 하기 위하여 그 대상과 관련이 있는 상황을 미리 말함을 나타내는 연결 어미.
нет эквивалента
Соединительное окончание, вводящее некую предварительную информацию об объекте, о котором говорится в последующей части предложения.

어떻다 (имя прилагательное) : 생각, 느낌, 상태, 형편 등이 어찌 되어 있다.
нет эквивалента
Быть в каком-то состоянии, проходить некоторым образом (о мыслях, чувствах, состоянии, положении и т.п.).

-어요 : (두루높임으로) 어떤 사실을 서술하거나 질문, 명령, 권유함을 나타내는 종결 어미.
нет эквивалента
(нейтрально-вежливый стиль) Финитное окончание предиката в повествовательном, вопросительном или побудительном предложении. **<вопрос>**

길+ㄴ 머리+는?
긴

길다 (имя прилагательное) : 물체의 한쪽 끝에서 다른 쪽 끝까지 두 끝이 멀리 떨어져 있다.
длинный
Быть далеко удалённым друг от друга (о двух концах какого-либо предмета).

-ㄴ : 앞의 말이 관형어의 기능을 하게 만들고 현재의 상태를 나타내는 어미.
нет эквивалента
Окончание, указывающее на состояние лица или предмета в настоящий момент, при котором впередистоящее слово, словосочетание или придаточное предложение выполняет функцию определения.

머리 (имя существительное) : 머리에 난 털.
волосы
Волосы, растущие на голове.

는 : 문장 속에서 어떤 대상이 화제임을 나타내는 조사.
нет эквивалента
Частица, указывающая на то, что какой-либо объект является основной темой в предложении.

짧+은 머리+는?

짧다 (имя прилагательное) : 공간이나 물체의 양 끝 사이가 가깝다.
короткий
Близкий по расстоянию от одного до другого конца какой-либо вещи.

-은 : 앞의 말이 관형어의 기능을 하게 만들고 현재의 상태를 나타내는 어미.
нет эквивалента
Окончание, которое указывает на состояние лица или предмета в настоящем, преобразуя впередистоящее слово, словосочетание или придаточное предложение в определение.

머리 (имя существительное) : 머리에 난 털.
волосы
Волосы, растущие на голове.

는 : 문장 속에서 어떤 대상이 화제임을 나타내는 조사.
нет эквивалента
Частица, указывающая на то, что какой-либо объект является основной темой в предложении.

어떻+어요?
어때요

어떻다 (имя прилагательное) : 생각, 느낌, 상태, 형편 등이 어찌 되어 있다.
нет эквивалента
Быть в каком-то состоянии, проходить некоторым образом (о мыслях, чувствах, состоянии, положении и т.п.).

-어요 : (두루높임으로) 어떤 사실을 서술하거나 질문, 명령, 권유함을 나타내는 종결 어미.
нет эквивалента
(нейтрально-вежливый стиль) Финитное окончание предиката в повествовательном, вопросительном или побудительном предложении. **<вопрос>**

저+의 눈+과 코+와 입술+이 얼마나 예쁘(예뻐)+[어 보이]+나요?
제 예뻐 보이나요

저 (местоимение) : 말하는 사람이 듣는 사람에게 자신을 낮추어 가리키는 말.
я
Употребляется для обозначения говорящим самого себя, принижая себя перед слушающим.

의 : 앞의 말이 뒤의 말에 대하여 소유, 소속, 소재, 관계, 기원, 주체의 관계를 가짐을 나타내는 조사.
нет эквивалента
Частица, указывающая на то, что в предыдущем слове содержится значение собственности, принадлежности, сырья, источника, основы в отношении последующего.

눈 (имя существительное) : 사람이나 동물의 얼굴에 있으며 빛의 자극을 받아 물체를 볼 수 있는 감각 기관.
глаз
Органы чувств, которые расположены на лице или морде, при помощи которых можно в идеть.

과 : 앞과 뒤의 명사를 같은 자격으로 이어 줄 때 쓰는 조사.
нет эквивалента
Частица, связывающая предыдущее и последующее существительное по схожести.

코 (имя существительное) : 숨을 쉬고 냄새를 맡는 몸의 한 부분.
нос
Наружная часть органа обоняния на лице человека или морды животного.

와 : 앞과 뒤의 명사를 같은 자격으로 이어주는 조사.
нет эквивалента
Частица, связывающая предыдущее и последующее имя существительное по схожему при знаку.

입술 (имя существительное) : 사람의 입 주위를 둘러싸고 있는 붉고 부드러운 살.
губы
Мягкие кожные складки красного цвета, образующие края рта человека.

이 : 어떤 상태나 상황의 대상이나 동작의 주체를 나타내는 조사.
нет эквивалента
Частица, показывающая какое-либо состояние, объект ситуации или субъект действия.

얼마나 (наречие) : 어느 정도나.
насколько; настолько
До определённого уровня.

예쁘다 (имя прилагательное) : 생긴 모양이 눈으로 보기에 좋을 만큼 아름답다.
красивый
Приятный на вид (о внешнем виде).

-어 보이다 : 겉으로 볼 때 앞의 말이 나타내는 것처럼 느껴지거나 추측됨을 나타내는 표현.
выглядеть
Выражение, указывающее на предположение, догадку о чём-либо на основании внешних признаков ситуации.

-나요 : (두루높임으로) 앞의 내용에 대해 상대방에게 물어볼 때 쓰는 표현.
нет эквивалента
(нейтрально-вежливый стиль) Выражение, употребляемое при обращении с вопросом к со беседнику.

나 어떻+어요?
어때요

나 (местоимение) : 말하는 사람이 친구나 아랫사람에게 자기를 가리키는 말.
я
Выражение, которым называют себя в разговоре с ровесниками или младшими людьми.

어떻다 (имя прилагательное) : 생각, 느낌, 상태, 형편 등이 어찌 되어 있다.
нет эквивалента
Быть в каком-то состоянии, проходить некоторым образом (о мыслях, чувствах, состоянии, положении и т.п.).

-어요 : (두루높임으로) 어떤 사실을 서술하거나 질문, 명령, 권유함을 나타내는 종결 어미.
нет эквивалента
(нейтрально-вежливый стиль) Финитное окончание предиката в повествовательном, вопросительном или побудительном предложении. **<вопрос>**

나 예쁘(예ㅃ)+어요?
예뻐요

나 (местоимение) : 말하는 사람이 친구나 아랫사람에게 자기를 가리키는 말.
я
Выражение, которым называют себя в разговоре с ровесниками или младшими людьми.

예쁘다 (имя прилагательное) : 생긴 모양이 눈으로 보기에 좋을 만큼 아름답다.
красивый
Приятный на вид (о внешнем виде).

-어요 : (두루높임으로) 어떤 사실을 서술하거나 질문, 명령, 권유함을 나타내는 종결 어미.
нет эквивалента
(нейтрально-вежливый стиль) Финитное окончание предиката в повествовательном, вопросительном или побудительном предложении. **<вопрос>**

어떻+어요?
어때요

어떻다 (имя прилагательное) : 생각, 느낌, 상태, 형편 등이 어찌 되어 있다.
нет эквивалента
Быть в каком-то состоянии, проходить некоторым образом (о мыслях, чувствах, состоянии, положении и т.п.).

-어요 : (두루높임으로) 어떤 사실을 서술하거나 질문, 명령, 권유함을 나타내는 종결 어미.
нет эквивалента
(нейтрально-вежливый стиль) Финитное окончание предиката в повествовательном, вопросительном или побудительном предложении. **<вопрос>**

< 2 절(куплет) >

운동화 신+었+는데 어떻+어요?
어때요

운동화 (имя существительное) : 운동을 할 때 신도록 만든 신발.
кроссовки; спортивная обувь
Обувь, надеваемая во время занятия спортом.

신다 (глагол) : 신발이나 양말 등의 속으로 발을 넣어 발의 전부나 일부를 덮다.
обувать; надевать (на ноги)
Поместив ногу во внутрь обуви, носка и т.п., покрывать всю ногу или часть ноги.

-었- : 어떤 사건이 과거에 완료되었거나 그 사건의 결과가 현재까지 지속되는 상황을 나타내는 어미.
нет эквивалента
Окончание, указывающее на полное завершение какого-либо события в прошлом и сохранения данного результата до настоящего времени.

-는데 : 뒤의 말을 하기 위하여 그 대상과 관련이 있는 상황을 미리 말함을 나타내는 연결 어미.
нет эквивалента
Соединительное окончание, вводящее некую предварительную информацию об объекте, о котором говорится в последующей части предложения.

어떻다 (имя прилагательное) : 생각, 느낌, 상태, 형편 등이 어찌 되어 있다.
нет эквивалента
Быть в каком-то состоянии, проходить некоторым образом (о мыслях, чувствах, состоянии, положении и т.п.).

-어요 : (두루높임으로) 어떤 사실을 서술하거나 질문, 명령, 권유함을 나타내는 종결 어미.
нет эквивалента
(нейтрально-вежливый стиль) Финитное окончание предиката в повествовательном, вопросительном или побудительном предложении. **<вопрос>**

구두 신+었+는데 어떻+어요?
어때요

구두 (имя существительное) : 정장을 입었을 때 신는 가죽, 비닐 등으로 만든 신발.
туфли; ботинки
Обувь, сделанная из кожи, винила или другого материала, которую обычно носят с деловым костюмом.

신다 (глагол) : 신발이나 양말 등의 속으로 발을 넣어 발의 전부나 일부를 덮다.
обувать; надевать (на ноги)
Поместив ногу во внутрь обуви, носка и т.п., покрывать всю ногу или часть ноги.

-었- : 어떤 사건이 과거에 완료되었거나 그 사건의 결과가 현재까지 지속되는 상황을 나타내는 어미.
нет эквивалента
Окончание, указывающее на полное завершение какого-либо события в прошлом и сохранения данного результата до настоящего времени.

-는데 : 뒤의 말을 하기 위하여 그 대상과 관련이 있는 상황을 미리 말함을 나타내는 연결 어미.
нет эквивалента
Соединительное окончание, вводящее некую предварительную информацию об объекте, о котором говорится в последующей части предложения.

어떻다 (имя прилагательное) : 생각, 느낌, 상태, 형편 등이 어찌 되어 있다.
нет эквивалента
Быть в каком-то состоянии, проходить некоторым образом (о мыслях, чувствах, состоянии, положении и т.п.).

-어요 : (두루높임으로) 어떤 사실을 서술하거나 질문, 명령, 권유함을 나타내는 종결 어미.
нет эквивалента
(нейтрально-вежливый стиль) Финитное окончание предиката в повествовательном, вопросительном или побудительном предложении. **<вопрос>**

검은색+은?

검은색 (имя существительное) : 빛이 없을 때의 밤하늘과 같이 매우 어둡고 짙은 색.
чёрный цвет
Очень тёмный и насыщенный цвет, похожий на цвет ночного неба при отсутствии освещения.

은 : 문장 속에서 어떤 대상이 화제임을 나타내는 조사.
нет эквивалента
Частица, показывающая то, что какой-то объект является главной темой в предложении.

흰색+은?

흰색 (имя существительное) : 눈이나 우유와 같은 밝은 색.
белый цвет
Цвет, яркий как цвет снега или молока.

은 : 문장 속에서 어떤 대상이 화제임을 나타내는 조사.
нет эквивалента
Частица, показывающая то, что какой-то объект является главной темой в предложении.

어떻+어요?
어때요

어떻다 (имя прилагательное) : 생각, 느낌, 상태, 형편 등이 어찌 되어 있다.
нет эквивалента
Быть в каком-то состоянии, проходить некоторым образом (о мыслях, чувствах, состоянии, положении и т.п.).

-어요 : (두루높임으로) 어떤 사실을 서술하거나 질문, 명령, 권유함을 나타내는 종결 어미.
нет эквивалента
(нейтрально-вежливый стиль) Финитное окончание предиката в повествовательном, вопросительном или побудительном предложении. **<вопрос>**

목걸이 차+았+는데 어떻+어요?
찼는데 어때요

목걸이 (имя существительное) : 보석 등을 줄에 꿰어서 목에 거는 장식품.
бусы; ожерелье
Украшения на шею в виде нанизанных на нитку драгоценных камней и др.

차다 (глагол) : 물건을 허리나 팔목, 발목 등에 매어 달거나 걸거나 끼우다.
надевать
Завязывать или вешать что-либо на пояс, запястье, лодыжку.

-았- : 어떤 사건이 과거에 완료되었거나 그 사건의 결과가 현재까지 지속되는 상황을 나타내는 어미.
нет эквивалента
Окончание, указывающее на полное завершение какого-либо события в прошлом и сохранения данного результата до настоящего времени.

-는데 : 뒤의 말을 하기 위하여 그 대상과 관련이 있는 상황을 미리 말함을 나타내는 연결 어미.
нет эквивалента
Соединительное окончание, вводящее некую предварительную информацию об объекте, о котором говорится в последующей части предложения.

어떻다 (имя прилагательное) : 생각, 느낌, 상태, 형편 등이 어찌 되어 있다.
нет эквивалента
Быть в каком-то состоянии, проходить некоторым образом (о мыслях, чувствах, состоянии, положении и т.п.).

-어요 : (두루높임으로) 어떤 사실을 서술하거나 질문, 명령, 권유함을 나타내는 종결 어미.
нет эквивалента
(нейтрально-вежливый стиль) Финитное окончание предиката в повествовательном, вопросительном или побудительном предложении. **<вопрос>**

반지 끼+었+는데 어떻+어요?
어때요

반지 (имя существительное) : 손가락에 끼는 동그란 장신구.
кольцо
Украшение круглой формы, надеваемое на палец руки.

끼다 (глагол) : 무엇에 걸려 빠지지 않도록 꿰거나 꽂다.
надевать; закреплять; вкладывать
Вставлять что-либо, чтобы избежать его выпадения.

-었- : 어떤 사건이 과거에 완료되었거나 그 사건의 결과가 현재까지 지속되는 상황을 나타내는 어미.
нет эквивалента
Окончание, указывающее на полное завершение какого-либо события в прошлом и сохранения данного результата до настоящего времени.

-는데 : 뒤의 말을 하기 위하여 그 대상과 관련이 있는 상황을 미리 말함을 나타내는 연결 어미.
нет эквивалента
Соединительное окончание, вводящее некую предварительную информацию об объекте, о котором говорится в последующей части предложения.

어떻다 (имя прилагательное) : 생각, 느낌, 상태, 형편 등이 어찌 되어 있다.
нет эквивалента
Быть в каком-то состоянии, проходить некоторым образом (о мыслях, чувствах, состоянии, положении и т.п.).

-어요 : (두루높임으로) 어떤 사실을 서술하거나 질문, 명령, 권유함을 나타내는 종결 어미.
нет эквивалента
(нейтрально-вежливый стиль) Финитное окончание предиката в повествовательном, вопросительном или побудительном предложении. **<вопрос>**

귀걸이+는?

귀걸이 (имя существительное) : 귀에 다는 장식품.
серьги
Украшение, аксессуар на уши.

는 : 문장 속에서 어떤 대상이 화제임을 나타내는 조사.
нет эквивалента
Частица, указывающая на то, что какой-либо объект является основной темой в предложении.

팔찌+는?

팔찌 (имя существительное) : 팔목에 끼는, 금, 은, 가죽 등으로 만든 장식품.
браслет
Украшение или аксессуар из золота, серебра, кожи и т.п., обычно одеваемый на запястье руки.

는 : 문장 속에서 어떤 대상이 화제임을 나타내는 조사.
нет эквивалента
Частица, указывающая на то, что какой-либо объект является основной темой в предложении.

어떻+어요?
어때요

어떻다 (имя прилагательное) : 생각, 느낌, 상태, 형편 등이 어찌 되어 있다.
нет эквивалента
Быть в каком-то состоянии, проходить некоторым образом (о мыслях, чувствах, состоянии, положении и т.п.).

-어요 : (두루높임으로) 어떤 사실을 서술하거나 질문, 명령, 권유함을 나타내는 종결 어미.
нет эквивалента
(нейтрально-вежливый стиль) Финитное окончание предиката в повествовательном, вопросительном или побудительном предложении. **<вопрос>**

저+의 눈+과 코+와 입술+이 얼마나 예쁘(예ㅃ)+[어 보이]+나요?
제 예뻐 보이나요

저 (местоимение) : 말하는 사람이 듣는 사람에게 자신을 낮추어 가리키는 말.
я
Употребляется для обозначения говорящим самого себя, принижая себя перед слушающим.

의 : 앞의 말이 뒤의 말에 대하여 소유, 소속, 소재, 관계, 기원, 주체의 관계를 가짐을 나타내는 조사.
нет эквивалента
Частица, указывающая на то, что в предыдущем слове содержится значение собственности, принадлежности, сырья, источника, основы в отношении последующего.

눈 (имя существительное) : 사람이나 동물의 얼굴에 있으며 빛의 자극을 받아 물체를 볼 수 있는 감각 기관.
глаз
Органы чувств, которые расположены на лице или морде, при помощи которых можно видеть.

과 : 앞과 뒤의 명사를 같은 자격으로 이어 줄 때 쓰는 조사.
нет эквивалента
Частица, связывающая предыдущее и последующее существительное по схожести.

코 (имя существительное) : 숨을 쉬고 냄새를 맡는 몸의 한 부분.
нос
Наружная часть органа обоняния на лице человека или морды животного.

와 : 앞과 뒤의 명사를 같은 자격으로 이어주는 조사.
нет эквивалента
Частица, связывающая предыдущее и последующее имя существительное по схожему признаку.

입술 (имя существительное) : 사람의 입 주위를 둘러싸고 있는 붉고 부드러운 살.
губы
Мягкие кожные складки красного цвета, образующие края рта человека.

이 : 어떤 상태나 상황의 대상이나 동작의 주체를 나타내는 조사.
нет эквивалента
Частица, показывающая какое-либо состояние, объект ситуации или субъект действия.

얼마나 (наречие) : 어느 정도나.
насколько; настолько
До определённого уровня.

예쁘다 (имя прилагательное) : 생긴 모양이 눈으로 보기에 좋을 만큼 아름답다.
красивый
Приятный на вид (о внешнем виде).

-어 보이다 : 겉으로 볼 때 앞의 말이 나타내는 것처럼 느껴지거나 추측됨을 나타내는 표현.
выглядеть
Выражение, указывающее на предположение, догадку о чём-либо на основании внешних признаков ситуации.

-나요 : (두루높임으로) 앞의 내용에 대해 상대방에게 물어볼 때 쓰는 표현.
нет эквивалента
(нейтрально-вежливый стиль) Выражение, употребляемое при обращении с вопросом к собеседнику.

나 어떻+어요?
어때요

나 (местоимение) : 말하는 사람이 친구나 아랫사람에게 자기를 가리키는 말.
я
Выражение, которым называют себя в разговоре с ровесниками или младшими людьми.

어떻다 (имя прилагательное) : 생각, 느낌, 상태, 형편 등이 어찌 되어 있다.
нет эквивалента
Быть в каком-то состоянии, проходить некоторым образом (о мыслях, чувствах, состоянии, положении и т.п.).

-어요 : (두루높임으로) 어떤 사실을 서술하거나 질문, 명령, 권유함을 나타내는 종결 어미.
нет эквивалента
(нейтрально-вежливый стиль) Финитное окончание предиката в повествовательном, вопросительном или побудительном предложении. **<вопрос>**

나 예쁘(예ㅃ)+어요?

예뻐요

나 (местоимение) : 말하는 사람이 친구나 아랫사람에게 자기를 가리키는 말.
я
Выражение, которым называют себя в разговоре с ровесниками или младшими людьми.

예쁘다 (имя прилагательное) : 생긴 모양이 눈으로 보기에 좋을 만큼 아름답다.
красивый
Приятный на вид (о внешнем виде).

-어요 : (두루높임으로) 어떤 사실을 서술하거나 질문, 명령, 권유함을 나타내는 종결 어미.
нет эквивалента
(нейтрально-вежливый стиль) Финитное окончание предиката в повествовательном, вопросительном или побудительном предложении. **<вопрос>**

어떻+어요?

어때요

어떻다 (имя прилагательное) : 생각, 느낌, 상태, 형편 등이 어찌 되어 있다.
нет эквивалента
Быть в каком-то состоянии, проходить некоторым образом (о мыслях, чувствах, состоянии, положении и т.п.).

-어요 : (두루높임으로) 어떤 사실을 서술하거나 질문, 명령, 권유함을 나타내는 종결 어미.
нет эквивалента
(нейтрально-вежливый стиль) Финитное окончание предиката в повествовательном, вопросительном или побудительном предложении. **<вопрос>**

< 5 >

하늘, 땅, 사람
(небо)
(суша; земля)
(человек)

[발음(произношение)]

< 1 절(куплет) >

하늘에서 비가 내린다고 하는 걸 보니 하늘은 위인가요?
하느레서 비가 내린다고 하는 걸 보니 하느른 위인가요?
haneureseo biga naerindago haneun geol boni haneureun wiingayo?

그 비가 땅을 적신다고 하는 걸 보니 그럼 땅은 아래인가 보네요.
그 비가 땅을 적씬다고 하는 걸 보니 그럼 땅은 아래인가 보네요.
geu biga ttangeul jeoksindago haneun geol boni geureom ttangeun araeinga boneyo.

땅을 밟고 서서 하늘을 바라보는 사람은 하늘과 땅 사이에 있는 거겠군요.
땅을 밥꼬 서서 하느를 바라보는 사라믄 하늘과 땅 사이에 인는 거겓꾸뇨.
ttangeul bapgo seoseo haneureul baraboneun sarameun haneulgwa ttang saie inneun geogetgunyo.

그 사이에 갇혀 지지고 볶으며 오늘도 나는 살아가고 있네요.
그 사이에 가처 지지고 보끄며 오늘도 나는 사라가고 인네요.
geu saie gacheo jijigo bokkeumyeo oneuldo naneun saragago inneyo.

땅에 갇혀 사는 것은 이제 너무 지겨워요.
땅에 가처 사는 거슨 이제 너무 지겨워요.
ttange gacheo saneun geoseun ije neomu jigyeowoyo.

움츠린 가슴을 펴고 하늘 끝까지 날아올라 봐요.
움츠린 가스믈 펴고 하늘 끋까지 나라올라 봐요.
umcheurin gaseumeul pyeogo haneul kkeutkkaji naraolla bwayo.

우리 모두 거기서 행복하게 살아 봐요.
우리 모두 거기서 행보카게 사라 봐요.
uri modu geogiseo haengbokage sara bwayo.

< 후렴(припев) >

이제부터는 지금부터는
이제부터는 지금부터는
ijebuteoneun jigeumbuteoneun

가슴이 시키는 대로 살아 봐요.
가스미 시키는 대로 사라 봐요.
gaseumi sikineun daero sara bwayo.

이제부터는 지금부터는
이제부터는 지금부터는
ijebuteoneun jigeumbuteoneun

가슴이 느끼는 대로 자유롭게
가스미 느끼는 대로 자유롭께
gaseumi neukkineun daero jayuropge

아무것도 신경 쓰지 마요.
아무걷또 신경 쓰지 마요.
amugeotdo singyeong sseuji mayo.

< 2 절(куплет) >

아직까지 해가 뜨고 진 적은 한 번도 없었어요.
아직까지 해가 뜨고 진 저근 한 번도 업써써요.
ajikkkaji haega tteugo jin jeogeun han beondo eopseosseoyo.

이 땅에 사는 우리들만 어제도 오늘도 쉼 없이 돌고 돌고 또 돌아요.
이 땅에 사는 우리들만 어제도 오늘도 쉼 업씨 돌고 돌고 또 도라요.
i ttange saneun urideulman eojedo oneuldo swim eopsi dolgo dolgo tto dorayo.

배운 대로 남들이 시키는 대로 그렇게 사람들 사이에 숨어 살아가고 있죠.
배운 대로 남드리 시키는 대로 그러케 사람들 사이에 수머 사라가고 읻쬬.
baeun daero namdeuri sikineun daero geureoke saramdeul saie sumeo saragago itjyo.

그 사이에 갇혀 지지고 볶으며 오늘도 나는 살아가고 있네요.
그 사이에 가처 지지고 보끄며 오늘도 나는 사라가고 인네요.
geu saie gacheo jijigo bokkeumyeo oneuldo naneun saragago inneyo.

누가 시키는 대로 사는 것은 이제 너무 짜증이 나요.
누가 시키는 대로 사는 거슨 이제 너무 짜증이 나요.
nuga sikineun daero saneun geoseun ije neomu jjajeungi nayo.

바라고 원하는 생각들을 하늘 너머로 떠나보내요.
바라고 원하는 생각뜨를 하늘 너머로 떠나보내요.
barago wonhaneun saenggakdeureul haneul neomeoro tteonabonaeyo.

우리 모두 거기서 자유롭게 살아 봐요.
우리 모두 거기서 자유롭께 사라 봐요.
uri modu geogiseo jayuropge sara bwayo.

< 후렴(припев) >

우- 워- 이제부터는 지금부터는
우- 워- 이제부터는 지금부터는
u- wo- ijebuteoneun jigeumbuteoneun

이제부터는 지금부터는
이제부터는 지금부터는
ijebuteoneun jigeumbuteoneun

가슴이 시키는 대로 살아 봐요.
가스미 시키는 대로 사라 봐요.
gaseumi sikineun daero sara bwayo.

이제부터는 지금부터는
이제부터는 지금부터는
ijebuteoneun jigeumbuteoneun

가슴이 느끼는 대로 자유롭게
가스미 느끼는 대로 자유롭께
gaseumi neukkineun daero jayuropge

이제부터는 지금부터는
이제부터는 지금부터는
ijebuteoneun jigeumbuteoneun

(우리 모두 거기서)
(우리 모두 거기서)
(uri modu geogiseo)

가슴이 시키는 대로 살아 봐요.
가스미 시키는 대로 사라 봐요.
gaseumi sikineun daero sara bwayo.

(자유롭게 살아요)
(자유롭께 사라요)
(jayuropge sarayo)

이제부터는 지금부터는
이제부터는 지금부터는
ijebuteoneun jigeumbuteoneun

(우리 모두 거기서)
(우리 모두 거기서)
(uri modu geogiseo)

가슴이 느끼는 대로 자유롭게
가스미 느끼는 대로 자유롭께
gaseumi neukkineun daero jayuropge

(자유롭게)
(자유롭께)
(jayuropge)

그런 사람이었어요.
그런 사라미어써요.
geureon saramieosseoyo.

그런 인생이었어요.
그런 인생이어써요.
geureon insaengieosseoyo.

그렇게 기억해 줘요.
그러케 기어캐 줘요.
geureoke gieokae jwoyo.

< 1 절(куплет) >

하늘+에서 비+가 내리+ㄴ다고 하+[는 것(거)]+을 보+니
내린다고 하는 걸

하늘 (имя существительное) : 땅 위로 펼쳐진 무한히 넓은 공간.
небо
Необъятное пространство, раскинувшееся над землей.

에서 : 앞말이 출발점의 뜻을 나타내는 조사.
из; с(со)
Окончание, указывающее на стартовую точку.

비 (имя существительное) : 높은 곳에서 구름을 이루고 있던 수증기가 식어서 뭉쳐 떨어지는 물방울.
дождь
Атмосферные осадки, выпадающие из облаков в виде капель воды.

가 : 어떤 상태나 상황에 놓인 대상이나 동작의 주체를 나타내는 조사.
нет эквивалента
Окончание, указывающее на объект какой-либо ситуации, состояния или на лицо, выполняющее какое-либо действие.

내리다 (глагол) : 눈이나 비 등이 오다.
идти
Падать (о снеге или дожде и т.п.).

-ㄴ다고 : 다른 사람에게서 들은 내용을 간접적으로 전달하거나 주어의 생각, 의견 등을 나타내는 표현.
нет эквивалента
Выражение, употребляемое для оформления косвенной речи при передаче чужих слов или мыслей.

하다 (глагол) : 무엇에 대해 말하다.
обсуждать
Говорить о чём-либо.

-는 것 : 명사가 아닌 것을 문장에서 명사처럼 쓰이게 하거나 '이다' 앞에 쓰일 수 있게 할 때 쓰는 표현.
нет эквивалента
Выражение, субстантивирующее предшествующее слово неименной части речи или группу слов, которое также может употребляться с глаголом-связкой '이다'.

을 : 동작이 직접적으로 영향을 미치는 대상을 나타내는 조사.
нет эквивалента
Частица, указывающая на объект, на который действие оказывает непосредственное влияние.

보다 (глагол) : 무엇을 근거로 판단하다.
смотреть
Определять что-либо на основе чего-либо.

-니 : 뒤에 오는 말에 대하여 앞에 오는 말이 원인이나 근거, 전제가 됨을 나타내는 연결 어미.
нет эквивалента
Соединительное окончание, указывающее на то, что содержание первой части предложения является причиной, обоснованием, предпосылкой того, о чём говорится во второй части предложения.

하늘+은 위+이+ㄴ가요?
위인가요

하늘 (имя существительное) : 땅 위로 펼쳐진 무한히 넓은 공간.
небо
Необъятное пространство, раскинувшееся над землей.

은 : 문장 속에서 어떤 대상이 화제임을 나타내는 조사.
нет эквивалента
Частица, показывающая то, что какой-то объект является главной темой в предложении.

위 (имя существительное) : 어떤 기준보다 더 높은 쪽. 또는 중간보다 더 높은 쪽.
верх
Место, расположенное выше какого-либо ориентира. Место выше середины.

이다 : 주어가 지시하는 대상의 속성이나 부류를 지정하는 뜻을 나타내는 서술격 조사.
нет эквивалента
Суффикс повествовательного падежа, выражающий смысл наименования свойства или разряда объекта, на который указывает подлежащее.

-ㄴ가요 : (두루높임으로) 현재의 사실에 대한 물음을 나타내는 종결 어미.
нет эквивалента
(нейтрально-вежливый стиль) Финитное окончание, выражающее вопрос в настоящем времени.

그 비+가 땅+을 적시+ㄴ다고 하+[는 것(거)]+을 보+니
적신다고 하는 걸 보니

그 (атрибутивное слово) : 앞에서 이미 이야기한 대상을 가리킬 때 쓰는 말.
тот
Указывает на предмет, который уже был указан ранее.

비 (имя существительное) : 높은 곳에서 구름을 이루고 있던 수증기가 식어서 뭉쳐 떨어지는 물방울.
дождь
Атмосферные осадки, выпадающие из облаков в виде капель воды.

가 : 어떤 상태나 상황에 놓인 대상이나 동작의 주체를 나타내는 조사.
нет эквивалента
Окончание, указывающее на объект какой-либо ситуации, состояния или на лицо, выполняющее какое-либо действие.

땅 (имя существительное) : 지구에서 물로 된 부분이 아닌 흙이나 돌로 된 부분.
суша; земля
Часть земной поверхности, состоящая не из воды, а из глины и камней.

을 : 동작이 직접적으로 영향을 미치는 대상을 나타내는 조사.
нет эквивалента
Частица, указывающая на объект, на который действие оказывает непосредственное влияние.

적시다 (глагол) : 물 등의 액체를 묻혀 젖게 하다.
смачивать
Делать мокрым, влажным при помощи воды или другой жидкости.

-ㄴ다고 : 다른 사람에게서 들은 내용을 간접적으로 전달하거나 주어의 생각, 의견 등을 나타내는 표현.
нет эквивалента
Выражение, употребляемое для оформления косвенной речи при передаче чужих слов или мыслей.

하다 (глагол) : 무엇에 대해 말하다.
обсуждать
Говорить о чём-либо.

-는 것 : 명사가 아닌 것을 문장에서 명사처럼 쓰이게 하거나 '이다' 앞에 쓰일 수 있게 할 때 쓰는 표현.
нет эквивалента
Выражение, субстантивирующее предшествующее слово неименной части речи или группу слов, которое также может употребляться с глаголом-связкой '이다'.

을 : 동작이 직접적으로 영향을 미치는 대상을 나타내는 조사.
нет эквивалента
Частица, указывающая на объект, на который действие оказывает непосредственное влияние.

보다 (глагол) : 무엇을 근거로 판단하다.
смотреть
Определять что-либо на основе чего-либо.

-니 : 뒤에 오는 말에 대하여 앞에 오는 말이 원인이나 근거, 전제가 됨을 나타내는 연결 어미.
нет эквивалента
Соединительное окончание, указывающее на то, что содержание первой части предложения является причиной, обоснованием, предпосылкой того, о чём говорится во второй части предложения.

그럼 땅+은 아래+이+[ㄴ가 보]+네요.
아래인가 보네요

그럼 (наречие) : 앞의 내용이 뒤의 내용의 조건이 될 때 쓰는 말.
в таком случае
Выражение, которое используют, когда вышеупомянутое становится условием для последующего.

땅 (имя существительное) : 지구에서 물로 된 부분이 아닌 흙이나 돌로 된 부분.
суша; земля
Часть земной поверхности, состоящая не из воды, а из глины и камней.

은 : 문장 속에서 어떤 대상이 화제임을 나타내는 조사.
нет эквивалента
Частица, показывающая то, что какой-то объект является главной темой в предложении.

아래 (имя существительное) : 일정한 기준보다 낮은 위치.
низ; снизу; внизу; под (чем-либо); за (чем-либо)
Местоположение ниже установленного стандарта.

이다 : 주어가 지시하는 대상의 속성이나 부류를 지정하는 뜻을 나타내는 서술격 조사.
нет эквивалента
Суффикс повествовательного падежа, выражающий смысл наименования свойства или разряда объекта, на который указывает подлежащее.

-ㄴ가 보다 : 앞의 말이 나타내는 사실을 추측함을 나타내는 표현.
наверно; наверное; видимо; по-видимому; вероятно
Выражение, указывающее на предположение и догадку говорящего чём-либо.

-네요 : (두루높임으로) 말하는 사람이 직접 경험하여 새롭게 알게 된 사실에 대해 감탄함을 나타낼 때 쓰는 표현.
нет эквивалента
(нейтрально-вежливый стиль) Выражение, указывающее на восклицание при личном обнаружении какого-либо факта.

땅+을 밟+고 서+(어)서 하늘+을 바라보+는 사람+은
서서

땅 (имя существительное) : 지구에서 물로 된 부분이 아닌 흙이나 돌로 된 부분.
суша; земля
Часть земной поверхности, состоящая не из воды, а из глины и камней.

을 : 동작이 직접적으로 영향을 미치는 대상을 나타내는 조사.
нет эквивалента
Частица, указывающая на объект, на который действие оказывает непосредственное влияние.

밟다 (глагол) : 어떤 대상에 발을 올려놓고 서거나 올려놓으면서 걷다.
наступать
Стоять ногами на чём-либо или же идти по чему-либо.

-고 : 앞의 말이 나타내는 행동이나 그 결과가 뒤에 오는 행동이 일어나는 동안에 그대로 지속됨을 나타내는 연결 어미.
нет эквивалента
Соединительное окончание предиката, указывающее на продолжение действия, описанного в первой части предложения, или на сохранение результата данного действия в течение времени выполнения действия, описанного во второй части предложения.

서다 (глагол) : 사람이나 동물이 바닥에 발을 대고 몸을 곧게 하다.
вставать; стоять
Выпрямлять тело, уперевшись ногами в пол (о человеке или животном).

-어서 : 앞의 말과 뒤의 말이 순차적으로 일어남을 나타내는 연결 어미.
нет эквивалента
Соединительное окончание предиката, указывающее на последовательность действий.

하늘 (имя существительное) : 땅 위로 펼쳐진 무한히 넓은 공간.
небо
Необъятное пространство, раскинувшееся над землей.

을 : 동작이 직접적으로 영향을 미치는 대상을 나타내는 조사.
нет эквивалента
Частица, указывающая на объект, на который действие оказывает непосредственное влияние.

바라보다 (глагол) : 바로 향해 보다.
Взирать
смотреть в прямом направлении.

-는 : 앞의 말이 관형어의 기능을 하게 만들고 사건이나 동작이 현재 일어남을 나타내는 어미.
нет эквивалента
Окончание, которое указывает на действие или событие в настоящем, преобразуя впередистоящее слово, словосочетание или придаточное предложение в определение.

사람 (имя существительное) : 생각할 수 있으며 언어와 도구를 만들어 사용하고 사회를 이루어 사는 존재.
человек
Живое существо, образующее общество и обладающее способностью мыслить, производить и использовать язык и орудия труда.

은 : 문장 속에서 어떤 대상이 화제임을 나타내는 조사.
нет эквивалента
Частица, показывающая то, что какой-то объект является главной темой в предложении.

하늘+과 땅 사이+에 <u>있+[는 것(거)]+(이)+겠+군요</u>.
있는 거겠군요

하늘 (имя существительное) : 땅 위로 펼쳐진 무한히 넓은 공간.
небо
Необъятное пространство, раскинувшееся над землей.

과 : 앞과 뒤의 명사를 같은 자격으로 이어 줄 때 쓰는 조사.
нет эквивалента
Частица, связывающая предыдущее и последующее существительное по схожести.

땅 (имя существительное) : 지구에서 물로 된 부분이 아닌 흙이나 돌로 된 부분.
суша; земля
Часть земной поверхности, состоящая не из воды, а из глины и камней.

사이 (имя существительное) : 한 물체에서 다른 물체까지 또는 한곳에서 다른 곳까지의 거리나 공간.
промежуток; дистанция
Растояние от одного предмета до другого или же от одного места до другого.

에 : 앞말이 어떤 장소나 자리임을 나타내는 조사.
нет эквивалента
Окончание, указывающее на какое-либо место или пространство.

있다 (имя прилагательное) : 사람이나 동물이 어느 곳에 머무르거나 사는 상태이다.
нет эквивалента
Пребывать или проживать в каком-либо месте (о человеке или животном).

-는 것 : 명사가 아닌 것을 문장에서 명사처럼 쓰이게 하거나 '이다' 앞에 쓰일 수 있게 할 때 쓰는 표현.
нет эквивалента
Выражение, субстантивирующее предшествующее слово неименной части речи или группу слов, которое также может употребляться с глаголом-связкой '이다'.

이다 : 주어가 지시하는 대상의 속성이나 부류를 지정하는 뜻을 나타내는 서술격 조사.
нет эквивалента
Суффикс повествовательного падежа, выражающий смысл наименования свойства или разряда объекта, на который указывает подлежащее.

-겠- : 미래의 일이나 추측을 나타내는 어미.
нет эквивалента
Суффикс, указывающий на предположение, на действие или состояние в будущем.

-군요 : (두루높임으로) 새롭게 알게 된 사실에 주목하거나 감탄함을 나타내는 표현.
нет эквивалента
(нейтрально-вежливый стиль) Финитное окончание, выражающее восклицание при обнаружении или осознание нового факта.

그 사이+에 갇히+어 [지지고 볶]+으며 오늘+도 나+는 살아가+[고 있]+네요.
갇혀

그 (атрибутивное слово) : 앞에서 이미 이야기한 대상을 가리킬 때 쓰는 말.
тот
Указывает на предмет, который уже был указан ранее.

사이 (имя существительное) : 한 물체에서 다른 물체까지 또는 한곳에서 다른 곳까지의 거리나 공간.
промежуток; дистанция
Растояние от одного предмета до другого или же от одного места до другого.

에 : 앞말이 어떤 장소나 자리임을 나타내는 조사.
нет эквивалента
Окончание, указывающее на какое-либо место или пространство.

갇히다 (глагол) : 어떤 공간이나 상황에서 나가지 못하게 되다.
быть в заточении
Быть не в состоянии выйти из какого-либо пространства или ситуации.

-어 : 앞의 말이 뒤의 말보다 먼저 일어났거나 뒤의 말에 대한 방법이나 수단이 됨을 나타내는 연결 어미.
нет эквивалента
Соединительное окончание, указывающее на то, что действие, описанное в первой части предложения произошло раньше действия, описанного во второй части предложения, или на то, что оно является способом или средством его выполнения.

지지고 볶다 (идиома) : 온갖 것을 겪으며 함께 살아가다.
пройти огонь, воду и медные трубы
Претерпеть вместе с кем-либо всякие жизненные ситуации.

-으며 : 두 가지 이상의 동작이나 상태가 함께 일어남을 나타내는 연결 어미.
нет эквивалента
Соединительное окончание предиката, указывающее на одновременность двух или более действий или состояний.

오늘 (имя существительное) : 지금 지나가고 있는 이날.
сегодня
Этот текущий день.

도 : 이미 있는 어떤 것에 다른 것을 더하거나 포함함을 나타내는 조사.
нет эквивалента
Частица, указывающая на прибавление или включение чего-либо во что-либо уже имеющееся.

나 (местоимение) : 말하는 사람이 친구나 아랫사람에게 자기를 가리키는 말.
я
Выражение, которым называют себя в разговоре с ровесниками или младшими людьми.

는 : 문장 속에서 어떤 대상이 화제임을 나타내는 조사.
нет эквивалента
Частица, указывающая на то, что какой-либо объект является основной темой в предложении.

살아가다 (глагол) : 어떤 종류의 삶이나 시대 등을 견디며 생활해 나가다.
проводить жизнь; жить; проживать
Проводить дни жизни, переживая судьбу, период и т.п.

-고 있다 : 앞의 말이 나타내는 행동이 계속 진행됨을 나타내는 표현.
нет эквивалента
Выражение, указывающее на длительность действия.

-네요 : (두루높임으로) 말하는 사람이 직접 경험하여 새롭게 알게 된 사실에 대해 감탄함을 나타낼 때 쓰는 표현.
нет эквивалента
(нейтрально-вежливый стиль) Выражение, указывающее на восклицание при личном обнаружении какого-либо факта.

땅+에 <u>갇히+어</u> <u>살(사)+[는 것]+은</u> 이제 너무 <u>지겹(지겨우)+어요</u>.
갇혀 사는 것은 지겨워요

땅 (имя существительное) : 지구에서 물로 된 부분이 아닌 흙이나 돌로 된 부분.
суша; земля
Часть земной поверхности, состоящая не из воды, а из глины и камней.

에 : 앞말이 어떤 장소나 자리임을 나타내는 조사.
нет эквивалента
Окончание, указывающее на какое-либо место или пространство.

갇히다 (глагол) : 어떤 공간이나 상황에서 나가지 못하게 되다.
быть в заточении
Быть не в состоянии выйти из какого-либо пространства или ситуации.

-어 : 앞의 말이 뒤의 말보다 먼저 일어났거나 뒤의 말에 대한 방법이나 수단이 됨을 나타내는 연결 어미.
нет эквивалента
Соединительное окончание, указывающее на то, что действие, описанное в первой части предложения произошло раньше действия, описанного во второй части предложения, или на то, что оно является способом или средством его выполнения.

살다 (глагол) : 사람이 생활을 하다.
жить
Проживать (о человеке).

-는 것 : 명사가 아닌 것을 문장에서 명사처럼 쓰이게 하거나 '이다' 앞에 쓰일 수 있게 할 때 쓰는 표현.
нет эквивалента
Выражение, субстантивирующее предшествующее слово неименной части речи или группу слов, которое также может употребляться с глаголом-связкой '이다'.

은 : 문장 속에서 어떤 대상이 화제임을 나타내는 조사.
нет эквивалента
Частица, показывающая то, что какой-то объект является главной темой в предложении.

이제 (наречие) : 지금의 시기가 되어.
теперь
С наступившего времени.

너무 (наречие) : 일정한 정도나 한계를 훨씬 넘어선 상태로.
очень; чересчур
Состояние чрезмерного превышения определенного уровня или рубежа.

지겹다 (имя прилагательное) : 같은 상태나 일이 반복되어 재미가 없고 지루하고 싫다.
скучный; безысходный
Неинтересный и скучный из-за постоянного повторения одного и того же состояния или дела.

-어요 : (두루높임으로) 어떤 사실을 서술하거나 질문, 명령, 권유함을 나타내는 종결 어미.
нет эквивалента
(нейтрально-вежливый стиль) Финитное окончание предиката в повествовательном, вопросительном или побудительном предложении. **<изложение>**

움츠리+ㄴ 가슴+을 펴+고 하늘 끝+까지 날아오르(날아올ㄹ)+[아 보]+아요.
움츠린 날아올라 봐요

움츠리다 (глагол) : 몸이나 몸의 일부를 오그려 작아지게 하다.
сжать; съёжить
Сжать тело или часть тела, вынудив его сделаться меньше.

-ㄴ : 앞의 말이 관형어의 기능을 하게 만들고 사건이나 동작이 완료되어 그 상태가 유지되고 있음을 나타내는 어미.
нет эквивалента
Окончание, которое указывает на завершенное постоянное действие или событие, преобразуя впередистоящее слово, словосочетание или придаточное предложение в определение.

가슴 (имя существительное) : 인간이나 동물의 목과 배 사이에 있는 몸의 앞 부분.
грудь; грудная клетка
Передняя часть туловища от шеи до живота, у человека и животных.

을 : 동작이 직접적으로 영향을 미치는 대상을 나타내는 조사.
нет эквивалента
Частица, указывающая на объект, на который действие оказывает непосредственное влияние.

펴다 (глагол) : 굽은 것을 곧게 하다. 또는 움츠리거나 오므라든 것을 벌리다.
распрямлять; выпрямлять
Выпрямить изогнутое. Или развернуть сжатое и запавшее.

-고 : 앞의 말이 나타내는 행동이나 그 결과가 뒤에 오는 행동이 일어나는 동안에 그대로 지속됨을 나타내는 연결 어미.
нет эквивалента
Соединительное окончание предиката, указывающее на продолжение действия, описанного в первой части предложения, или на сохранение результата данного действия в течение времени выполнения действия, описанного во второй части предложения.

하늘 (имя существительное) : 땅 위로 펼쳐진 무한히 넓은 공간.
небо
Необъятное пространство, раскинувшееся над землей.

끝 (имя существительное) : 공간에서의 마지막 장소.
конец
Предельная часть какого-либо пространства.

까지 : 어떤 범위의 끝임을 나타내는 조사.
нет эквивалента
Окончание, указывающее на завершение какой-либо области.

날아오르다 (глагол) : 날아서 위로 높이 올라가다.
взлетать
Взлетев, подниматься высоко вверх.

-아 보다 : 앞의 말이 나타내는 행동을 시험 삼아 함을 나타내는 표현.
нет эквивалента
Выражение, указывающее на пробу или попытку совершить какое-либо действие.

-아요 : (두루높임으로) 어떤 사실을 서술하거나 질문, 명령, 권유함을 나타내는 종결 어미.
нет эквивалента
(нейтрально-вежливый стиль) Финитное окончание предиката в повествовательном, вопросительном или побудительном предложении. **<совет>**

우리 모두 거기+서 행복하+게 살+[아 보]+아요.

살아 봐요

우리 (местоимение) : 말하는 사람이 자기와 듣는 사람 또는 이를 포함한 여러 사람들을 가리키는 말.
мы; наш
Слово, указывающее на несколько человек, включая говорящего и собеседника.

모두 (наречие) : 빠짐없이 다.
весь; все
Полностью, без остатка, без исключения.

거기 (местоимение) : 앞에서 이미 이야기한 곳을 가리키는 말.
там
Слово, указывающее на место, о котором говорилось ранее.

서 : 앞말이 행동이 이루어지고 있는 장소임을 나타내는 조사.
в; там; на; где
Окончание, указывающее на место действия впередистоящего слова.

행복하다 (имя прилагательное) : 삶에서 충분한 만족과 기쁨을 느껴 흐뭇하다.
счастливый
Чувствующий высшее удовлетворение и радость в жизни.

-게 : 앞의 말이 뒤에서 가리키는 일의 목적이나 결과, 방식, 정도 등이 됨을 나타내는 연결 어미.
нет эквивалента
Соединительное окончание предиката, указывающее на то, описанное в первой части предложения действие или состояние является целью, результатом, образом действия, степенью и т.п. того, о чём говорится в последующей главной части предложения.
<форма>

살다 (глагол) : 사람이 생활을 하다.
жить
Проживать (о человеке).

-아 보다 : 앞의 말이 나타내는 행동을 시험 삼아 함을 나타내는 표현.
нет эквивалента
Выражение, указывающее на пробу или попытку совершить какое-либо действие.

-아요 : (두루높임으로) 어떤 사실을 서술하거나 질문, 명령, 권유함을 나타내는 종결 어미.
нет эквивалента
(нейтрально-вежливый стиль) Финитное окончание предиката в повествовательном, вопросительном или побудительном предложении. **<совет>**

< 후렴(припев) >

이제+부터+는 지금+부터+는

이제 (имя существительное) : 지금의 시기.
сейчас; теперь; данный момент; настоящее время
Нынешнее время.

부터 : 어떤 일의 시작이나 처음을 나타내는 조사.
нет эквивалента
Окончание, указывающее на начало какой-либо области или какого-либо события.

는 : 어떤 대상이 다른 것과 대조됨을 나타내는 조사.
нет эквивалента
Частица, указывающая на то, что какой-либо объект сравнивают с другим.

지금 (имя существительное) : 말을 하고 있는 바로 이때.
сейчас; теперь
Прямо в то время, когда говоришь.

부터 : 어떤 일의 시작이나 처음을 나타내는 조사.
нет эквивалента
Окончание, указывающее на начало какой-либо области или какого-либо события.

는 : 어떤 대상이 다른 것과 대조됨을 나타내는 조사.
нет эквивалента
Частица, указывающая на то, что какой-либо объект сравнивают с другим.

가슴+이 시키+[는 대로] 살+[아 보]+아요.

살아 봐요

가슴 (имя существительное) : 마음이나 느낌.
грудь; сердце; душа
Душа или чувство.

이 : 어떤 상태나 상황의 대상이나 동작의 주체를 나타내는 조사.
нет эквивалента
Частица, показывающая какое-либо состояние, объект ситуации или субъект действия.

시키다 (глагол) : 어떤 일이나 행동을 하게 하다.
заставлять (позволять); принуждать делать что-либо; велеть кому-либо
Заставлять совершать какие-либо дела или поступки.

-는 대로 : 앞에 오는 말이 뜻하는 현재의 행동이나 상황과 같음을 나타내는 표현.
нет эквивалента
Выражение, указывающее на соответствие образа действия или состояния кого-либо или чего-либо действию или состоянию в настоящем, о котором говорится в предшествующей части высказывания.

살다 (глагол) : 사람이 생활을 하다.
жить
Проживать (о человеке).

-아 보다 : 앞의 말이 나타내는 행동을 시험 삼아 함을 나타내는 표현.
нет эквивалента
Выражение, указывающее на пробу или попытку совершить какое-либо действие.

-아요 : (두루높임으로) 어떤 사실을 서술하거나 질문, 명령, 권유함을 나타내는 종결 어미.
нет эквивалента
(нейтрально-вежливый стиль) Финитное окончание предиката в повествовательном, вопросительном или побудительном предложении. **<совет>**

이제+부터+는 지금+부터+는

이제 (имя существительное) : 지금의 시기.
сейчас; теперь; данный момент; настоящее время
Нынешнее время.

부터 : 어떤 일의 시작이나 처음을 나타내는 조사.
нет эквивалента
Окончание, указывающее на начало какой-либо области или какого-либо события.

는 : 어떤 대상이 다른 것과 대조됨을 나타내는 조사.
нет эквивалента
Частица, указывающая на то, что какой-либо объект сравнивают с другим.

지금 (имя существительное) : 말을 하고 있는 바로 이때.
сейчас; теперь
Прямо в то время, когда говоришь.

부터 : 어떤 일의 시작이나 처음을 나타내는 조사.
нет эквивалента
Окончание, указывающее на начало какой-либо области или какого-либо события.

는 : 어떤 대상이 다른 것과 대조됨을 나타내는 조사.
нет эквивалента
Частица, указывающая на то, что какой-либо объект сравнивают с другим.

가슴+이 느끼+[는 대로] 자유롭+게

가슴 (имя существительное) : 마음이나 느낌.
грудь; сердце; душа
Душа или чувство.

이 : 어떤 상태나 상황의 대상이나 동작의 주체를 나타내는 조사.
нет эквивалента
Частица, показывающая какое-либо состояние, объект ситуации или субъект действия.

느끼다 (глагол) : 특정한 대상이나 상황을 어떻다고 생각하거나 인식하다.
принимать; сознавать
Рассматривать какой-либо предмет, ситуацию каким-либо образом.

-는 대로 : 앞에 오는 말이 뜻하는 현재의 행동이나 상황과 같음을 나타내는 표현.
нет эквивалента
Выражение, указывающее на соответствие образа действия или состояния кого-либо или чего-либо действию или состоянию в настоящем, о котором говорится в предшествующей части высказывания.

자유롭다 (имя прилагательное) : 무엇에 얽매이거나 구속되지 않고 자기 생각과 의지대로 할 수 있다.
свободный; вольный
Быть несвязанным с чем-либо или неограниченным чем-либо и иметь возможность поступать соответственно своим мыслям или желаниям.

-게 : 앞의 말이 뒤에서 가리키는 일의 목적이나 결과, 방식, 정도 등이 됨을 나타내는 연결 어미.
нет эквивалента
Соединительное окончание предиката, указывающее на то, описанное в первой части предложения действие или состояние является целью, результатом, образом действия, степенью и т.п. того, о чём говорится в последующей главной части предложения.
<форма>

아무것+도 [신경 쓰]+[지 말(마)]+(아)요.
신경 쓰지 마요

아무것 (имя существительное) : 어떤 것의 조금이나 일부분.
ничего; что-либо; что-нибудь
Малая часть или частичка чего-либо.

도 : 극단적인 경우를 들어 다른 경우는 말할 것도 없음을 나타내는 조사.
нет эквивалента
Частица, указывающая на крайний случай и на его примере - на бессмысленность говорить о других.

신경 쓰다 (идиома) : 사소한 일까지 세심하게 생각하다.
(досл.) Тратить нервы
Заострять внимание; обдумывать до мелочей.

-지 말다 : 앞의 말이 나타내는 행동을 하지 못하게 함을 나타내는 표현.
нет эквивалента
Выражение со значением "препятствовать совершению чего-либо, не давать сделать что-либо".

-아요 : (두루높임으로) 어떤 사실을 서술하거나 질문, 명령, 권유함을 나타내는 종결 어미.
нет эквивалента
(нейтрально-вежливый стиль) Финитное окончание предиката в повествовательном, вопросительном или побудительном предложении. **<приказ>**

< 2 절(куплет) >

아직+까지 해+가 뜨+고 지+[ㄴ 적+은 한 번+도 없]+었+어요.
진 적은 한 번도 없었어요

아직 (наречие) : 어떤 일이나 상태 또는 어떻게 되기까지 시간이 더 지나야 함을 나타내거나, 어떤 일이 나 상태가 끝나지 않고 계속 이어지고 있음을 나타내는 말.
пока что; ещё; пока
Выражение, которое обозначает, что до выполнения чего-либо или до получения какой-либо формы необходимо чтобы прошло определённое время, или же что-либо продолжается и находится в незаконченном состоянии.

까지 : 어떤 범위의 끝임을 나타내는 조사.
нет эквивалента
Окончание, указывающее на завершение какой-либо области.

해 (имя существительное) : 태양계의 중심에 있으며 온도가 매우 높고 스스로 빛을 내는 항성.
Солнце
Центральное тело Солнечной системы, представляющее собой гигантский раскалённый шар, излучающий свет и тепло. Солнце.

가 : 어떤 상태나 상황에 놓인 대상이나 동작의 주체를 나타내는 조사.
нет эквивалента
Окончание, указывающее на объект какой-либо ситуации, состояния или на лицо, выполняющее какое-либо действие.

뜨다 (глагол) : 물 위나 공중에 있거나 위쪽으로 솟아오르다.
подниматься; взлетать; всходить
Быть над водой или в воздухе или подниматься кверху.

-고 : 두 가지 이상의 대등한 사실을 나열할 때 쓰는 연결 어미.
нет эквивалента
Соединительное окончание предиката, используемое при перечислении двух и более равноправных фактов.

지다 (глагол) : 해나 달이 서쪽으로 넘어가다.
заходить; затенять
Перемещаться на западную сторону (о солнце или луне).

-ㄴ 적 없다 : 앞의 말이 나타내는 동작이 일어나거나 그 상태가 나타난 때가 없음을 나타내는 표현.
нет эквивалента
Выражение, указывающее на то, что некое действие или состояние ни разу не имело место в прошлом.

은 : 문장 속에서 어떤 대상이 화제임을 나타내는 조사.
нет эквивалента
Частица, показывающая то, что какой-то объект является главной темой в предложении.

한 (атрибутивное слово) : 하나의.
нет эквивалента
Один.

번 (имя существительное) : 일의 횟수를 세는 단위.
раз
Зависимое существительное для счёта количества дел.

도 : 극단적인 경우를 들어 다른 경우는 말할 것도 없음을 나타내는 조사.
нет эквивалента
Частица, указывающая на крайний случай и на его примере - на бессмысленность говорить о других.

-었- : 어떤 사건이 과거에 완료되었거나 그 사건의 결과가 현재까지 지속되는 상황을 나타내는 어미.
нет эквивалента
Окончание, указывающее на полное завершение какого-либо события в прошлом и сохранения данного результата до настоящего времени.

-어요 : (두루높임으로) 어떤 사실을 서술하거나 질문, 명령, 권유함을 나타내는 종결 어미.
нет эквивалента
(нейтрально-вежливый стиль) Финитное окончание предиката в повествовательном, вопросительном или побудительном предложении. **<изложение>**

이 땅+에 살(사)+는 우리+들+만 어제+도 오늘+도
사는

이 (атрибутивное слово) : 바로 앞에서 이야기한 대상을 가리킬 때 쓰는 말.
это
Слово, указывающее на то, о чём шла речь прямо перед этим словом.

땅 (имя существительное) : 지구에서 물로 된 부분이 아닌 흙이나 돌로 된 부분.
суша; земля
Часть земной поверхности, состоящая не из воды, а из глины и камней.

에 : 앞말이 어떤 장소나 자리임을 나타내는 조사.
нет эквивалента
Окончание, указывающее на какое-либо место или пространство.

살다 (глагол) : 사람이 생활을 하다.
жить
Проживать (о человеке).

-는 : 앞의 말이 관형어의 기능을 하게 만들고 사건이나 동작이 현재 일어남을 나타내는 어미.
нет эквивалента
Окончание, которое указывает на действие или событие в настоящем, преобразуя впередистоящее слово, словосочетание или придаточное предложение в определение.

우리 (местоимение) : 말하는 사람이 자기와 듣는 사람 또는 이를 포함한 여러 사람들을 가리키는 말.
мы; наш
Слово, указывающее на несколько человек, включая говорящего и собеседника.

들 : '복수'의 뜻을 더하는 접미사.
нет эквивалента
Суффикс со значением множественного числа.

만 : 다른 것은 제외하고 어느 것을 한정함을 나타내는 조사.
только; просто; исключительно; единственно
Частица, указывающая на ограничение в чём-либо и исключение чего-либо.

어제 (имя существительное) : 오늘의 하루 전날.
вчера
День, предшествующий сегодняшнему.

도 : 둘 이상의 것을 나열함을 나타내는 조사.
нет эквивалента
Частица, указывающая на перечисление чего-либо в количестве более двух.

오늘 (имя существительное) : 지금 지나가고 있는 이날.
сегодня
Этот текущий день.

도 : 둘 이상의 것을 나열함을 나타내는 조사.
нет эквивалента
Частица, указывающая на перечисление чего-либо в количестве более двух.

<u>쉬+ㅁ</u> 없이 돌+고 돌+고 또 돌+아요.
쉼

쉬다 (глагол) : 하던 일이나 활동 등을 잠시 멈추다. 또는 그렇게 하다.
приостановить; остановить; прекратить (на время)
Приостановить на некоторое время какую-либо работу или деятельность. Или приостановиться.

-ㅁ : 앞의 말이 명사의 기능을 하게 하는 어미.
нет эквивалента
Окончание, служащее для формального преобразования впередистоящего слова или выражения для выполнения функции существительного.

없이 (наречие) : 어떤 일이나 증상 등이 나타나지 않게.
без
Без проявления какого-либо события, внешнего признака и т.п.

돌다 (глагол) : 무엇을 중심으로 원을 그리면서 움직이다.
кружиться; крутиться
Вертеться по кругу, по оси чего-либо, находящегося в центре.

-고 : 두 가지 이상의 대등한 사실을 나열할 때 쓰는 연결 어미.
нет эквивалента
Соединительное окончание предиката, используемое при перечислении двух и более равноправных фактов.

돌다 (глагол) : 무엇을 중심으로 원을 그리면서 움직이다.
кружиться; крутиться
Вертеться по кругу, по оси чего-либо, находящегося в центре.

-고 : 두 가지 이상의 대등한 사실을 나열할 때 쓰는 연결 어미.
нет эквивалента
Соединительное окончание предиката, используемое при перечислении двух и более равноправных фактов.

또 (наречие) : 어떤 일이나 행동이 다시.
опять; заново; снова; ещё раз; вновь
Повторение кого-либо события, действия.

돌다 (глагол) : 무엇을 중심으로 원을 그리면서 움직이다.
кружиться; крутиться
Вертеться по кругу, по оси чего-либо, находящегося в центре.

-아요 : (두루높임으로) 어떤 사실을 서술하거나 질문, 명령, 권유함을 나타내는 종결 어미.
нет эквивалента
(нейтрально-вежливый стиль) Финитное окончание предиката в повествовательном, вопросительном или побудительном предложении. **<изложение>**

배우+[ㄴ 대로] 남+들+이 시키+[는 대로]

배운 대로

배우다 (глагол) : 남의 행동이나 태도를 그대로 따르다.
выучить; научиться
Перенять чьи-либо действия или отношение к чему-либо.

-ㄴ 대로 : 앞에 오는 말이 뜻하는 과거의 행동이나 상황과 같음을 나타내는 표현.
нет эквивалента
Выражение, указывающее на соответствие действия или состояния в настоящем действию или состоянию в прошлом, о котором говорится в предшествующей части высказывания.

남 (имя существительное) : 내가 아닌 다른 사람.
посторонний человек
Человек, не являющийся самим говорящим.

들 : '복수'의 뜻을 더하는 접미사.
нет эквивалента
Суффикс со значением множественного числа.

이 : 어떤 상태나 상황의 대상이나 동작의 주체를 나타내는 조사.
нет эквивалента
Частица, показывающая какое-либо состояние, объект ситуации или субъект действия.

시키다 (глагол) : 어떤 일이나 행동을 하게 하다.
заставлять (позволять); принуждать делать что-либо; велеть кому-либо
Заставлять совершать какие-либо дела или поступки.

-는 대로 : 앞에 오는 말이 뜻하는 현재의 행동이나 상황과 같음을 나타내는 표현.
нет эквивалента
Выражение, указывающее на соответствие образа действия или состояния кого-либо или чего-либо действию или состоянию в настоящем, о котором говорится в предшествующей части высказывания.

그렇+게 사람+들 사이+에 숨+어 살아가+[고 있]+죠.

그렇다 (имя прилагательное) : 상태, 모양, 성질 등이 그와 같다.
такой
Имеющий подобное состояние, вид, свойства и т.п.

-게 : 앞의 말이 뒤에서 가리키는 일의 목적이나 결과, 방식, 정도 등이 됨을 나타내는 연결 어미.
нет эквивалента
Соединительное окончание предиката, указывающее на то, описанное в первой части предложения действие или состояние является целью, результатом, образом действия, степенью и т.п. того, о чём говорится в последующей главной части предложения.
<форма>

사람 (имя существительное) : 특별히 정해지지 않은 자기 외의 남을 가리키는 말.
люди
Выражение, используемое при указании или упоминании всех остальных, за исключением себя.

들 : '복수'의 뜻을 더하는 접미사.
нет эквивалента
Суффикс со значением множественного числа.

사이 (имя существительное) : 한 물체에서 다른 물체까지 또는 한곳에서 다른 곳까지의 거리나 공간.
промежуток; дистанция
Растояние от одного предмета до другого или же от одного места до другого.

에 : 앞말이 어떤 장소나 자리임을 나타내는 조사.
нет эквивалента
Окончание, указывающее на какое-либо место или пространство.

숨다 (глагол) : 남이 볼 수 없게 몸을 감추다.
прятаться; скрываться
Прятаться, чтобы другие не могли увидеть.

-어 : 앞의 말이 뒤의 말보다 먼저 일어났거나 뒤의 말에 대한 방법이나 수단이 됨을 나타내는 연결 어미.
нет эквивалента
Соединительное окончание, указывающее на то, что действие, описанное в первой части предложения произошло раньше действия, описанного во второй части предложения, или на то, что оно является способом или средством его выполнения.

살아가다 (глагол) : 어떤 종류의 삶이나 시대 등을 견디며 생활해 나가다.
проводить жизнь; жить; проживать
Проводить дни жизни, переживая судьбу, период и т.п.

-고 있다 : 앞의 말이 나타내는 행동이 계속 진행됨을 나타내는 표현.
нет эквивалента
Выражение, указывающее на длительность действия.

-죠 : (두루높임으로) 말하는 사람이 자신에 대한 이야기나 자신의 생각을 친근하게 말할 때 쓰는 종결 어미.
нет эквивалента
(нейтрально-вежливый стиль) Финитное окончание предиката, используемое в речи говорящего о самом себе или выражении своей мысли.

그 사이+에 갇히+어 [지지고 볶]+으며 오늘+도 나+는 살아가+[고 있]+네요.
갇혀

그 (атрибутивное слово) : 앞에서 이미 이야기한 대상을 가리킬 때 쓰는 말.
тот
Указывает на предмет, который уже был указан ранее.

사이 (имя существительное) : 한 물체에서 다른 물체까지 또는 한곳에서 다른 곳까지의 거리나 공간.
промежуток; дистанция
Растояние от одного предмета до другого или же от одного места до другого.

에 : 앞말이 어떤 장소나 자리임을 나타내는 조사.
нет эквивалента
Окончание, указывающее на какое-либо место или пространство.

갇히다 (глагол) : 어떤 공간이나 상황에서 나가지 못하게 되다.
быть в заточении
Быть не в состоянии выйти из какого-либо пространства или ситуации.

-어 : 앞의 말이 뒤의 말보다 먼저 일어났거나 뒤의 말에 대한 방법이나 수단이 됨을 나타내는 연결 어미.
нет эквивалента
Соединительное окончание, указывающее на то, что действие, описанное в первой части предложения произошло раньше действия, описанного во второй части предложения, или на то, что оно является способом или средством его выполнения.

지지고 볶다 (идиома) : 온갖 것을 겪으며 함께 살아가다.
пройти огонь, воду и медные трубы
Претерпеть вместе с кем-либо всякие жизненные ситуации.

-으며 : 두 가지 이상의 동작이나 상태가 함께 일어남을 나타내는 연결 어미.
нет эквивалента
Соединительное окончание предиката, указывающее на одновременность двух или более действий или состояний.

오늘 (имя существительное) : 지금 지나가고 있는 이날.
сегодня
Этот текущий день.

도 : 이미 있는 어떤 것에 다른 것을 더하거나 포함함을 나타내는 조사.
нет эквивалента
Частица, указывающая на прибавление или включение чего-либо во что-либо уже имеющееся.

나 (местоимение) : 말하는 사람이 친구나 아랫사람에게 자기를 가리키는 말.
я
Выражение, которым называют себя в разговоре с ровесниками или младшими людьми.

는 : 문장 속에서 어떤 대상이 화제임을 나타내는 조사.
нет эквивалента
Частица, указывающая на то, что какой-либо объект является основной темой в предложении.

살아가다 (глагол) : 어떤 종류의 삶이나 시대 등을 견디며 생활해 나가다.
проводить жизнь; жить; проживать
Проводить дни жизни, переживая судьбу, период и т.п.

-고 있다 : 앞의 말이 나타내는 행동이 계속 진행됨을 나타내는 표현.
нет эквивалента
Выражение, указывающее на длительность действия.

-네요 : (두루높임으로) 말하는 사람이 직접 경험하여 새롭게 알게 된 사실에 대해 감탄함을 나타낼 때 쓰는 표현.
нет эквивалента
(нейтрально-вежливый стиль) Выражение, указывающее на восклицание при личном обнаружении какого-либо факта.

누(구)+가 시키+[는 대로] 살(사)+[는 것]+은 이제 너무 짜증+이 나+(아)요.
누가 사는 것은 나요

누구 (местоимение) : 굳이 이름을 밝힐 필요가 없는 사람을 가리키는 말.
такой-то; он; она
Выражение, обозначающее кого-либо, кого не хочется называть по-имени.

가 : 어떤 상태나 상황에 놓인 대상이나 동작의 주체를 나타내는 조사.
нет эквивалента
Окончание, указывающее на объект какой-либо ситуации, состояния или на лицо, выполняющее какое-либо действие.

시키다 (глагол) : 어떤 일이나 행동을 하게 하다.
заставлять (позволять); принуждать делать что-либо; велеть кому-либо
Заставлять совершать какие-либо дела или поступки.

-는 대로 : 앞에 오는 말이 뜻하는 현재의 행동이나 상황과 같음을 나타내는 표현.
нет эквивалента
Выражение, указывающее на соответствие образа действия или состояния кого-либо или чего-либо действию или состоянию в настоящем, о котором говорится в предшествующей части высказывания.

살다 (глагол) : 사람이 생활을 하다.
жить
Проживать (о человеке).

-는 것 : 명사가 아닌 것을 문장에서 명사처럼 쓰이게 하거나 '이다' 앞에 쓰일 수 있게 할 때 쓰는 표현.
нет эквивалента
Выражение, субстантивирующее предшествующее слово неименной части речи или группу слов, которое также может употребляться с глаголом-связкой '이다'.

은 : 문장 속에서 어떤 대상이 화제임을 나타내는 조사.
нет эквивалента
Частица, показывающая то, что какой-то объект является главной темой в предложении.

이제 (наречие) : 지금의 시기가 되어.
теперь
С наступившего времени.

너무 (наречие) : 일정한 정도나 한계를 훨씬 넘어선 상태로.
очень; чересчур
Состояние чрезмерного превышения определенного уровня или рубежа.

짜증 (имя существительное) : 마음에 들지 않아서 화를 내거나 싫은 느낌을 겉으로 드러내는 일. 또는 그런 성미.
недовольство; раздражительность
Показ недовольства из-за того, что что-либо не нравится. А также такой характер.

이 : 어떤 상태나 상황의 대상이나 동작의 주체를 나타내는 조사.
нет эквивалента
Частица, показывающая какое-либо состояние, объект ситуации или субъект действия.

나다 (глагол) : 어떤 감정이나 느낌이 생기다.
возникать
Появляться (о каких-либо чувствах или ощущении).

-아요 : (두루높임으로) 어떤 사실을 서술하거나 질문, 명령, 권유함을 나타내는 종결 어미.
нет эквивалента
(нейтрально-вежливый стиль) Финитное окончание предиката в повествовательном, вопросительном или побудительном предложении. **<изложение>**

바라+고 원하+는 생각+들+을 하늘 너머+로 떠나보내+(어)요.
떠나보내요

바라다 (глагол) : 생각이나 희망대로 어떤 일이 이루어지기를 기대하다.
надеяться; ожидать
Желать осуществления планов и надежд.

-고 : 두 가지 이상의 대등한 사실을 나열할 때 쓰는 연결 어미.
нет эквивалента
Соединительное окончание предиката, используемое при перечислении двух и более равноправных фактов.

원하다 (глагол) : 무엇을 바라거나 하고자 하다.
желать что-либо; хотеть что-либо
Иметь желание, намерение делать что-либо.

-는 : 앞의 말이 관형어의 기능을 하게 만들고 사건이나 동작이 현재 일어남을 나타내는 어미.
нет эквивалента
Окончание, которое указывает на действие или событие в настоящем, преобразуя впередистоящее слово, словосочетание или придаточное предложение в определение.

생각 (имя существительное) : 사람이 머리를 써서 판단하거나 인식하는 것.
дума; мысль
То, что человек осознает или решает, опираясь на здравомыслие.

들 : '복수'의 뜻을 더하는 접미사.
нет эквивалента
Суффикс со значением множественного числа.

을 : 동작이 직접적으로 영향을 미치는 대상을 나타내는 조사.
нет эквивалента
Частица, указывающая на объект, на который действие оказывает непосредственное влияние.

하늘 (имя существительное) : 땅 위로 펼쳐진 무한히 넓은 공간.
небо
Необъятное пространство, раскинувшееся над землей.

너머 (имя существительное) : 경계나 가로막은 것을 넘어선 건너편.
за
На другой стороне или по другую сторону чего-либо, за границей, перегородкой и т.п.

로 : 움직임의 방향을 나타내는 조사.
нет эквивалента
Частица, указывающая на направление движения.

떠나보내다 (глагол) : 있던 곳을 떠나 다른 곳으로 가게 하다.
отправить; отправлять
Посылать кого-либо в другое место.

-어요 : (두루높임으로) 어떤 사실을 서술하거나 질문, 명령, 권유함을 나타내는 종결 어미.
нет эквивалента
(нейтрально-вежливый стиль) Финитное окончание предиката в повествовательном, вопросительном или побудительном предложении. **<совет>**

우리 모두 거기+서 자유롭+게 <u>살+[아 보]+아요</u>.

살아 봐요

우리 (местоимение) : 말하는 사람이 자기와 듣는 사람 또는 이를 포함한 여러 사람들을 가리키는 말.
мы; наш
Слово, указывающее на несколько человек, включая говорящего и собеседника.

모두 (наречие) : 빠짐없이 다.
весь; все
Полностью, без остатка, без исключения.

거기 (местоимение) : 앞에서 이미 이야기한 곳을 가리키는 말.
там
Слово, указывающее на место, о котором говорилось ранее.

서 : 앞말이 행동이 이루어지고 있는 장소임을 나타내는 조사.
в; там; на; где
Окончание, указывающее на место действия впередистоящего слова.

자유롭다 (имя прилагательное) : 무엇에 얽매이거나 구속되지 않고 자기 생각과 의지대로 할 수 있다.
свободный; вольный
Быть несвязанным с чем-либо или неограниченным чем-либо и иметь возможность поступать соответственно своим мыслям или желаниям.

-게 : 앞의 말이 뒤에서 가리키는 일의 목적이나 결과, 방식, 정도 등이 됨을 나타내는 연결 어미.
нет эквивалента
Соединительное окончание предиката, указывающее на то, описанное в первой части предложения действие или состояние является целью, результатом, образом действия, степенью и т.п. того, о чём говорится в последующей главной части предложения.
<форма>

살다 (глагол) : 사람이 생활을 하다.
жить
Проживать (о человеке).

-아 보다 : 앞의 말이 나타내는 행동을 시험 삼아 함을 나타내는 표현.
нет эквивалента
Выражение, указывающее на пробу или попытку совершить какое-либо действие.

-아요 : (두루높임으로) 어떤 사실을 서술하거나 질문, 명령, 권유함을 나타내는 종결 어미.
нет эквивалента
(нейтрально-вежливый стиль) Финитное окончание предиката в повествовательном, вопросительном или побудительном предложении. **<совет>**

< 후렴(припев) >

이제+부터+는 지금+부터+는

이제 (имя существительное) : 지금의 시기.
сейчас; теперь; данный момент; настоящее время
Нынешнее время.

부터 : 어떤 일의 시작이나 처음을 나타내는 조사.
нет эквивалента
Окончание, указывающее на начало какой-либо области или какого-либо события.

는 : 어떤 대상이 다른 것과 대조됨을 나타내는 조사.
нет эквивалента
Частица, указывающая на то, что какой-либо объект сравнивают с другим.

지금 (имя существительное) : 말을 하고 있는 바로 이때.
сейчас; теперь
Прямо в то время, когда говоришь.

부터 : 어떤 일의 시작이나 처음을 나타내는 조사.
нет эквивалента
Окончание, указывающее на начало какой-либо области или какого-либо события.

는 : 어떤 대상이 다른 것과 대조됨을 나타내는 조사.
нет эквивалента
Частица, указывающая на то, что какой-либо объект сравнивают с другим.

이제+부터+는 지금+부터+는

이제 (имя существительное) : 지금의 시기.
сейчас; теперь; данный момент; настоящее время
Нынешнее время.

부터 : 어떤 일의 시작이나 처음을 나타내는 조사.
нет эквивалента
Окончание, указывающее на начало какой-либо области или какого-либо события.

는 : 어떤 대상이 다른 것과 대조됨을 나타내는 조사.
нет эквивалента
Частица, указывающая на то, что какой-либо объект сравнивают с другим.

지금 (имя существительное) : 말을 하고 있는 바로 이때.
сейчас; теперь
Прямо в то время, когда говоришь.

부터 : 어떤 일의 시작이나 처음을 나타내는 조사.
нет эквивалента
Окончание, указывающее на начало какой-либо области или какого-либо события.

는 : 어떤 대상이 다른 것과 대조됨을 나타내는 조사.
нет эквивалента
Частица, указывающая на то, что какой-либо объект сравнивают с другим.

가슴+이 시키+[는 대로] 살+[아 보]+아요.
살아 봐요

가슴 (имя существительное) : 마음이나 느낌.
грудь; сердце; душа
Душа или чувство.

이 : 어떤 상태나 상황의 대상이나 동작의 주체를 나타내는 조사.
нет эквивалента
Частица, показывающая какое-либо состояние, объект ситуации или субъект действия.

시키다 (глагол) : 어떤 일이나 행동을 하게 하다.
заставлять (позволять); принуждать делать что-либо; велеть кому-либо
Заставлять совершать какие-либо дела или поступки.

-는 대로 : 앞에 오는 말이 뜻하는 현재의 행동이나 상황과 같음을 나타내는 표현.
нет эквивалента
Выражение, указывающее на соответствие образа действия или состояния кого-либо или чего-либо действию или состоянию в настоящем, о котором говорится в предшествующей части высказывания.

살다 (глагол) : 사람이 생활을 하다.
жить
Проживать (о человеке).

-아 보다 : 앞의 말이 나타내는 행동을 시험 삼아 함을 나타내는 표현.
нет эквивалента
Выражение, указывающее на пробу или попытку совершить какое-либо действие.

-아요 : (두루높임으로) 어떤 사실을 서술하거나 질문, 명령, 권유함을 나타내는 종결 어미.
нет эквивалента
(нейтрально-вежливый стиль) Финитное окончание предиката в повествовательном, вопросительном или побудительном предложении. **<совет>**

이제+부터+는 지금+부터+는

이제 (имя существительное) : 지금의 시기.
сейчас; теперь; данный момент; настоящее время
Нынешнее время.

부터 : 어떤 일의 시작이나 처음을 나타내는 조사.
нет эквивалента
Окончание, указывающее на начало какой-либо области или какого-либо события.

는 : 어떤 대상이 다른 것과 대조됨을 나타내는 조사.
нет эквивалента
Частица, указывающая на то, что какой-либо объект сравнивают с другим.

지금 (имя существительное) : 말을 하고 있는 바로 이때.
сейчас; теперь
Прямо в то время, когда говоришь.

부터 : 어떤 일의 시작이나 처음을 나타내는 조사.
нет эквивалента
Окончание, указывающее на начало какой-либо области или какого-либо события.

는 : 어떤 대상이 다른 것과 대조됨을 나타내는 조사.
нет эквивалента
Частица, указывающая на то, что какой-либо объект сравнивают с другим.

가슴+이 느끼+[는 대로] 자유롭+게

가슴 (имя существительное) : 마음이나 느낌.
грудь; сердце; душа
Душа или чувство.

이 : 어떤 상태나 상황의 대상이나 동작의 주체를 나타내는 조사.
нет эквивалента
Частица, показывающая какое-либо состояние, объект ситуации или субъект действия.

느끼다 (глагол) : 특정한 대상이나 상황을 어떻다고 생각하거나 인식하다.
принимать; сознавать
Рассматривать какой-либо предмет, ситуацию каким-либо образом.

-는 대로 : 앞에 오는 말이 뜻하는 현재의 행동이나 상황과 같음을 나타내는 표현.
нет эквивалента
Выражение, указывающее на соответствие образа действия или состояния кого-либо или чего-либо действию или состоянию в настоящем, о котором говорится в предшествующей части высказывания.

자유롭다 (имя прилагательное) : 무엇에 얽매이거나 구속되지 않고 자기 생각과 의지대로 할 수 있다.
свободный; вольный
Быть несвязанным с чем-либо или неограниченным чем-либо и иметь возможность поступать соответственно своим мыслям или желаниям.

-게 : 앞의 말이 뒤에서 가리키는 일의 목적이나 결과, 방식, 정도 등이 됨을 나타내는 연결 어미.
нет эквивалента
Соединительное окончание предиката, указывающее на то, описанное в первой части предложения действие или состояние является целью, результатом, образом действия, степенью и т.п. того, о чём говорится в последующей главной части предложения.
<форма>

이제+부터+는 지금+부터+는

이제 (имя существительное) : 지금의 시기.
сейчас; теперь; данный момент; настоящее время
Нынешнее время.

부터 : 어떤 일의 시작이나 처음을 나타내는 조사.
нет эквивалента
Окончание, указывающее на начало какой-либо области или какого-либо события.

는 : 어떤 대상이 다른 것과 대조됨을 나타내는 조사.
нет эквивалента
Частица, указывающая на то, что какой-либо объект сравнивают с другим.

지금 (имя существительное) : 말을 하고 있는 바로 이때.
сейчас; теперь
Прямо в то время, когда говоришь.

부터 : 어떤 일의 시작이나 처음을 나타내는 조사.
нет эквивалента
Окончание, указывающее на начало какой-либо области или какого-либо события.

는 : 어떤 대상이 다른 것과 대조됨을 나타내는 조사.
нет эквивалента
Частица, указывающая на то, что какой-либо объект сравнивают с другим.

(우리 모두 거기+서)

우리 (местоимение) : 말하는 사람이 자기와 듣는 사람 또는 이를 포함한 여러 사람들을 가리키는 말.
мы; наш
Слово, указывающее на несколько человек, включая говорящего и собеседника.

모두 (наречие) : 빠짐없이 다.
весь; все
Полностью, без остатка, без исключения.

거기 (местоимение) : 앞에서 이미 이야기한 곳을 가리키는 말.
там
Слово, указывающее на место, о котором говорилось ранее.

서 : 앞말이 행동이 이루어지고 있는 장소임을 나타내는 조사.
в; там; на; где
Окончание, указывающее на место действия впередистоящего слова.

가슴+이 시키+[는 대로] 살+[아 보]+아요.

살아 봐요

가슴 (имя существительное) : 마음이나 느낌.
грудь; сердце; душа
Душа или чувство.

이 : 어떤 상태나 상황의 대상이나 동작의 주체를 나타내는 조사.
нет эквивалента
Частица, показывающая какое-либо состояние, объект ситуации или субъект действия.

시키다 (глагол) : 어떤 일이나 행동을 하게 하다.
заставлять (позволять); принуждать делать что-либо; велеть кому-либо
Заставлять совершать какие-либо дела или поступки.

-는 대로 : 앞에 오는 말이 뜻하는 현재의 행동이나 상황과 같음을 나타내는 표현.
нет эквивалента
Выражение, указывающее на соответствие образа действия или состояния кого-либо или чего-либо действию или состоянию в настоящем, о котором говорится в предшествующей части высказывания.

살다 (глагол) : 사람이 생활을 하다.
жить
Проживать (о человеке).

-아 보다 : 앞의 말이 나타내는 행동을 시험 삼아 함을 나타내는 표현.
нет эквивалента
Выражение, указывающее на пробу или попытку совершить какое-либо действие.

-아요 : (두루높임으로) 어떤 사실을 서술하거나 질문, 명령, 권유함을 나타내는 종결 어미.
нет эквивалента
(нейтрально-вежливый стиль) Финитное окончание предиката в повествовательном, вопросительном или побудительном предложении. **<совет>**

(자유롭+게 살+아요)

자유롭다 (имя прилагательное) : 무엇에 얽매이거나 구속되지 않고 자기 생각과 의지대로 할 수 있다.
свободный; вольный
Быть несвязанным с чем-либо или неограниченным чем-либо и иметь возможность поступать соответственно своим мыслям или желаниям.

-게 : 앞의 말이 뒤에서 가리키는 일의 목적이나 결과, 방식, 정도 등이 됨을 나타내는 연결 어미.
нет эквивалента
Соединительное окончание предиката, указывающее на то, описанное в первой части предложения действие или состояние является целью, результатом, образом действия, степенью и т.п. того, о чём говорится в последующей главной части предложения.
<форма>

살다 (глагол) : 사람이 생활을 하다.
жить
Проживать (о человеке).

-아요 : (두루높임으로) 어떤 사실을 서술하거나 질문, 명령, 권유함을 나타내는 종결 어미.
нет эквивалента
(нейтрально-вежливый стиль) Финитное окончание предиката в повествовательном, вопросительном или побудительном предложении. **<совет>**

이제+부터+는 지금+부터+는

이제 (имя существительное) : 지금의 시기.
сейчас; теперь; данный момент; настоящее время
Нынешнее время.

부터 : 어떤 일의 시작이나 처음을 나타내는 조사.
нет эквивалента
Окончание, указывающее на начало какой-либо области или какого-либо события.

는 : 어떤 대상이 다른 것과 대조됨을 나타내는 조사.
нет эквивалента
Частица, указывающая на то, что какой-либо объект сравнивают с другим.

지금 (имя существительное) : 말을 하고 있는 바로 이때.
сейчас; теперь
Прямо в то время, когда говоришь.

부터 : 어떤 일의 시작이나 처음을 나타내는 조사.
нет эквивалента
Окончание, указывающее на начало какой-либо области или какого-либо события.

는 : 어떤 대상이 다른 것과 대조됨을 나타내는 조사.
нет эквивалента
Частица, указывающая на то, что какой-либо объект сравнивают с другим.

(우리 모두 거기+서)

우리 (местоимение) : 말하는 사람이 자기와 듣는 사람 또는 이를 포함한 여러 사람들을 가리키는 말.
мы; наш
Слово, указывающее на несколько человек, включая говорящего и собеседника.

모두 (наречие) : 빠짐없이 다.
весь; все
Полностью, без остатка, без исключения.

거기 (местоимение) : 앞에서 이미 이야기한 곳을 가리키는 말.
там
Слово, указывающее на место, о котором говорилось ранее.

서 : 앞말이 행동이 이루어지고 있는 장소임을 나타내는 조사.
в; там; на; где
Окончание, указывающее на место действия впередистоящего слова.

가슴+이 느끼+[는 대로] 자유롭+게

가슴 (имя существительное) : 마음이나 느낌.
грудь; сердце; душа
Душа или чувство.

이 : 어떤 상태나 상황의 대상이나 동작의 주체를 나타내는 조사.
нет эквивалента
Частица, показывающая какое-либо состояние, объект ситуации или субъект действия.

느끼다 (глагол) : 특정한 대상이나 상황을 어떻다고 생각하거나 인식하다.
принимать; сознавать
Рассматривать какой-либо предмет, ситуацию каким-либо образом.

-는 대로 : 앞에 오는 말이 뜻하는 현재의 행동이나 상황과 같음을 나타내는 표현.
нет эквивалента
Выражение, указывающее на соответствие образа действия или состояния кого-либо или чего-либо действию или состоянию в настоящем, о котором говорится в предшествующей части высказывания.

자유롭다 (имя прилагательное) : 무엇에 얽매이거나 구속되지 않고 자기 생각과 의지대로 할 수 있다.
свободный; вольный
Быть несвязанным с чем-либо или неограниченным чем-либо и иметь возможность поступать соответственно своим мыслям или желаниям.

-게 : 앞의 말이 뒤에서 가리키는 일의 목적이나 결과, 방식, 정도 등이 됨을 나타내는 연결 어미.
нет эквивалента
Соединительное окончание предиката, указывающее на то, описанное в первой части предложения действие или состояние является целью, результатом, образом действия, степенью и т.п. того, о чём говорится в последующей главной части предложения.
<форма>

(자유롭+게)

자유롭다 (имя прилагательное) : 무엇에 얽매이거나 구속되지 않고 자기 생각과 의지대로 할 수 있다.
свободный; вольный
Быть несвязанным с чем-либо или неограниченным чем-либо и иметь возможность поступать соответственно своим мыслям или желаниям.

-게 : 앞의 말이 뒤에서 가리키는 일의 목적이나 결과, 방식, 정도 등이 됨을 나타내는 연결 어미.
нет эквивалента
Соединительное окончание предиката, указывающее на то, описанное в первой части предложения действие или состояние является целью, результатом, образом действия, степенью и т.п. того, о чём говорится в последующей главной части предложения.
<форма>

그런 사람+이+었+어요.

그런 (атрибутивное слово) : 상태, 모양, 성질 등이 그러한.
тот; такой
Имеющий подобную форму, внешний вид, черту характера и т.п.

사람 (имя существительное) : 생각할 수 있으며 언어와 도구를 만들어 사용하고 사회를 이루어 사는 존재.
человек
Живое существо, образующее общество и обладающее способностью мыслить, производить и использовать язык и орудия труда.

이다 : 주어가 지시하는 대상의 속성이나 부류를 지정하는 뜻을 나타내는 서술격 조사.
нет эквивалента
Суффикс повествовательного падежа, выражающий смысл наименования свойства или разряда объекта, на который указывает подлежащее.

-었- : 어떤 사건이 과거에 완료되었거나 그 사건의 결과가 현재까지 지속되는 상황을 나타내는 어미.
нет эквивалента
Окончание, указывающее на полное завершение какого-либо события в прошлом и сохранения данного результата до настоящего времени.

-어요 : (두루높임으로) 어떤 사실을 서술하거나 질문, 명령, 권유함을 나타내는 종결 어미.
нет эквивалента
(нейтрально-вежливый стиль) Финитное окончание предиката в повествовательном, вопросительном или побудительном предложении. **<изложение>**

그런 인생+이+었+어요.

그런 (атрибутивное слово) : 상태, 모양, 성질 등이 그러한.
тот; такой
Имеющий подобную форму, внешний вид, черту характера и т.п.

인생 (имя существительное) : 사람이 세상을 살아가는 일.
жизнь; существование
Жизнь, которую проживает в этом мире человек.

이다 : 주어가 지시하는 대상의 속성이나 부류를 지정하는 뜻을 나타내는 서술격 조사.
нет эквивалента
Суффикс повествовательного падежа, выражающий смысл наименования свойства или разряда объекта, на который указывает подлежащее.

-었- : 어떤 사건이 과거에 완료되었거나 그 사건의 결과가 현재까지 지속되는 상황을 나타내는 어미.
нет эквивалента
Окончание, указывающее на полное завершение какого-либо события в прошлом и сохранения данного результата до настоящего времени.

-어요 : (두루높임으로) 어떤 사실을 서술하거나 질문, 명령, 권유함을 나타내는 종결 어미.
нет эквивалента
(нейтрально-вежливый стиль) Финитное окончание предиката в повествовательном, вопросительном или побудительном предложении. **<изложение>**

그렇+게 기억하+[여 주]+어요.
기억해 줘요

그렇다 (имя прилагательное) : 상태, 모양, 성질 등이 그와 같다.
такой
Имеющий подобное состояние, вид, свойства и т.п.

-게 : 앞의 말이 뒤에서 가리키는 일의 목적이나 결과, 방식, 정도 등이 됨을 나타내는 연결 어미.
нет эквивалента
Соединительное окончание предиката, указывающее на то, описанное в первой части предложения действие или состояние является целью, результатом, образом действия, степенью и т.п. того, о чём говорится в последующей главной части предложения. **<форма>**

기억하다 (глагол) : 이전의 모습, 사실, 지식, 경험 등을 잊지 않거나 다시 생각해 내다.
помнить; вспоминать
Не забывать и снова думать или вспоминать прошлый образ, факт, знания, опыт и т.п.

-여 주다 : 남을 위해 앞의 말이 나타내는 행동을 함을 나타내는 표현.

нет эквивалента

Выражение, указывающее на то, что описанное действие выполняется в интересах другого лица.

-어요 : (두루높임으로) 어떤 사실을 서술하거나 질문, 명령, 권유함을 나타내는 종결 어미.

нет эквивалента

(нейтрально-вежливый стиль) Финитное окончание предиката в повествовательном, вопросительном или побудительном предложении. **<приказ>**

< 6 >

독주
(крепкий алкогольный напиток)

[발음(произношение)]

< 1 절(куплет) >

누구라도 한 잔 술을 따라 줘요
누구라도 한 잔 수를 따라 줘요
nugurado han jan sureul ttara jwoyo

비우고 싶은 것이 많아서
비우고 시픈 거시 마나서
biugo sipeun geosi manaseo

이 한 잔 마시고 나면 잊을 수 있을까요?
이 한 잔 마시고 나면 이즐 쑤 이쓸까요?
i han jan masigo namyeon ijeul su isseulkkayo?

버리고 싶은 것이 가득해서
버리고 시픈 거시 가드캐서
beorigo sipeun geosi gadeukaeseo

뜨거웠던 가슴, 마지막 온기가 사라지기 전에
뜨거웓떤 가슴, 마지막 온기가 사라지기 저네
tteugeowotdeon gaseum, majimak ongiga sarajigi jeone

누구라도 독한 술 한 잔 따라 줘요.
누구라도 도칸 술 한 잔 따라 줘요.
nugurado dokan sul han jan ttara jwoyo.

< 후렴(припев) >

이제부터 하얀 여백에 가득 찬
이제부터 하얀 여배게 가득 찬
ijebuteo hayan yeobaege gadeuk chan

내가 모르는 나를 지울 거예요
내가 모르는 나를 지울 꺼예요
naega moreuneun nareul jiul geoyeyo

오늘은 꼭 당신이 따라 준
오느른 꼭 당시니 따라 준
oneureun kkok dangsini ttara jun

한 잔의 가득한 독주를 비울 거예요.
한 자네 가드칸 독쭈를 비울 꺼예요.
han jane gadeukan dokjureul biul geoyeyo.

< 2 절(куплет) >

누구라도 술 한 잔 따라 줘요
누구라도 술 한 잔 따라 줘요
nugurado sul han jan ttara jwoyo

추억에 취해 비틀거리기 전에
추어게 취해 비틀거리기 저네
chueoge chwihae biteulgeorigi jeone

이 한 잔 마시고 나면 지울 수 있을까요?
이 한 잔 마시고 나면 지울 쑤 이쓸까요?
i han jan masigo namyeon jiul su isseulkkayo?

그리움에 취해 잠들기 전에
그리우메 취해 잠들기 저네
geuriume chwihae jamdeulgi jeone

아직 어제를 살고 있는 이 꿈속에서 깨지 않도록
아직 어제를 살고 인는 이 꿈쏘게서 깨지 안토록
ajik eojereul salgo inneun i kkumsogeseo kkaeji antorok

누구라도 지독한 술 한 잔 따라 줘요.
누구라도 지도칸 술 한 잔 따라 줘요.
nugurado jidokan sul han jan ttara jwoyo.

< 후렴(припев) >

이제부터 하얀 여백에 가득 찬
이제부터 하얀 여배게 가득 찬
ijebuteo hayan yeobaege gadeuk chan

내가 모르는 나를 지울 거예요
내가 모르는 나를 지울 꺼예요
naega moreuneun nareul jiul geoyeyo

오늘은 꼭 당신이 따라 준
오느른 꼭 당시니 따라 준
oneureun kkok dangsini ttara jun

한 잔의 가득한 독주를 비울 거예요.
한 자네 가드칸 독쭈를 비울 꺼예요.
han jane gadeukan dokjureul biul geoyeyo.

이제부터 하얀 여백에 가득 찬
이제부터 하얀 여배게 가득 찬
ijebuteo hayan yeobaege gadeuk chan

내가 모르는 나를 지울 거예요
내가 모르는 나를 지울 꺼예요
naega moreuneun nareul jiul geoyeyo

오늘은 꼭 당신이 따라 준
오느른 꼭 당시니 따라 준
oneureun kkok dangsini ttara jun

한 잔의 가득한 독주를 비울 거예요.
한 자네 가드칸 독쭈를 비울 꺼예요.
han jane gadeukan dokjureul biul geoyeyo.

< 1 절(куплет) >

누구+라도 한 잔 술+을 따르(따ㄹ)+[아 주]+어요.

따라 줘요

누구 (местоимение) : 정해지지 않은 어떤 사람을 가리키는 말.
кто-нибудь; кто-угодно
Выражение, обозначающее обычного человека, никого в особенности.

라도 : 그것이 최선은 아니나 여럿 중에서는 그런대로 괜찮음을 나타내는 조사.
нет эквивалента
Частица, указывающая на то, что что-либо не является наилучшим, но всё же неплохим среди нескольких.

한 (атрибутивное слово) : 하나의.
нет эквивалента
Один.

잔 (имя существительное) : 음료나 술 등을 담은 그릇을 기준으로 그 분량을 세는 단위.
стакан, рюмка, бокал
Слово, используемое при счёте прохладительных и спиртных напитков.

술 (имя существительное) : 맥주나 소주 등과 같이 알코올 성분이 들어 있어서 마시면 취하는 음료.
алкоголь; ликёр
Алкогольный напиток типа вина, водки, пива и т.п., от которого приходят в опьянение.

을 : 동작이 직접적으로 영향을 미치는 대상을 나타내는 조사.
нет эквивалента
Частица, указывающая на объект, на который действие оказывает непосредственное влияние.

따르다 (глагол) : 액체가 담긴 물건을 기울여 액체를 밖으로 조금씩 흐르게 하다.
наливать; лить; выливать
Понемногу выливать наружу жидкость, наклонив предмет, наполненный этой жидкостью.

-아 주다 : 남을 위해 앞의 말이 나타내는 행동을 함을 나타내는 표현.
нет эквивалента
Выражение, указывающее на то, что описанное действие выполняется в интересах другого лица.

-어요 : (두루높임으로) 어떤 사실을 서술하거나 질문, 명령, 권유함을 나타내는 종결 어미.
нет эквивалента
(нейтрально-вежливый стиль) Финитное окончание предиката в повествовательном, вопросительном или побудительном предложении. **<приказ>**

비우+[고 싶]+[은 것]+이 많+아서

비우다 (глагол) : 욕심이나 집착을 버리다.
нет эквивалента
Избавляться от жадности или упорства.

-고 싶다 : 앞의 말이 나타내는 행동을 하기를 원함을 나타내는 표현.
хотеть (что-либо делать)
Выражение, указывающее на желание говорящего совершить какое-либо действие.

-은 것 : 명사가 아닌 것을 문장에서 명사처럼 쓰이게 하거나 '이다' 앞에 쓰일 수 있게 할 때 쓰는 표현.
нет эквивалента
Выражение, субстантивирующее предшествующее слово неименной части речи или группу слов, которое также может употребляться с глаголом-связкой '이다'.

이 : 어떤 상태나 상황의 대상이나 동작의 주체를 나타내는 조사.
нет эквивалента
Частица, показывающая какое-либо состояние, объект ситуации или субъект действия.

많다 (имя прилагательное) : 수나 양, 정도 등이 일정한 기준을 넘다.
много
Численность, количество, уровень и т.п. превышает стандарты.

-아서 : 이유나 근거를 나타내는 연결 어미.
нет эквивалента
Соединительное окончание предиката, указывающее на причину или обоснование чего-либо.

이 한 잔 마시+[고 나]+면 잊+[을 수 있]+을까요?

이 (атрибутивное слово) : 바로 앞에서 이야기한 대상을 가리킬 때 쓰는 말.
это
Слово, указывающее на то, о чём шла речь прямо перед этим словом.

한 (атрибутивное слово) : 하나의.
нет эквивалента
Один.

잔 (имя существительное) : 음료나 술 등을 담은 그릇을 기준으로 그 분량을 세는 단위.
стакан, рюмка, бокал
Слово, используемое при счёте прохладительных и спиртных напитков.

마시다 (глагол) : 물 등의 액체를 목구멍으로 넘어가게 하다.
пить
Глотать, поглощать воду или какую-либо жидкость.

-고 나다 : 앞에 오는 말이 나타내는 행동이 끝났음을 나타내는 표현.
нет эквивалента
Выражение, указывающее на завершённость указанного действия.

-면 : 뒤에 오는 말에 대한 근거나 조건이 됨을 나타내는 연결 어미.
нет эквивалента
Соединительное окончание предиката, присоединяющее придаточное условия, указывающее на то, что является обоснованием или условием того, о чем говорится во второй части предложения.

잊다 (глагол) : 어려움이나 고통, 또는 좋지 않은 지난 일을 마음속에 두지 않거나 신경 쓰지 않다.
отбросить; оставить; стереть из памяти
Выбросить из головы что-либо плохое, грустное.

-을 수 있다 : 어떤 행동이나 상태가 가능함을 나타내는 표현.
иметь возможность сделать
Выражение, указывающее на возможность выполнения какого либо дела.

-을까요 : (두루높임으로) 아직 일어나지 않았거나 모르는 일에 대해서 말하는 사람이 추측하며 질문할 때 쓰는 표현.
нет эквивалента
(нейтрально-вежливый стиль) Выражение, передающее вопрос или предположение говорящего о чём-либо неизвестном или том, что ещё не произошло.

버리+[고 싶]+[은 것]+이 가득하+여서
가득해서

버리다 (глагол) : 마음속에 가졌던 생각을 스스로 잊다.
бросать
Самостоятельно забывать о мыслях, имевшихся в сердце.

-고 싶다 : 앞의 말이 나타내는 행동을 하기를 원함을 나타내는 표현.
хотеть (что-либо делать)
Выражение, указывающее на желание говорящего совершить какое-либо действие.

-은 것 : 명사가 아닌 것을 문장에서 명사처럼 쓰이게 하거나 '이다' 앞에 쓰일 수 있게 할 때 쓰는 표현.
нет эквивалента
Выражение, субстантивирующее предшествующее слово неименной части речи или группу слов, которое также может употребляться с глаголом-связкой '이다'.

이 : 어떤 상태나 상황의 대상이나 동작의 주체를 나타내는 조사.
нет эквивалента
Частица, показывающая какое-либо состояние, объект ситуации или субъект действия.

가득하다 (имя прилагательное) : 어떤 감정이나 생각이 강하다.
полный; наполненный
Сильные чувства или глубокие мысли.

-여서 : 이유나 근거를 나타내는 연결 어미.
нет эквивалента
Соединительное окончание предиката, указывающее на причину или обоснование чего-либо.

<u>뜨겁(뜨거우)+었던</u> 가슴, 마지막 온기+가 사라지+[기 전에]
뜨거웠던

뜨겁다 (имя прилагательное) : (비유적으로) 감정이나 열정 등이 격렬하고 강하다.
горячий
(перен.) Имеющий бурные и сильные эмоции, страсть и т.п.

-었던 : 과거의 사건이나 상태를 다시 떠올리거나 그 사건이나 상태가 완료되지 않고 중단되었다는 의미를 나타내는 표현.
нет эквивалента
Выражение, указывающее на событие или состояние в прошлом по воспоминаниям говорящего или же на то, что то событие или состояние было прервано и осталось незавершённым.

가슴 (имя существительное) : 마음이나 느낌.
грудь; сердце; душа
Душа или чувство.

마지막 (имя существительное) : 시간이나 순서의 맨 끝.
последнее; конец; последний; конечный; окончательный; заключительный
Последний момент чего-либо протекающего во времени или завершающий этап какого-либо действия, дела, занятия.

온기 (имя существительное) : (비유적으로) 다정하거나 따뜻하게 베푸는 분위기나 마음.
теплота
(перен.) Дружелюбная, тёплая, душевная атмосфера или состояние души.

가 : 어떤 상태나 상황에 놓인 대상이나 동작의 주체를 나타내는 조사.
нет эквивалента
Окончание, указывающее на объект какой-либо ситуации, состояния или на лицо, выполняющее какое-либо действие.

사라지다 (глагол) : 생각이나 감정 등이 없어지다.
исчезать; скрываться; пропадать; улетучиваться
Теряться (о мыслях, чувствах и т.п.).

-기 전에 : 뒤에 오는 말이 나타내는 행동이 앞에 오는 말이 나타내는 행동보다 앞서는 것을 나타내는 표현.
нет эквивалента
Выражение, указывающее на предшествование события, о котором говорится вначале, событию, которое следует за выражением.

누구+라도 독하+ㄴ 술 한 잔 따르(따ㄹ)+[아 주]+어요.
독한 따라 줘요

누구 (местоимение) : 정해지지 않은 어떤 사람을 가리키는 말.
кто-нибудь; кто-угодно
Выражение, обозначающее обычного человека, никого в особенности.

라도 : 그것이 최선은 아니나 여럿 중에서는 그런대로 괜찮음을 나타내는 조사.
нет эквивалента
Частица, указывающая на то, что что-либо не является наилучшим, но всё же неплохим среди нескольких.

독하다 (имя прилагательное) : 맛이나 냄새 등이 지나치게 자극적이다.
резкий; крепкий; острый
Имеющий слишком сильный запах или вкус.

-ㄴ : 앞의 말이 관형어의 기능을 하게 만들고 현재의 상태를 나타내는 어미.
нет эквивалента
Окончание, указывающее на состояние лица или предмета в настоящий момент, при котором впередистоящее слово, словосочетание или придаточное предложение выполняет функцию определения.

술 (имя существительное) : 맥주나 소주 등과 같이 알코올 성분이 들어 있어서 마시면 취하는 음료.
алкоголь; ликёр
Алкогольный напиток типа вина, водки, пива и т.п., от которого приходят в опьянение.

한 (атрибутивное слово) : 하나의.
нет эквивалента
Один.

잔 (имя существительное) : 음료나 술 등을 담은 그릇을 기준으로 그 분량을 세는 단위.
стакан, рюмка, бокал
Слово, используемое при счёте прохладительных и спиртных напитков.

따르다 (глагол) : 액체가 담긴 물건을 기울여 액체를 밖으로 조금씩 흐르게 하다.
наливать; лить; выливать
Понемногу выливать наружу жидкость, наклонив предмет, наполненный этой жидкостью.

-아 주다 : 남을 위해 앞의 말이 나타내는 행동을 함을 나타내는 표현.
нет эквивалента
Выражение, указывающее на то, что описанное действие выполняется в интересах другого лица.

-어요 : (두루높임으로) 어떤 사실을 서술하거나 질문, 명령, 권유함을 나타내는 종결 어미.
нет эквивалента
(нейтрально-вежливый стиль) Финитное окончание предиката в повествовательном, вопросительном или побудительном предложении. **<приказ>**

< 후렴(припев) >

이제+부터 하얗(하야)+ㄴ 여백+에 가득 차+ㄴ
하얀 찬

이제 (имя существительное) : 말하고 있는 바로 이때.
теперь; сейчас; только что
Прямо во время разговора.

부터 : 어떤 일의 시작이나 처음을 나타내는 조사.
нет эквивалента
Окончание, указывающее на начало какой-либо области или какого-либо события.

하얗다 (имя прилагательное) : 눈이나 우유의 빛깔과 같이 밝고 선명하게 희다.
белый; белёсый
Светлый и чистый как снег или молоко (о цвете).

-ㄴ : 앞의 말이 관형어의 기능을 하게 만들고 현재의 상태를 나타내는 어미.
нет эквивалента
Окончание, указывающее на состояние лица или предмета в настоящий момент, при котором впередистоящее слово, словосочетание или придаточное предложение выполняет функцию определения.

여백 (имя существительное) : 종이 등에 글씨를 쓰거나 그림을 그리고 남은 빈 자리.
пробел; поля
Свободное место на листе бумаги и т.п., которое остаётся после написания текста или рисования.

에 : 앞말이 어떤 장소나 자리임을 나타내는 조사.
нет эквивалента
Окончание, указывающее на какое-либо место или пространство.

가득 (наречие) : 어떤 감정이나 생각이 강한 모양.
сильно
Очень сильное ощущение какого-либо чувства или мыслей.

차다 (глагол) : 감정이나 느낌 등이 가득하게 되다.
полный
Целиком проникнутый, переполненный каким-либо чувством.

-ㄴ : 앞의 말이 관형어의 기능을 하게 만들고 사건이나 동작이 완료되어 그 상태가 유지되고 있음을 나타내는 어미.
нет эквивалента
Окончание, которое указывает на завершенное постоянное действие или событие, преобразуя впередистоящее слово, словосочетание или придаточное предложение в определение.

내+가 모르+는 나+를 지우+[ㄹ 것(거)]+이+에요.

지울 거예요

내 (местоимение) : '나'에 조사 '가'가 붙을 때의 형태.
я
Форма местоимения '나', когда к нему присоединяют окончание '가'.

가 : 어떤 상태나 상황에 놓인 대상이나 동작의 주체를 나타내는 조사.
нет эквивалента
Окончание, указывающее на объект какой-либо ситуации, состояния или на лицо, выполняющее какое-либо действие.

모르다 (глагол) : 사람이나 사물, 사실 등을 알지 못하거나 이해하지 못하다.
не знать; не понимать
Не знать или не понимать людей, предметы, факты и т.п.

-는 : 앞의 말이 관형어의 기능을 하게 만들고 사건이나 동작이 현재 일어남을 나타내는 어미.
нет эквивалента
Окончание, которое указывает на действие или событие в настоящем, преобразуя впередистоящее слово, словосочетание или придаточное предложение в определение.

나 (местоимение) : 말하는 사람이 친구나 아랫사람에게 자기를 가리키는 말.
я
Выражение, которым называют себя в разговоре с ровесниками или младшими людьми.

를 : 동작이 직접적으로 영향을 미치는 대상을 나타내는 조사.
нет эквивалента
Частица, указывающая на объект, на который непосредственно распространяется влияние действия.

지우다 (глагол) : 생각이나 기억을 없애거나 잊다.
стирать из памяти; забывать
Избавляться от воспоминаний или мыслей.

-ㄹ 것 : 명사가 아닌 것을 문장에서 명사처럼 쓰이게 하거나 '이다' 앞에 쓰일 수 있게 할 때 쓰는 표현.
нет эквивалента
Выражение, субстантивирующее предшествующее слово неименной части речи или группу слов, которое также может употребляться с глаголом-связкой '이다'.

이다 : 주어가 지시하는 대상의 속성이나 부류를 지정하는 뜻을 나타내는 서술격 조사.
нет эквивалента
Суффикс повествовательного падежа, выражающий смысл наименования свойства или разряда объекта, на который указывает подлежащее.

-에요 : (두루높임으로) 어떤 사실을 서술하거나 질문함을 나타내는 종결 어미.
нет эквивалента
(нейтрально-вежливый стиль) Финитное окончание предиката в повествовательном или вопросительном предложении. **<изложение>**

오늘+은 꼭 당신+이 <u>따르(따르)+[아 주]+ㄴ</u>

따라 준

오늘 (имя существительное) : 지금 지나가고 있는 이날.
сегодня
Этот текущий день.

은 : 문장 속에서 어떤 대상이 화제임을 나타내는 조사.
нет эквивалента
Частица, показывающая то, что какой-то объект является главной темой в предложении.

꼭 (наречие) : 어떤 일이 있어도 반드시.
обязательно
Во что бы то ни стало.

당신 (местоимение) : (조금 높이는 말로) 듣는 사람을 가리키는 말.
вы
(умеренно уважит.) Слово, указывающее на собеседника в разговоре.

이 : 어떤 상태나 상황의 대상이나 동작의 주체를 나타내는 조사.
нет эквивалента
Частица, показывающая какое-либо состояние, объект ситуации или субъект действия.

따르다 (глагол) : 액체가 담긴 물건을 기울여 액체를 밖으로 조금씩 흐르게 하다.
наливать; лить; выливать
Понемногу выливать наружу жидкость, наклонив предмет, наполненный этой жидкостью.

-아 주다 : 남을 위해 앞의 말이 나타내는 행동을 함을 나타내는 표현.
нет эквивалента
Выражение, указывающее на то, что описанное действие выполняется в интересах другого лица.

-ㄴ : 앞의 말이 관형어의 기능을 하게 만들고 사건이나 동작이 완료되어 그 상태가 유지되고 있음을 나타내는 어미.
нет эквивалента
Окончание, которое указывает на завершенное постоянное действие или событие, преобразуя впередистоящее слово, словосочетание или придаточное предложение в определение.

한 잔+의 가득하+ㄴ 독주+를 비우+[ㄹ 것(거)]+이+에요.

가득한 **비울 거예요**

한 (атрибутивное слово) : 하나의.
нет эквивалента
Один.

잔 (имя существительное) : 음료나 술 등을 담은 그릇을 기준으로 그 분량을 세는 단위.
стакан, рюмка, бокал
Слово, используемое при счёте прохладительных и спиртных напитков.

의 : 앞의 말이 뒤의 말에 대하여 속성이나 수량을 한정하거나 같은 자격임을 나타내는 조사.
нет эквивалента
Частица, указывающая на ограниченные свойства или количество или одинаковые признаки, выраженные в предыдущем слове по отношению к последующему.

가득하다 (имя прилагательное) : 양이나 수가 정해진 범위에 꽉 차 있다.
полный; наполненный; набитый до отказа
Заполненный до определённого предела чем-либо.

-ㄴ : 앞의 말이 관형어의 기능을 하게 만들고 현재의 상태를 나타내는 어미.
нет эквивалента
Окончание, указывающее на состояние лица или предмета в настоящий момент, при котором впередистоящее слово, словосочетание или придаточное предложение выполняет функцию определения.

독주 (имя существительное) : 매우 독한 술.
крепкий алкогольный напиток
Очень крепкий спиртной напиток.

를 : 동작이 직접적으로 영향을 미치는 대상을 나타내는 조사.
нет эквивалента
Частица, указывающая на объект, на который непосредственно распространяется влияние действия.

비우다 (глагол) : 안에 든 것을 없애 속을 비게 하다.
опустошать
Делать пустой внутренность какого-либо предмета.

-ㄹ 것 : 명사가 아닌 것을 문장에서 명사처럼 쓰이게 하거나 '이다' 앞에 쓰일 수 있게 할 때 쓰는 표현.
нет эквивалента
Выражение, субстантивирующее предшествующее слово неименной части речи или группу слов, которое также может употребляться с глаголом-связкой '이다'.

이다 : 주어가 지시하는 대상의 속성이나 부류를 지정하는 뜻을 나타내는 서술격 조사.
нет эквивалента
Суффикс повествовательного падежа, выражающий смысл наименования свойства или разряда объекта, на который указывает подлежащее.

-에요 : (두루높임으로) 어떤 사실을 서술하거나 질문함을 나타내는 종결 어미.
нет эквивалента
(нейтрально-вежливый стиль) Финитное окончание предиката в повествовательном или в опросительном предложении. **<изложение>**

< 2절(куплет) >

누구+라도 술 한 잔 따르(따ㄹ)+[아 주]+어요.
따라 줘요

누구 (местоимение) : 정해지지 않은 어떤 사람을 가리키는 말.
кто-нибудь; кто-угодно
Выражение, обозначающее обычного человека, никого в особенности.

라도 : 그것이 최선은 아니나 여럿 중에서는 그런대로 괜찮음을 나타내는 조사.
нет эквивалента
Частица, указывающая на то, что что-либо не является наилучшим, но всё же неплохим среди нескольких.

술 (имя существительное) : 맥주나 소주 등과 같이 알코올 성분이 들어 있어서 마시면 취하는 음료.
алкоголь; ликёр
Алкогольный напиток типа вина, водки, пива и т.п., от которого приходят в опьянение.

한 (атрибутивное слово) : 하나의.
нет эквивалента
Один.

잔 (имя существительное) : 음료나 술 등을 담은 그릇을 기준으로 그 분량을 세는 단위.
стакан, рюмка, бокал
Слово, используемое при счёте прохладительных и спиртных напитков.

따르다 (глагол) : 액체가 담긴 물건을 기울여 액체를 밖으로 조금씩 흐르게 하다.
наливать; лить; выливать
Понемногу выливать наружу жидкость, наклонив предмет, наполненный этой жидкостью.

-아 주다 : 남을 위해 앞의 말이 나타내는 행동을 함을 나타내는 표현.
нет эквивалента
Выражение, указывающее на то, что описанное действие выполняется в интересах другого лица.

-어요 : (두루높임으로) 어떤 사실을 서술하거나 질문, 명령, 권유함을 나타내는 종결 어미.
нет эквивалента
(нейтрально-вежливый стиль) Финитное окончание предиката в повествовательном, вопросительном или побудительном предложении. **<приказ>**

추억+에 취하+여 비틀거리+[기 전에]
취해

추억 (имя существительное) : 지나간 일을 생각함. 또는 그런 생각이나 일.
воспоминание
Мысленное воспроизведение прошедших событий. А также подобные мысли или события.

에 : 앞말이 어떤 행위나 감정 등의 대상임을 나타내는 조사.
нет эквивалента
Окончание, указывающее на объект какого-либо действия, чувства и т.п.

취하다 (глагол) : 무엇에 매우 깊이 빠져 마음을 빼앗기다.
опьянеть
Лишиться разума от сильного влияния чего-либо.

-여 : 앞에 오는 말이 뒤에 오는 말에 대한 원인이나 이유임을 나타내는 연결 어미.
нет эквивалента
Соединительное окончание, указывающее на то, что действие первой части предложения является причиной или основанием действия, описанного во второй части предложения.

비틀거리다 (глагол) : 몸을 가누지 못하고 계속 이리저리 쓰러질 듯이 걷다.
шататься
Идти нетвёрдой походкой, пошатываясь из стороны в сторону.

-기 전에 : 뒤에 오는 말이 나타내는 행동이 앞에 오는 말이 나타내는 행동보다 앞서는 것을 나타내는 표현.
нет эквивалента
Выражение, указывающее на предшествование события, о котором говорится вначале, событию, которое следует за выражением.

이 한 잔 마시+[고 나]+면 지우+[ㄹ 수 있]+을까요?
지울 수 있을까요

이 (атрибутивное слово) : 바로 앞에서 이야기한 대상을 가리킬 때 쓰는 말.
это
Слово, указывающее на то, о чём шла речь прямо перед этим словом.

한 (атрибутивное слово) : 하나의.
нет эквивалента
Один.

잔 (имя существительное) : 음료나 술 등을 담은 그릇을 기준으로 그 분량을 세는 단위.
стакан, рюмка, бокал
Слово, используемое при счёте прохладительных и спиртных напитков.

마시다 (глагол) : 물 등의 액체를 목구멍으로 넘어가게 하다.
пить
Глотать, поглощать воду или какую-либо жидкость.

-고 나다 : 앞에 오는 말이 나타내는 행동이 끝났음을 나타내는 표현.
нет эквивалента
Выражение, указывающее на завершённость указанного действия.

-면 : 뒤에 오는 말에 대한 근거나 조건이 됨을 나타내는 연결 어미.
нет эквивалента
Соединительное окончание предиката, присоединяющее придаточное условия, указывающее на то, что является обоснованием или условием того, о чем говорится во второй части предложения.

지우다 (глагол) : 생각이나 기억을 없애거나 잊다.
стирать из памяти; забывать
Избавляться от воспоминаний или мыслей.

-ㄹ 수 있다 : 어떤 행동이나 상태가 가능함을 나타내는 표현.
нет эквивалента
Выражение, указывающее на возможность осуществления какого-либо действия или состояния.

-을까요 : (두루높임으로) 아직 일어나지 않았거나 모르는 일에 대해서 말하는 사람이 추측하며 질문할 때 쓰는 표현.
нет эквивалента
(нейтрально-вежливый стиль) Выражение, передающее вопрос или предположение говорящего о чём-либо неизвестном или том, что ещё не произошло.

그리움+에 취하+여 잠들+[기 전에]
취해

그리움 (имя существительное) : 어떤 대상을 몹시 보고 싶어 하는 안타까운 마음.
тоска
Грусть и сильное желание увидеть кого-либо.

에 : 앞말이 어떤 행위나 감정 등의 대상임을 나타내는 조사.
нет эквивалента
Окончание, указывающее на объект какого-либо действия, чувства и т.п.

취하다 (глагол) : 무엇에 매우 깊이 빠져 마음을 빼앗기다.
опьянеть
Лишиться разума от сильного влияния чего-либо.

-여 : 앞에 오는 말이 뒤에 오는 말에 대한 원인이나 이유임을 나타내는 연결 어미.
нет эквивалента
Соединительное окончание, указывающее на то, что действие первой части предложения является причиной или основанием действия, описанного во второй части предложения.

잠들다 (глагол) : 잠을 자는 상태가 되다.
засыпать; спать
Впадать в состояние сна.

-기 전에 : 뒤에 오는 말이 나타내는 행동이 앞에 오는 말이 나타내는 행동보다 앞서는 것을 나타내는 표현.
нет эквивалента
Выражение, указывающее на предшествование события, о котором говорится вначале, событию, которое следует за выражением.

아직 어제+를 살+[고 있]+는 이 꿈속+에서 깨+[지 않]+도록

아직 (наречие) : 어떤 일이나 상태 또는 어떻게 되기까지 시간이 더 지나야 함을 나타내거나, 어떤 일이나 상태가 끝나지 않고 계속 이어지고 있음을 나타내는 말.
пока что; ещё; пока
Выражение, которое обозначает, что до выполнения чего-либо или до получения какой-либо формы необходимо чтобы прошло определённое время, или же что-либо продолжается и находится в незаконченном состоянии.

어제 (имя существительное) : 지나간 때.
в прошлом
Прошедшее (ушедшее) время.

를 : 동작이 직접적으로 영향을 미치는 대상을 나타내는 조사.
нет эквивалента
Частица, указывающая на объект, на который непосредственно распространяется влияние действия.

살다 (глагол) : 사람이 생활을 하다.
жить
Проживать (о человеке).

-고 있다 : 앞의 말이 나타내는 행동이 계속 진행됨을 나타내는 표현.
нет эквивалента
Выражение, указывающее на длительность действия.

-는 : 앞의 말이 관형어의 기능을 하게 만들고 사건이나 동작이 현재 일어남을 나타내는 어미.
нет эквивалента
Окончание, которое указывает на действие или событие в настоящем, преобразуя впередистоящее слово, словосочетание или придаточное предложение в определение.

이 (атрибутивное слово) : 말하는 사람에게 가까이 있거나 말하는 사람이 생각하고 있는 대상을 가리킬 때 쓰는 말.
этот; это
Слово, указывающее на что-либо, находящееся возле говорящего, или на то, о чём он думает.

꿈속 (имя существительное) : 현실과 동떨어진 환상 속.
в мире грёз; в мечтах
В фантастическом мире.

에서 : 앞말이 행동이 이루어지고 있는 장소임을 나타내는 조사.
в; на
Окончание, указывающее на место, где происходит указанное действие.

깨다 (глагол) : 잠이 든 상태에서 벗어나 정신을 차리다. 또는 그렇게 하다.
проснуться; пробудиться; пробуждаться
Приходить в себя, избавившись от сонного состояния. Или подводить к этому.

-지 않다 : 앞의 말이 나타내는 행위나 상태를 부정하는 뜻을 나타내는 표현.
нет эквивалента
Выражение, обозначающее отрицание какого-либо действия или состояния.

-도록 : 앞에 오는 말이 뒤에 오는 말에 대한 목적이나 결과, 방식, 정도임을 나타내는 연결 어미.
нет эквивалента
Соединительное окончание предиката, указывающее на то, что содержание первой части предложения является целью, результатом, способом или мерой того, что описано во второй части предложения.

누구+라도 지독하+ㄴ 술 한 잔 따르(따르)+[아 주]+어요.
지독한 따라 줘요

누구 (местоимение) : 정해지지 않은 어떤 사람을 가리키는 말.
кто-нибудь; кто-угодно
Выражение, обозначающее обычного человека, никого в особенности.

라도 : 그것이 최선은 아니나 여럿 중에서는 그런대로 괜찮음을 나타내는 조사.
нет эквивалента
Частица, указывающая на то, что что-либо не является наилучшим, но всё же неплохим среди нескольких.

지독하다 (имя прилагательное) : 맛이나 냄새 등이 해롭거나 참기 어려울 정도로 심하다.
ядовитый
Причиняющий вред или содержащий невыносимый вкус или запах и т.п.

-ㄴ : 앞의 말이 관형어의 기능을 하게 만들고 현재의 상태를 나타내는 어미.
нет эквивалента
Окончание, указывающее на состояние лица или предмета в настоящий момент, при котором впередистоящее слово, словосочетание или придаточное предложение выполняет функцию определения.

술 (имя существительное) : 맥주나 소주 등과 같이 알코올 성분이 들어 있어서 마시면 취하는 음료.
алкоголь; ликёр
Алкогольный напиток типа вина, водки, пива и т.п., от которого приходят в опьянение.

한 (атрибутивное слово) : 하나의.
нет эквивалента
Один.

잔 (имя существительное) : 음료나 술 등을 담은 그릇을 기준으로 그 분량을 세는 단위.
стакан, рюмка, бокал
Слово, используемое при счёте прохладительных и спиртных напитков.

따르다 (глагол) : 액체가 담긴 물건을 기울여 액체를 밖으로 조금씩 흐르게 하다.
наливать; лить; выливать
Понемногу выливать наружу жидкость, наклонив предмет, наполненный этой жидкостью.

-아 주다 : 남을 위해 앞의 말이 나타내는 행동을 함을 나타내는 표현.
нет эквивалента
Выражение, указывающее на то, что описанное действие выполняется в интересах другого лица.

-어요 : (두루높임으로) 어떤 사실을 서술하거나 질문, 명령, 권유함을 나타내는 종결 어미.
нет эквивалента
(нейтрально-вежливый стиль) Финитное окончание предиката в повествовательном, вопросительном или побудительном предложении. **<приказ>**

< 후렴(припев) >

이제+부터 하얗(하야)+ㄴ 여백+에 가득 차+ㄴ
하얀 찬

이제 (имя существительное) : 말하고 있는 바로 이때.
теперь; сейчас; только что
Прямо во время разговора.

부터 : 어떤 일의 시작이나 처음을 나타내는 조사.
нет эквивалента
Окончание, указывающее на начало какой-либо области или какого-либо события.

하얗다 (имя прилагательное) : 눈이나 우유의 빛깔과 같이 밝고 선명하게 희다.
белый; белёсый
Светлый и чистый как снег или молоко (о цвете).

-ㄴ : 앞의 말이 관형어의 기능을 하게 만들고 현재의 상태를 나타내는 어미.
нет эквивалента
Окончание, указывающее на состояние лица или предмета в настоящий момент, при котором впередистоящее слово, словосочетание или придаточное предложение выполняет функцию определения.

여백 (имя существительное) : 종이 등에 글씨를 쓰거나 그림을 그리고 남은 빈 자리.
пробел; поля
Свободное место на листе бумаги и т.п., которое остаётся после написания текста или рисования.

에 : 앞말이 어떤 장소나 자리임을 나타내는 조사.
нет эквивалента
Окончание, указывающее на какое-либо место или пространство.

가득 (наречие) : 어떤 감정이나 생각이 강한 모양.
сильно
Очень сильное ощущение какого-либо чувства или мыслей.

차다 (глагол) : 감정이나 느낌 등이 가득하게 되다.
полный
Целиком проникнутый, переполненный каким-либо чувством.

-ㄴ : 앞의 말이 관형어의 기능을 하게 만들고 사건이나 동작이 완료되어 그 상태가 유지되고 있음을 나타내는 어미.
нет эквивалента
Окончание, которое указывает на завершенное постоянное действие или событие, преобразуя впередистоящее слово, словосочетание или придаточное предложение в определение.

내+가 모르+는 나+를 지우+[ㄹ 것(거)]+이+에요.

지울 거예요

내 (местоимение) : '나'에 조사 '가'가 붙을 때의 형태.
я
Форма местоимения '나', когда к нему присоединяют окончание '가'.

가 : 어떤 상태나 상황에 놓인 대상이나 동작의 주체를 나타내는 조사.
нет эквивалента
Окончание, указывающее на объект какой-либо ситуации, состояния или на лицо, выполняющее какое-либо действие.

모르다 (глагол) : 사람이나 사물, 사실 등을 알지 못하거나 이해하지 못하다.
не знать; не понимать
Не знать или не понимать людей, предметы, факты и т.п.

-는 : 앞의 말이 관형어의 기능을 하게 만들고 사건이나 동작이 현재 일어남을 나타내는 어미.
нет эквивалента
Окончание, которое указывает на действие или событие в настоящем, преобразуя впередистоящее слово, словосочетание или придаточное предложение в определение.

나 (местоимение) : 말하는 사람이 친구나 아랫사람에게 자기를 가리키는 말.
я
Выражение, которым называют себя в разговоре с ровесниками или младшими людьми.

를 : 동작이 직접적으로 영향을 미치는 대상을 나타내는 조사.
нет эквивалента
Частица, указывающая на объект, на который непосредственно распространяется влияние действия.

지우다 (глагол) : 생각이나 기억을 없애거나 잊다.
стирать из памяти; забывать
Избавляться от воспоминаний или мыслей.

-ㄹ 것 : 명사가 아닌 것을 문장에서 명사처럼 쓰이게 하거나 '이다' 앞에 쓰일 수 있게 할 때 쓰는 표현.
нет эквивалента
Выражение, субстантивирующее предшествующее слово неименной части речи или группу слов, которое также может употребляться с глаголом-связкой '이다'.

이다 : 주어가 지시하는 대상의 속성이나 부류를 지정하는 뜻을 나타내는 서술격 조사.
нет эквивалента
Суффикс повествовательного падежа, выражающий смысл наименования свойства или разряда объекта, на который указывает подлежащее.

-에요 : (두루높임으로) 어떤 사실을 서술하거나 질문함을 나타내는 종결 어미.
нет эквивалента
(нейтрально-вежливый стиль) Финитное окончание предиката в повествовательном или вопросительном предложении. **<изложение>**

오늘+은 꼭 당신+이 따르(따르)+[아 주]+ㄴ

따라 준

오늘 (имя существительное) : 지금 지나가고 있는 이날.
сегодня
Этот текущий день.

은 : 문장 속에서 어떤 대상이 화제임을 나타내는 조사.
нет эквивалента
Частица, показывающая то, что какой-то объект является главной темой в предложении.

꼭 (наречие) : 어떤 일이 있어도 반드시.
обязательно
Во что бы то ни стало.

당신 (местоимение) : (조금 높이는 말로) 듣는 사람을 가리키는 말.
вы
(умеренно уважит.) Слово, указывающее на собеседника в разговоре.

이 : 어떤 상태나 상황의 대상이나 동작의 주체를 나타내는 조사.
нет эквивалента
Частица, показывающая какое-либо состояние, объект ситуации или субъект действия.

따르다 (глагол) : 액체가 담긴 물건을 기울여 액체를 밖으로 조금씩 흐르게 하다.
наливать; лить; выливать
Понемногу выливать наружу жидкость, наклонив предмет, наполненный этой жидкостью.

-아 주다 : 남을 위해 앞의 말이 나타내는 행동을 함을 나타내는 표현.
нет эквивалента
Выражение, указывающее на то, что описанное действие выполняется в интересах другого лица.

-ㄴ : 앞의 말이 관형어의 기능을 하게 만들고 사건이나 동작이 완료되어 그 상태가 유지되고 있음을 나타내는 어미.
нет эквивалента
Окончание, которое указывает на завершенное постоянное действие или событие, преобразуя впередистоящее слово, словосочетание или придаточное предложение в определение.

한 잔+의 가득하+ㄴ 독주+를 비우+[ㄹ 것(거)]+이+에요.

가득한 비울 거예요

한 (атрибутивное слово) : 하나의.
нет эквивалента
Один.

잔 (имя существительное) : 음료나 술 등을 담은 그릇을 기준으로 그 분량을 세는 단위.
стакан, рюмка, бокал
Слово, используемое при счёте прохладительных и спиртных напитков.

의 : 앞의 말이 뒤의 말에 대하여 속성이나 수량을 한정하거나 같은 자격임을 나타내는 조사.
нет эквивалента
Частица, указывающая на ограниченные свойства или количество или одинаковые признаки, выраженные в предыдущем слове по отношению к последующему.

가득하다 (имя прилагательное) : 양이나 수가 정해진 범위에 꽉 차 있다.
полный; наполненный; набитый до отказа
Заполненный до определённого предела чем-либо.

-ㄴ : 앞의 말이 관형어의 기능을 하게 만들고 현재의 상태를 나타내는 어미.
нет эквивалента
Окончание, указывающее на состояние лица или предмета в настоящий момент, при котором впередистоящее слово, словосочетание или придаточное предложение выполняет функцию определения.

독주 (имя существительное) : 매우 독한 술.
крепкий алкогольный напиток
Очень крепкий спиртной напиток.

를 : 동작이 직접적으로 영향을 미치는 대상을 나타내는 조사.
нет эквивалента
Частица, указывающая на объект, на который непосредственно распространяется влияние действия.

비우다 (глагол) : 안에 든 것을 없애 속을 비게 하다.
опустошать
Делать пустой внутренность какого-либо предмета.

-ㄹ 것 : 명사가 아닌 것을 문장에서 명사처럼 쓰이게 하거나 '이다' 앞에 쓰일 수 있게 할 때 쓰는 표현.
нет эквивалента
Выражение, субстантивирующее предшествующее слово неименной части речи или группу слов, которое также может употребляться с глаголом-связкой '이다'.

이다 : 주어가 지시하는 대상의 속성이나 부류를 지정하는 뜻을 나타내는 서술격 조사.
нет эквивалента
Суффикс повествовательного падежа, выражающий смысл наименования свойства или разряда объекта, на который указывает подлежащее.

-에요 : (두루높임으로) 어떤 사실을 서술하거나 질문함을 나타내는 종결 어미.
нет эквивалента
(нейтрально-вежливый стиль) Финитное окончание предиката в повествовательном или в опросительном предложении. **<изложение>**

이제+부터 <u>하얗(하야)+ㄴ</u> 여백+에 가득 <u>차+ㄴ</u>
하얀 찬

이제 (имя существительное) : 말하고 있는 바로 이때.
теперь; сейчас; только что
Прямо во время разговора.

부터 : 어떤 일의 시작이나 처음을 나타내는 조사.
нет эквивалента
Окончание, указывающее на начало какой-либо области или какого-либо события.

하얗다 (имя прилагательное) : 눈이나 우유의 빛깔과 같이 밝고 선명하게 희다.
белый; белёсый
Светлый и чистый как снег или молоко (о цвете).

-ㄴ : 앞의 말이 관형어의 기능을 하게 만들고 현재의 상태를 나타내는 어미.
нет эквивалента
Окончание, указывающее на состояние лица или предмета в настоящий момент, при котором впередистоящее слово, словосочетание или придаточное предложение выполняет функцию определения.

여백 (имя существительное) : 종이 등에 글씨를 쓰거나 그림을 그리고 남은 빈 자리.
пробел; поля
Свободное место на листе бумаги и т.п., которое остаётся после написания текста или рисования.

에 : 앞말이 어떤 장소나 자리임을 나타내는 조사.
нет эквивалента
Окончание, указывающее на какое-либо место или пространство.

가득 (наречие) : 어떤 감정이나 생각이 강한 모양.
сильно
Очень сильное ощущение какого-либо чувства или мыслей.

차다 (глагол) : 감정이나 느낌 등이 가득하게 되다.
полный
Целиком проникнутый, переполненный каким-либо чувством.

-ㄴ : 앞의 말이 관형어의 기능을 하게 만들고 사건이나 동작이 완료되어 그 상태가 유지되고 있음을 나타내는 어미.
нет эквивалента
Окончание, которое указывает на завершенное постоянное действие или событие, преобразуя впередистоящее слово, словосочетание или придаточное предложение в определение.

내+가 모르+는 나+를 지우+[ㄹ 것(거)]+이+에요.

지울 거예요

내 (местоимение) : '나'에 조사 '가'가 붙을 때의 형태.
я
Форма местоимения '나', когда к нему присоединяют окончание '가'.

가 : 어떤 상태나 상황에 놓인 대상이나 동작의 주체를 나타내는 조사.
нет эквивалента
Окончание, указывающее на объект какой-либо ситуации, состояния или на лицо, выполняющее какое-либо действие.

모르다 (глагол) : 사람이나 사물, 사실 등을 알지 못하거나 이해하지 못하다.
не знать; не понимать
Не знать или не понимать людей, предметы, факты и т.п.

-는 : 앞의 말이 관형어의 기능을 하게 만들고 사건이나 동작이 현재 일어남을 나타내는 어미.
нет эквивалента
Окончание, которое указывает на действие или событие в настоящем, преобразуя впередистоящее слово, словосочетание или придаточное предложение в определение.

나 (местоимение) : 말하는 사람이 친구나 아랫사람에게 자기를 가리키는 말.
я
Выражение, которым называют себя в разговоре с ровесниками или младшими людьми.

를 : 동작이 직접적으로 영향을 미치는 대상을 나타내는 조사.
нет эквивалента
Частица, указывающая на объект, на который непосредственно распространяется влияние действия.

지우다 (глагол) : 생각이나 기억을 없애거나 잊다.
стирать из памяти; забывать
Избавляться от воспоминаний или мыслей.

-ㄹ 것 : 명사가 아닌 것을 문장에서 명사처럼 쓰이게 하거나 '이다' 앞에 쓰일 수 있게 할 때 쓰는 표현.
нет эквивалента
Выражение, субстантивирующее предшествующее слово неименной части речи или группу слов, которое также может употребляться с глаголом-связкой '이다'.

이다 : 주어가 지시하는 대상의 속성이나 부류를 지정하는 뜻을 나타내는 서술격 조사.
нет эквивалента
Суффикс повествовательного падежа, выражающий смысл наименования свойства или разряда объекта, на который указывает подлежащее.

-에요 : (두루높임으로) 어떤 사실을 서술하거나 질문함을 나타내는 종결 어미.
нет эквивалента
(нейтрально-вежливый стиль) Финитное окончание предиката в повествовательном или вопросительном предложении. **<изложение>**

오늘+은 꼭 당신+이 따르(따르)+[아 주]+ㄴ
따라 준

오늘 (имя существительное) : 지금 지나가고 있는 이날.
сегодня
Этот текущий день.

은 : 문장 속에서 어떤 대상이 화제임을 나타내는 조사.
нет эквивалента
Частица, показывающая то, что какой-то объект является главной темой в предложении.

꼭 (наречие) : 어떤 일이 있어도 반드시.
обязательно
Во что бы то ни стало.

당신 (местоимение) : (조금 높이는 말로) 듣는 사람을 가리키는 말.
вы
(умеренно уважит.) Слово, указывающее на собеседника в разговоре.

이 : 어떤 상태나 상황의 대상이나 동작의 주체를 나타내는 조사.
нет эквивалента
Частица, показывающая какое-либо состояние, объект ситуации или субъект действия.

따르다 (глагол) : 액체가 담긴 물건을 기울여 액체를 밖으로 조금씩 흐르게 하다.
наливать; лить; выливать
Понемногу выливать наружу жидкость, наклонив предмет, наполненный этой жидкостью.

-아 주다 : 남을 위해 앞의 말이 나타내는 행동을 함을 나타내는 표현.
нет эквивалента
Выражение, указывающее на то, что описанное действие выполняется в интересах другого лица.

-ㄴ : 앞의 말이 관형어의 기능을 하게 만들고 사건이나 동작이 완료되어 그 상태가 유지되고 있음을 나타내는 어미.
нет эквивалента
Окончание, которое указывает на завершенное постоянное действие или событие, преобразуя впередистоящее слово, словосочетание или придаточное предложение в определение.

한 잔+의 가득하+ㄴ 독주+를 비우+[ㄹ 것(거)]+이+에요.
가득한 비울 거예요

한 (атрибутивное слово) : 하나의.
нет эквивалента
Один.

잔 (имя существительное) : 음료나 술 등을 담은 그릇을 기준으로 그 분량을 세는 단위.
стакан, рюмка, бокал
Слово, используемое при счёте прохладительных и спиртных напитков.

의 : 앞의 말이 뒤의 말에 대하여 속성이나 수량을 한정하거나 같은 자격임을 나타내는 조사.
нет эквивалента
Частица, указывающая на ограниченные свойства или количество или одинаковые признаки, выраженные в предыдущем слове по отношению к последующему.

가득하다 (имя прилагательное) : 양이나 수가 정해진 범위에 꽉 차 있다.
полный; наполненный; набитый до отказа
Заполненный до определённого предела чем-либо.

-ㄴ : 앞의 말이 관형어의 기능을 하게 만들고 현재의 상태를 나타내는 어미.
нет эквивалента
Окончание, указывающее на состояние лица или предмета в настоящий момент, при котором впередистоящее слово, словосочетание или придаточное предложение выполняет функцию определения.

독주 (имя существительное) : 매우 독한 술.
крепкий алкогольный напиток
Очень крепкий спиртной напиток.

를 : 동작이 직접적으로 영향을 미치는 대상을 나타내는 조사.
нет эквивалента
Частица, указывающая на объект, на который непосредственно распространяется влияние действия.

비우다 (глагол) : 안에 든 것을 없애 속을 비게 하다.
опустошать
Делать пустой внутренность какого-либо предмета.

-ㄹ 것 : 명사가 아닌 것을 문장에서 명사처럼 쓰이게 하거나 '이다' 앞에 쓰일 수 있게 할 때 쓰는 표현.
нет эквивалента
Выражение, субстантивирующее предшествующее слово неименной части речи или группу слов, которое также может употребляться с глаголом-связкой '이다'.

이다 : 주어가 지시하는 대상의 속성이나 부류를 지정하는 뜻을 나타내는 서술격 조사.
нет эквивалента
Суффикс повествовательного падежа, выражающий смысл наименования свойства или разряда объекта, на который указывает подлежащее.

-에요 : (두루높임으로) 어떤 사실을 서술하거나 질문함을 나타내는 종결 어미.
нет эквивалента
(нейтрально-вежливый стиль) Финитное окончание предиката в повествовательном или в опросительном предложении. **<изложение>**

< 7 >

애창곡

애창곡(любимая песня)

[발음(произношение)]

< 1 절(куплет) >

내가 부르는 이 노래
내가 부르는 이 노래
naega bureuneun i norae

너에게 아직 다 못다 한 말
너에게 아직 다 몯따 한 말
neoege ajik da motda han mal

이 곡조엔 우리만 아는 속삭임
이 곡쪼엔 우리만 아는 속싸김
i gokjoen uriman aneun soksagim

내가 부르는 이 노래
내가 부르는 이 노래
naega bureuneun i norae

너에게 꼭 하고 싶은 말
너에게 꼭 하고 시픈 말
neoege kkok hago sipeun mal

이 선율엔 우리만 아는 귓속말
이 서뉴렌 우리만 아는 귇쏭말
i seonyuren uriman aneun gwitsongmal

아무리 화가 나도 삐져 있어도
아무리 화가 나도 삐저 이써도
amuri hwaga nado ppijeo isseodo

이 가락에 취해
이 가라게 취해
i garage chwihae

우린 서로 남몰래 눈을 맞춰요.
우린 서로 남몰래 누늘 맏춰요.
urin seoro nammollae nuneul matchwoyo.

내가 즐겨 부르는 이 노래
내가 즐겨 부르는 이 노래
naega jeulgyeo bureuneun i norae

이 음악이 흐르면
이 으마기 흐르면
i eumagi heureumyeon

너의 눈빛, 너의 표정
너에 눈삗, 너에 표정
neoe nunbit, neoe pyojeong

내 가슴이 살살 녹아요.
내 가스미 살살 노가요.
nae gaseumi salsal nogayo.

< 2 절(куплет) >

내가 부르는 이 노래
내가 부르는 이 노래
naega bureuneun i norae

너에게만 들려줬던 말
너에게만 들려줟떤 말
neoegeman deullyeojwotdeon mal

이 곡조엔 둘이만 아는 짜릿함
이 곡쪼엔 두리만 아는 짜리탐
i gokjoen duriman aneun jjaritam

내가 부르는 이 노래
내가 부르는 이 노래
naega bureuneun i norae

너에게만 속삭였던 말
너에게만 속싸견떤 말
neoegeman soksagyeotdeon mal

이 선율엔 둘이만 아는 아찔함
이 서뉴렌 두리만 아는 아찔함
i seonyuren duriman aneun ajjilham

아무리 토라져도 삐져 있어도
아무리 토라저도 삐저 이써도
amuri torajeodo ppijeo isseodo

이 노랫말에 잠겨
이 노랜마레 잠겨
i noraenmare jamgyeo

우린 서로 남몰래 눈을 맞춰요.
우린 서로 남몰래 누늘 맏춰요.
urin seoro nammollae nuneul matchwoyo.

내가 즐겨 부르는 이 노래
내가 즐겨 부르는 이 노래
naega jeulgyeo bureuneun i norae

이 음악이 흐르면
이 으마기 흐르면
i eumagi heureumyeon

너의 눈빛, 너의 표정
너에 눈삗, 너에 표정
neoe nunbit, neoe pyojeong

내 가슴이 살살 녹아요.
내 가스미 살살 노가요.
nae gaseumi salsal nogayo.

< 3 절(куплет) >

우리 둘이 부르는 이 노래
우리 두리 부르는 이 노래
uri duri bureuneun i norae

우리 둘만 아는 이 노래
우리 둘만 아는 이 노래
uri dulman aneun i norae

우리 둘이 영원히 함께 불러요
우리 두리 영원히 함께 불러요
uri duri yeongwonhi hamkke bulleoyo

이 음표에 우리 사랑 싣고
이 음표에 우리 사랑 싣꼬
i eumpyoe uri sarang sitgo

높고 낮게 길고 짧은 리듬
놉꼬 낟께 길고 짤븐 리듬
nopgo natge gilgo jjalbeun rideum

이 가락에 밤새도록 취해 봐요.
이 가라게 밤새도록 취해 봐요.
i garage bamsaedorok chwihae bwayo.

< 1 절(куплет) >

내+가 부르+는 이 노래

내 (местоимение) : '나'에 조사 '가'가 붙을 때의 형태.
я
Форма местоимения '나', когда к нему присоединяют окончание '가'.

가 : 어떤 상태나 상황에 놓인 대상이나 동작의 주체를 나타내는 조사.
нет эквивалента
Окончание, указывающее на объект какой-либо ситуации, состояния или на лицо, выпол няющее какое-либо действие.

부르다 (глагол) : 곡조에 따라 노래하다.
петь
Исполнять голосом какой-либо музыкальный мотив.

-는 : 앞의 말이 관형어의 기능을 하게 만들고 사건이나 동작이 현재 일어남을 나타내는 어미.
нет эквивалента
Окончание, которое указывает на действие или событие в настоящем, преобразуя вперед истоящее слово, словосочетание или придаточное предложение в определение.

이 (атрибутивное слово) : 말하는 사람에게 가까이 있거나 말하는 사람이 생각하고 있는 대상을 가리킬 때 쓰는 말.
этот; это
Слово, указывающее на что-либо, находящееся возле говорящего, или на то, о чём он д умает.

노래 (имя существительное) : 운율에 맞게 지은 가사에 곡을 붙인 음악. 또는 그런 음악을 소리 내어 부름.
песня
Сочетание слов и музыки; а также напевание этой мелодии вслух.

너+에게 아직 다 못다 하+ㄴ 말

한

너 (местоимение) : 듣는 사람이 친구나 아랫사람일 때, 그 사람을 가리키는 말.
ты
Употребляется при указании на собеседника, если он является ровесником или человеком, младшим по возрасту или статусу.

에게 : 어떤 행동이 미치는 대상임을 나타내는 조사.
кому-, чему-либо
Окончание, указывающее на предмет, подвергающийся влиянию какого-либо действия.

아직 (наречие) : 어떤 일이나 상태 또는 어떻게 되기까지 시간이 더 지나야 함을 나타내거나, 어떤 일이나 상태가 끝나지 않고 계속 이어지고 있음을 나타내는 말.
пока что; ещё; пока
Выражение, которое обозначает, что до выполнения чего-либо или до получения какой-либо формы необходимо чтобы прошло определённое время, или же что-либо продолжается и находится в незаконченном состоянии.

다 (наречие) : 남거나 빠진 것이 없이 모두.
всё; все
Весь, полный, без изъятия, целиком.

못다 (наречие) : '어떤 행동을 완전히 다하지 못함'을 나타내는 말.
нет эквивалента
(в кор. яз. является наречием) Не суметь выполнить какое-либо действие.

하다 (глагол) : 어떤 행동이나 동작, 활동 등을 행하다.
делать
Выполнять какое-либо действие, движение, работу и т.п.

-ㄴ : 앞의 말이 관형어의 기능을 하게 만들고 사건이나 동작이 완료되어 그 상태가 유지되고 있음을 나타내는 어미.
нет эквивалента
Окончание, которое указывает на завершенное постоянное действие или событие, преобразуя впередистоящее слово, словосочетание или придаточное предложение в определение.

말 (имя существительное) : 생각이나 느낌을 표현하고 전달하는 사람의 소리.
голос
Звук воспроизводимый голосовыми связками при выражении мыслей, чувств и т.п.

이 <u>곡조+에+는</u> 우리+만 <u>알(아)+는</u> 속삭임

곡조엔 **아는**

이 (атрибутивное слово) : 말하는 사람에게 가까이 있거나 말하는 사람이 생각하고 있는 대상을 가리킬 때 쓰는 말.
этот; это
Слово, указывающее на что-либо, находящееся возле говорящего, или на то, о чём он думает.

곡조 (имя существительное) : 음악이나 노래의 흐름.
мелодия
Мотив песни или музыкального произведения.

에 : 앞말이 어떤 장소나 자리임을 나타내는 조사.
нет эквивалента
Окончание, указывающее на какое-либо место или пространство.

는 : 문장 속에서 어떤 대상이 화제임을 나타내는 조사.
нет эквивалента
Частица, указывающая на то, что какой-либо объект является основной темой в предложении.

우리 (местоимение) : 말하는 사람이 자기보다 높지 않은 사람에게 자기를 포함한 여러 사람들을 가리키는 말.
мы; наш
Слово, указывающее на несколько человек, включая говорящего (себя) и собеседника, если он не намного старше или выше по социальному статусу.

만 : 다른 것은 제외하고 어느 것을 한정함을 나타내는 조사.
только; просто; исключительно; единственно
Частица, указывающая на ограничение в чём-либо и исключение чего-либо.

알다 (глагол) : 교육이나 경험, 생각 등을 통해 사물이나 상황에 대한 정보 또는 지식을 갖추다.
знать
Владеть информацией или знаниями о предметах или ситуации через обучение, опыт, размышление и т.п.

-는 : 앞의 말이 관형어의 기능을 하게 만들고 사건이나 동작이 현재 일어남을 나타내는 어미.
нет эквивалента
Окончание, которое указывает на действие или событие в настоящем, преобразуя впередистоящее слово, словосочетание или придаточное предложение в определение.

속삭임 (имя существительное) : 작고 낮은 목소리로 가만가만히 하는 이야기.
шёпот
Очень тихий разговор низким голосом, шушуканье.

내+가 부르+는 이 노래

내 (местоимение) : '나'에 조사 '가'가 붙을 때의 형태.
я
Форма местоимения '나', когда к нему присоединяют окончание '가'.

가 : 어떤 상태나 상황에 놓인 대상이나 동작의 주체를 나타내는 조사.
нет эквивалента
Окончание, указывающее на объект какой-либо ситуации, состояния или на лицо, выпол няющее какое-либо действие.

부르다 (глагол) : 곡조에 따라 노래하다.
петь
Исполнять голосом какой-либо музыкальный мотив.

-는 : 앞의 말이 관형어의 기능을 하게 만들고 사건이나 동작이 현재 일어남을 나타내는 어미.
нет эквивалента
Окончание, которое указывает на действие или событие в настоящем, преобразуя вперед истоящее слово, словосочетание или придаточное предложение в определение.

이 (атрибутивное слово) : 말하는 사람에게 가까이 있거나 말하는 사람이 생각하고 있는 대상을 가리킬 때 쓰는 말.
этот; это
Слово, указывающее на что-либо, находящееся возле говорящего, или на то, о чём он д умает.

노래 (имя существительное) : 운율에 맞게 지은 가사에 곡을 붙인 음악. 또는 그런 음악을 소리 내어 부름.
песня
Сочетание слов и музыки; а также напевание этой мелодии вслух.

너+에게 꼭 하+[고 싶]+은 말

너 (местоимение) : 듣는 사람이 친구나 아랫사람일 때, 그 사람을 가리키는 말.
ты
Употребляется при указании на собеседника, если он является ровесником или человеко м, младшим по возрасту или статусу.

에게 : 어떤 행동이 미치는 대상임을 나타내는 조사.
кому-, чему-либо
Окончание, указывающее на предмет, подвергающийся влиянию какого-либо действия.

꼭 (наречие) : 어떤 일이 있어도 반드시.
обязательно
Во что бы то ни стало.

하다 (глагол) : 어떤 행동이나 동작, 활동 등을 행하다.
делать
Выполнять какое-либо действие, движение, работу и т.п.

-고 싶다 : 앞의 말이 나타내는 행동을 하기를 원함을 나타내는 표현.
хотеть (что-либо делать)
Выражение, указывающее на желание говорящего совершить какое-либо действие.

-은 : 앞의 말이 관형어의 기능을 하게 만들고 현재의 상태를 나타내는 어미.
нет эквивалента
Окончание, которое указывает на состояние лица или предмета в настоящем, преобразуя впередистоящее слово, словосочетание или придаточное предложение в определение.

말 (имя существительное) : 생각이나 느낌을 표현하고 전달하는 사람의 소리.
голос
Звук воспроизводимый голосовыми связками при выражении мыслей, чувств и т.п.

이 선율+에+는 우리+만 알(아)+는 귓속말
선율엔 아는

이 (атрибутивное слово) : 말하는 사람에게 가까이 있거나 말하는 사람이 생각하고 있는 대상을 가리킬 때 쓰는 말.
этот; это
Слово, указывающее на что-либо, находящееся возле говорящего, или на то, о чём он думает.

선율 (имя существительное) : 길고 짧거나 높고 낮은 소리가 어우러진 음의 흐름.
мелодия; тон
Звучание музыки, в которой сочетаются низкие и высокие, длинные и короткие звуки.

에 : 앞말이 어떤 장소나 자리임을 나타내는 조사.
нет эквивалента
Окончание, указывающее на какое-либо место или пространство.

는 : 문장 속에서 어떤 대상이 화제임을 나타내는 조사.
нет эквивалента
Частица, указывающая на то, что какой-либо объект является основной темой в предложении.

우리 (местоимение) : 말하는 사람이 자기보다 높지 않은 사람에게 자기를 포함한 여러 사람들을 가리키는 말.
мы; наш
Слово, указывающее на несколько человек, включая говорящего (себя) и собеседника, ес ли он не намного старше или выше по социальному статусу.

만 : 다른 것은 제외하고 어느 것을 한정함을 나타내는 조사.
только; просто; исключительно; единственно
Частица, указывающая на ограничение в чём-либо и исключение чего-либо.

알다 (глагол) : 교육이나 경험, 생각 등을 통해 사물이나 상황에 대한 정보 또는 지식을 갖추다.
знать
Владеть информацией или знаниями о предметах или ситуации через обучение, опыт, ра змышление и т.п.

-는 : 앞의 말이 관형어의 기능을 하게 만들고 사건이나 동작이 현재 일어남을 나타내는 어미.
нет эквивалента
Окончание, которое указывает на действие или событие в настоящем, преобразуя вперед истоящее слово, словосочетание или придаточное предложение в определение.

귓속말 (имя существительное) : 남의 귀에 입을 가까이 대고 작은 소리로 말함. 또는 그런 말.
шёпот; шушуканье
Произнесение чего-либо тихим голосом в ухо другого человека. А так же подобная реч ь.

아무리 화+가 나+(아)도 삐지+[어 있]+어도

나도 삐져 있어도

아무리 (наречие) : 비록 그렇다 하더라도.
как бы ни; даже если
Даже если предположить.

화 (имя существительное) : 몹시 못마땅하거나 노여워하는 감정.
злость
Чувство очень сильной злобы.

가 : 어떤 상태나 상황에 놓인 대상이나 동작의 주체를 나타내는 조사.
нет эквивалента
Окончание, указывающее на объект какой-либо ситуации, состояния или на лицо, выпол няющее какое-либо действие.

나다 (глагол) : 어떤 감정이나 느낌이 생기다.
возникать
Появляться (о каких-либо чувствах или ощущении).

-아도 : 앞에 오는 말을 가정하거나 인정하지만 뒤에 오는 말에는 관계가 없거나 영향을 끼치지 않음을 나타내는 연결 어미.
нет эквивалента
Соединительное окончание со значением уступки, указывающее на то, что некий факт и ли обстоятельство, признание, допущение или предположение которого содержится в пе рвой части предложения, не влияет или не имеет отношения к тому, о чём говорится во второй части.

삐지다 (глагол) : 화가 나거나 서운해서 마음이 뒤틀리다.
обижаться; дуться от обиды
Противостояние души в результате гнева или огорчения.

-어 있다 : 앞의 말이 나타내는 상태가 계속됨을 나타내는 표현.
нет эквивалента
Выражение, указывающее на длительность какого-либо состояния.

-어도 : 앞에 오는 말을 가정하거나 인정하지만 뒤에 오는 말에는 관계가 없거나 영향을 끼치지 않음을 나타내는 연결 어미.
нет эквивалента
Соединительное окончание со значением уступки, указывающее на то, что некий факт и ли обстоятельство, признание, допущение или предположение которого содержится в пе рвой части предложения, не влияет или не имеет отношения к тому, о чём говорится во второй части.

이 가락+에 취하+여
취해

이 (атрибутивное слово) : 말하는 사람에게 가까이 있거나 말하는 사람이 생각하고 있는 대상을 가리킬 때 쓰는 말.
этот; это
Слово, указывающее на что-либо, находящееся возле говорящего, или на то, о чём он д умает.

가락 (имя существительное) : 음악에서 음의 높낮이의 흐름.
мелодия; мотив; ритм
Ряд звуков разной высоты в музыке.

에 : 앞말이 어떤 행위나 감정 등의 대상임을 나타내는 조사.
нет эквивалента
Окончание, указывающее на объект какого-либо действия, чувства и т.п.

취하다 (глагол) : 무엇에 매우 깊이 빠져 마음을 빼앗기다.
опьянеть
Лишиться разума от сильного влияния чего-либо.

-여 : 앞의 말이 뒤의 말보다 먼저 일어났거나 뒤의 말에 대한 방법이나 수단이 됨을 나타내는 연결 어미.
нет эквивалента
Соединительное окончание, указывающее на то, что действие, описанное в первой части предложения произошло раньше действия, описанного во второй части предложения, ил и на то, что оно является способом или средством его выполнения.

우리+는 서로 남몰래 [눈을 맞추]+어요.
우린 눈을 맞춰요

우리 (местоимение) : 말하는 사람이 자기보다 높지 않은 사람에게 자기를 포함한 여러 사람들을 가리키는 말.
мы; наш
Слово, указывающее на несколько человек, включая говорящего (себя) и собеседника, ес ли он не намного старше или выше по социальному статусу.

는 : 문장 속에서 어떤 대상이 화제임을 나타내는 조사.
нет эквивалента
Частица, указывающая на то, что какой-либо объект является основной темой в предло жении.

서로 (наречие) : 관계를 맺고 있는 둘 이상의 대상이 함께. 또는 같이.
нет эквивалента
Друг другу; друг друга (о двух и более, связанных между собой, объектах).

남몰래 (наречие) : 다른 사람이 모르게.
тайно; тайком; скрытно; втайне
Скрывая от других.

눈을 맞추다 (идиома) : 서로 눈을 마주 보다.
нет эквивалента
Смотреть друг другу в глаза.

-어요 : (두루높임으로) 어떤 사실을 서술하거나 질문, 명령, 권유함을 나타내는 종결 어미.
нет эквивалента
(нейтрально-вежливый стиль) Финитное окончание предиката в повествовательном, вопр осительном или побудительном предложении.

내+가 즐기+어 부르+는 이 노래
즐겨

내 (местоимение) : '나'에 조사 '가'가 붙을 때의 형태.
я
Форма местоимения '나', когда к нему присоединяют окончание '가'.

가 : 어떤 상태나 상황에 놓인 대상이나 동작의 주체를 나타내는 조사.
нет эквивалента
Окончание, указывающее на объект какой-либо ситуации, состояния или на лицо, выпол няющее какое-либо действие.

즐기다 (глагол) : 어떤 것을 좋아하여 자주 하다.
нет эквивалента
Увлекаться каким-либо занятием.

-어 : 앞의 말이 뒤의 말보다 먼저 일어났거나 뒤의 말에 대한 방법이나 수단이 됨을 나타내는 연결 어미.
нет эквивалента
Соединительное окончание, указывающее на то, что действие, описанное в первой части предложения произошло раньше действия, описанного во второй части предложения, ил и на то, что оно является способом или средством его выполнения.

부르다 (глагол) : 곡조에 따라 노래하다.
петь
Исполнять голосом какой-либо музыкальный мотив.

-는 : 앞의 말이 관형어의 기능을 하게 만들고 사건이나 동작이 현재 일어남을 나타내는 어미.
нет эквивалента
Окончание, которое указывает на действие или событие в настоящем, преобразуя вперед истоящее слово, словосочетание или придаточное предложение в определение.

이 (атрибутивное слово) : 말하는 사람에게 가까이 있거나 말하는 사람이 생각하고 있는 대상을 가리킬 때 쓰는 말.
этот; это
Слово, указывающее на что-либо, находящееся возле говорящего, или на то, о чём он д умает.

노래 (имя существительное) : 운율에 맞게 지은 가사에 곡을 붙인 음악. 또는 그런 음악을 소리 내어 부름.

песня

Сочетание слов и музыки; а также напевание этой мелодии вслух.

이 음악+이 흐르+면

이 (атрибутивное слово) : 말하는 사람에게 가까이 있거나 말하는 사람이 생각하고 있는 대상을 가리킬 때 쓰는 말.

этот; это

Слово, указывающее на объект, который находится близко к говорящему, или объект, о котором думает говорящий.

음악 (имя существительное) : 목소리나 악기로 박자와 가락이 있게 소리 내어 생각이나 감정을 표현하는 예술.

музыка

Искусство, воплощающееся в звуках голоса или музыкальных инструментов, исполняющих определённую мелодию под соответствующий ритм, и через которые выражаются мысли, чувства, эмоции.

이 : 어떤 상태나 상황의 대상이나 동작의 주체를 나타내는 조사.

нет эквивалента

Частица, показывающая какое-либо состояние, объект ситуации или субъект действия.

흐르다 (глагол) : 빛, 소리, 향기 등이 부드럽게 퍼지다.

струиться; сочиться; протягиваться

Слегка распространяться (о свете, звуке, аромате и т.п.).

-면 : 뒤에 오는 말에 대한 근거나 조건이 됨을 나타내는 연결 어미.

нет эквивалента

Соединительное окончание предиката, присоединяющее придаточное условия, указывающее на то, что является обоснованием или условием того, о чем говорится во второй части предложения.

너+의 눈빛, 너+의 표정

너 (местоимение) : 듣는 사람이 친구나 아랫사람일 때, 그 사람을 가리키는 말.

ты

Употребляется при указании на собеседника, если он является ровесником или человеком, младшим по возрасту или статусу.

의 : 앞의 말이 뒤의 말에 대하여 소유, 소속, 소재, 관계, 기원, 주체의 관계를 가짐을 나타내는 조사.
нет эквивалента
Частица, указывающая на то, что в предыдущем слове содержится значение собственности, принадлежности, сырья, источника, основы в отношении последующего.

눈빛 (имя существительное) : 눈에 나타나는 감정.
нет эквивалента
Чувство, проглядывающееся во взгляде.

너 (местоимение) : 듣는 사람이 친구나 아랫사람일 때, 그 사람을 가리키는 말.
ты
Употребляется при указании на собеседника, если он является ровесником или человеком, младшим по возрасту или статусу.

의 : 앞의 말이 뒤의 말에 대하여 소유, 소속, 소재, 관계, 기원, 주체의 관계를 가짐을 나타내는 조사.
нет эквивалента
Частица, указывающая на то, что в предыдущем слове содержится значение собственности, принадлежности, сырья, источника, основы в отношении последующего.

표정 (имя существительное) : 마음속에 품은 감정이나 생각 등이 얼굴에 드러남. 또는 그런 모습.
выражение лица; чувство, выраженное на лице; мимика
Чувства или мысли, выраженные на лице; данное выражение лица.

나+의 가슴+이 살살 녹+아요.
내

나 (местоимение) : 말하는 사람이 친구나 아랫사람에게 자기를 가리키는 말.
я
Выражение, которым называют себя в разговоре с ровесниками или младшими людьми.

의 : 앞의 말이 뒤의 말에 대하여 소유, 소속, 소재, 관계, 기원, 주체의 관계를 가짐을 나타내는 조사.
нет эквивалента
Частица, указывающая на то, что в предыдущем слове содержится значение собственности, принадлежности, сырья, источника, основы в отношении последующего.

가슴 (имя существительное) : 마음이나 느낌.
грудь; сердце; душа
Душа или чувство.

이 : 어떤 상태나 상황의 대상이나 동작의 주체를 나타내는 조사.
нет эквивалента
Частица, показывающая какое-либо состояние, объект ситуации или субъект действия.

살살 (наречие) : 눈이나 설탕 등이 모르는 사이에 저절로 녹는 모양.
нет эквивалента
Образоподражательное слово, характеризующее действия, связанные с незаметным таянием снега или сахара и т.п.

녹다 (глагол) : 어떤 대상에게 몹시 반하거나 빠지다.
таять
Млеть, приходить в умилённое, разнеженное состояние.

-아요 : (두루높임으로) 어떤 사실을 서술하거나 질문, 명령, 권유함을 나타내는 종결 어미.
нет эквивалента
(нейтрально-вежливый стиль) Финитное окончание предиката в повествовательном, вопросительном или побудительном предложении.

< 2 절(куплет) >

내+가 부르+는 이 노래

내 (местоимение) : '나'에 조사 '가'가 붙을 때의 형태.
я
Форма местоимения '나', когда к нему присоединяют окончание '가'.

가 : 어떤 상태나 상황에 놓인 대상이나 동작의 주체를 나타내는 조사.
нет эквивалента
Окончание, указывающее на объект какой-либо ситуации, состояния или на лицо, выполняющее какое-либо действие.

부르다 (глагол) : 곡조에 따라 노래하다.
петь
Исполнять голосом какой-либо музыкальный мотив.

-는 : 앞의 말이 관형어의 기능을 하게 만들고 사건이나 동작이 현재 일어남을 나타내는 어미.
нет эквивалента
Окончание, которое указывает на действие или событие в настоящем, преобразуя впередистоящее слово, словосочетание или придаточное предложение в определение.

이 (атрибутивное слово) : 말하는 사람에게 가까이 있거나 말하는 사람이 생각하고 있는 대상을 가리킬 때 쓰는 말.
этот; это
Слово, указывающее на что-либо, находящееся возле говорящего, или на то, о чём он думает.

노래 (имя существительное) : 운율에 맞게 지은 가사에 곡을 붙인 음악. 또는 그런 음악을 소리 내어 부름.
песня
Сочетание слов и музыки; а также напевание этой мелодии вслух.

너+에게+만 <u>들려주+었던</u> 말
들려줬던

너 (местоимение) : 듣는 사람이 친구나 아랫사람일 때, 그 사람을 가리키는 말.
ты
Употребляется при указании на собеседника, если он является ровесником или человеко м, младшим по возрасту или статусу.

에게 : 어떤 행동이 미치는 대상임을 나타내는 조사.
кому-, чему-либо
Окончание, указывающее на предмет, подвергающийся влиянию какого-либо действия.

만 : 다른 것은 제외하고 어느 것을 한정함을 나타내는 조사.
только; просто; исключительно; единственно
Частица, указывающая на ограничение в чём-либо и исключение чего-либо.

들려주다 (глагол) : 소리나 말을 듣게 해 주다.
Рассказывать
Доносить до чьих-либо ушей, говоря что-либо вслух.

-었던 : 과거의 사건이나 상태를 다시 떠올리거나 그 사건이나 상태가 완료되지 않고 중단되었다는 의미를 나타내는 표현.
нет эквивалента
Выражение, указывающее на событие или состояние в прошлом по воспоминаниям говор ящего или же на то, что то событие или состояние было прервано и осталось незавершё нным.

말 (имя существительное) : 생각이나 느낌을 표현하고 전달하는 사람의 소리.
голос
Звук воспроизводимый голосовыми связками при выражении мыслей, чувств и т.п.

이 <u>곡조+에+는</u> 둘+이+만 <u>알(아)+는</u> <u>짜릿하+ㅁ</u>
곡조엔 아는 짜릿함

이 (атрибутивное слово) : 말하는 사람에게 가까이 있거나 말하는 사람이 생각하고 있는 대상을 가리킬 때 쓰는 말.
этот; это
Слово, указывающее на что-либо, находящееся возле говорящего, или на то, о чём он думает.

곡조 (имя существительное) : 음악이나 노래의 흐름.
мелодия
Мотив песни или музыкального произведения.

에 : 앞말이 어떤 장소나 자리임을 나타내는 조사.
нет эквивалента
Окончание, указывающее на какое-либо место или пространство.

는 : 문장 속에서 어떤 대상이 화제임을 나타내는 조사.
нет эквивалента
Частица, указывающая на то, что какой-либо объект является основной темой в предложении.

둘 (имя числительное) : 하나에 하나를 더한 수.
два
Число, полученное путём прибавления одного к одному.

이 : 어떤 상태나 상황의 대상이나 동작의 주체를 나타내는 조사.
нет эквивалента
Частица, показывающая какое-либо состояние, объект ситуации или субъект действия.

만 : 다른 것은 제외하고 어느 것을 한정함을 나타내는 조사.
только; просто; исключительно; единственно
Частица, указывающая на ограничение в чём-либо и исключение чего-либо.

알다 (глагол) : 교육이나 경험, 생각 등을 통해 사물이나 상황에 대한 정보 또는 지식을 갖추다.
знать
Владеть информацией или знаниями о предметах или ситуации через обучение, опыт, размышление и т.п.

-는 : 앞의 말이 관형어의 기능을 하게 만들고 사건이나 동작이 현재 일어남을 나타내는 어미.
нет эквивалента
Окончание, которое указывает на действие или событие в настоящем, преобразуя впереди стоящее слово, словосочетание или придаточное предложение в определение.

짜릿하다 (имя прилагательное) : 심리적 자극을 받아 마음이 순간적으로 조금 흥분되고 떨리는 듯하다.

пронизывающий

Душа на секунду немного возбуждена или дрожит, получив психологическое раздражение.

-ㅁ : 앞의 말이 명사의 기능을 하게 하는 어미.

нет эквивалента

Окончание, служащее для формального преобразования впередистоящего слова или выражения для выполнения функции существительного.

내+가 부르+는 이 노래

내 (местоимение) : '나'에 조사 '가'가 붙을 때의 형태.

я

Форма местоимения '나', когда к нему присоединяют окончание '가'.

가 : 어떤 상태나 상황에 놓인 대상이나 동작의 주체를 나타내는 조사.

нет эквивалента

Окончание, указывающее на объект какой-либо ситуации, состояния или на лицо, выполняющее какое-либо действие.

부르다 (глагол) : 곡조에 따라 노래하다.

петь

Исполнять голосом какой-либо музыкальный мотив.

-는 : 앞의 말이 관형어의 기능을 하게 만들고 사건이나 동작이 현재 일어남을 나타내는 어미.

нет эквивалента

Окончание, которое указывает на действие или событие в настоящем, преобразуя впередистоящее слово, словосочетание или придаточное предложение в определение.

이 (атрибутивное слово) : 말하는 사람에게 가까이 있거나 말하는 사람이 생각하고 있는 대상을 가리킬 때 쓰는 말.

этот; это

Слово, указывающее на что-либо, находящееся возле говорящего, или на то, о чём он думает.

노래 (имя существительное) : 운율에 맞게 지은 가사에 곡을 붙인 음악. 또는 그런 음악을 소리 내어 부름.

песня

Сочетание слов и музыки; а также напевание этой мелодии вслух.

너+에게+만 속삭이+었던 말
속삭였던

너 (местоимение) : 듣는 사람이 친구나 아랫사람일 때, 그 사람을 가리키는 말.
ты
Употребляется при указании на собеседника, если он является ровесником или человеко м, младшим по возрасту или статусу.

에게 : 어떤 행동이 미치는 대상임을 나타내는 조사.
кому-, чему-либо
Окончание, указывающее на предмет, подвергающийся влиянию какого-либо действия.

만 : 다른 것은 제외하고 어느 것을 한정함을 나타내는 조사.
только; просто; исключительно; единственно
Частица, указывающая на ограничение в чём-либо и исключение чего-либо.

속삭이다 (глагол) : 남이 알아듣지 못하게 작은 목소리로 가만가만 이야기하다.
шептать
Говорить, произносить очень тихо, шёпотом.

-었던 : 과거의 사건이나 상태를 다시 떠올리거나 그 사건이나 상태가 완료되지 않고 중단되었다는 의미를 나타내는 표현.
нет эквивалента
Выражение, указывающее на событие или состояние в прошлом по воспоминаниям говор ящего или же на то, что то событие или состояние было прервано и осталось незавершё нным.

말 (имя существительное) : 생각이나 느낌을 표현하고 전달하는 사람의 소리.
голос
Звук воспроизводимый голосовыми связками при выражении мыслей, чувств и т.п.

이 선율+에+ㄴ 둘+이+만 알(아)+는 아찔하+ㅁ
선율엔 아는 아찔함

이 (атрибутивное слово) : 말하는 사람에게 가까이 있거나 말하는 사람이 생각하고 있는 대상을 가리킬 때 쓰는 말.
этот; это
Слово, указывающее на что-либо, находящееся возле говорящего, или на то, о чём он д умает.

선율 (имя существительное) : 길고 짧거나 높고 낮은 소리가 어우러진 음의 흐름.
мелодия; тон
Звучание музыки, в которой сочетаются низкие и высокие, длинные и короткие звуки.

에 : 앞말이 어떤 장소나 자리임을 나타내는 조사.
нет эквивалента
Окончание, указывающее на какое-либо место или пространство.

는 : 문장 속에서 어떤 대상이 화제임을 나타내는 조사.
нет эквивалента
Частица, указывающая на то, что какой-либо объект является основной темой в предло жении.

둘 (имя числительное) : 하나에 하나를 더한 수.
два
Число, полученное путём прибавления одного к одному.

이 : 어떤 상태나 상황의 대상이나 동작의 주체를 나타내는 조사.
нет эквивалента
Частица, показывающая какое-либо состояние, объект ситуации или субъект действия.

만 : 다른 것은 제외하고 어느 것을 한정함을 나타내는 조사.
только; просто; исключительно; единственно
Частица, указывающая на ограничение в чём-либо и исключение чего-либо.

알다 (глагол) : 교육이나 경험, 생각 등을 통해 사물이나 상황에 대한 정보 또는 지식을 갖추다.
знать
Владеть информацией или знаниями о предметах или ситуации через обучение, опыт, ра змышление и т.п.

-는 : 앞의 말이 관형어의 기능을 하게 만들고 사건이나 동작이 현재 일어남을 나타내는 어미.
нет эквивалента
Окончание, которое указывает на действие или событие в настоящем, преобразуя вперед истоящее слово, словосочетание или придаточное предложение в определение.

아찔하다 (имя прилагательное) : 놀라거나 해서 갑자기 정신이 흐려지고 어지럽다.
закружиться; помутиться (в голове)
Чувствовать головокружение от сильного удивления.

-ㅁ : 앞의 말이 명사의 기능을 하게 하는 어미.
нет эквивалента
Окончание, служащее для формального преобразования впередистоящего слова или выр ажения для выполнения функции существительного.

아무리 토라지+어도 빼지+[어 있]+어도
토라져도 빼져 있어도

아무리 (наречие) : 비록 그렇다 하더라도.
как бы ни; даже если
Даже если предположить.

토라지다 (глагол) : 마음에 들지 않아 불만스러워 싹 돌아서다.
нет эквивалента
Быть недовольным и отворачиваться от чего-либо, что пришлось не по душе.

-어도 : 앞에 오는 말을 가정하거나 인정하지만 뒤에 오는 말에는 관계가 없거나 영향을 끼치지 않음을 나타내는 연결 어미.
нет эквивалента
Соединительное окончание со значением уступки, указывающее на то, что некий факт и ли обстоятельство, признание, допущение или предположение которого содержится в пе рвой части предложения, не влияет или не имеет отношения к тому, о чём говорится во второй части.

빼지다 (глагол) : 화가 나거나 서운해서 마음이 뒤틀리다.
обижаться; дуться от обиды
Противостояние души в результате гнева или огорчения.

-어 있다 : 앞의 말이 나타내는 상태가 계속됨을 나타내는 표현.
нет эквивалента
Выражение, указывающее на длительность какого-либо состояния.

-어도 : 앞에 오는 말을 가정하거나 인정하지만 뒤에 오는 말에는 관계가 없거나 영향을 끼치지 않음을 나타내는 연결 어미.
нет эквивалента
Соединительное окончание со значением уступки, указывающее на то, что некий факт и ли обстоятельство, признание, допущение или предположение которого содержится в пе рвой части предложения, не влияет или не имеет отношения к тому, о чём говорится во второй части.

이 노랫말+에 잠기+어
잠겨

이 (атрибутивное слово) : 말하는 사람에게 가까이 있거나 말하는 사람이 생각하고 있는 대상을 가리킬 때 쓰는 말.
этот; это
Слово, указывающее на что-либо, находящееся возле говорящего, или на то, о чём он думает.

노랫말 (имя существительное) : 노래의 가락에 따라 부를 수 있게 만든 글이나 말.
лирика; слова песни
Стихи, написанные под определённую мелодию.

에 : 앞말이 어떤 행위나 감정 등의 대상임을 나타내는 조사.
нет эквивалента
Окончание, указывающее на объект какого-либо действия, чувства и т.п.

잠기다 (глагол) : 생각이나 느낌 속에 빠지다.
погружаться
Полностью, целиком отдаться какому-либо занятию, чувству и т.п.

-어 : 앞의 말이 뒤의 말보다 먼저 일어났거나 뒤의 말에 대한 방법이나 수단이 됨을 나타내는 연결 어미.
нет эквивалента
Соединительное окончание, указывающее на то, что действие, описанное в первой части предложения произошло раньше действия, описанного во второй части предложения, или на то, что оно является способом или средством его выполнения.

우리+는 서로 남몰래 [눈을 맞추]+어요.
우린 눈을 맞춰요

우리 (местоимение) : 말하는 사람이 자기보다 높지 않은 사람에게 자기를 포함한 여러 사람들을 가리키는 말.
мы; наш
Слово, указывающее на несколько человек, включая говорящего (себя) и собеседника, если он не намного старше или выше по социальному статусу.

는 : 문장 속에서 어떤 대상이 화제임을 나타내는 조사.
нет эквивалента
Частица, указывающая на то, что какой-либо объект является основной темой в предложении.

서로 (наречие) : 관계를 맺고 있는 둘 이상의 대상이 함께. 또는 같이.
нет эквивалента
Друг другу; друг друга (о двух и более, связанных между собой, объектах).

남몰래 (наречие) : 다른 사람이 모르게.
тайно; тайком; скрытно; втайне
Скрывая от других.

눈을 맞추다 **(идиома)** : 서로 눈을 마주 보다.
нет эквивалента
Смотреть друг другу в глаза.

-어요 : (두루높임으로) 어떤 사실을 서술하거나 질문, 명령, 권유함을 나타내는 종결 어미.
нет эквивалента
(нейтрально-вежливый стиль) Финитное окончание предиката в повествовательном, вопр осительном или побудительном предложении.

내+가 즐기+어 부르+는 이 노래
즐겨

내 (местоимение) : '나'에 조사 '가'가 붙을 때의 형태.
я
Форма местоимения '나', когда к нему присоединяют окончание '가'.

가 : 어떤 상태나 상황에 놓인 대상이나 동작의 주체를 나타내는 조사.
нет эквивалента
Окончание, указывающее на объект какой-либо ситуации, состояния или на лицо, выпол няющее какое-либо действие.

즐기다 (глагол) : 어떤 것을 좋아하여 자주 하다.
нет эквивалента
Увлекаться каким-либо занятием.

-어 : 앞의 말이 뒤의 말보다 먼저 일어났거나 뒤의 말에 대한 방법이나 수단이 됨을 나타내는 연결 어미.
нет эквивалента
Соединительное окончание, указывающее на то, что действие, описанное в первой части предложения произошло раньше действия, описанного во второй части предложения, ил и на то, что оно является способом или средством его выполнения.

부르다 (глагол) : 곡조에 따라 노래하다.
петь
Исполнять голосом какой-либо музыкальный мотив.

-는 : 앞의 말이 관형어의 기능을 하게 만들고 사건이나 동작이 현재 일어남을 나타내는 어미.
нет эквивалента
Окончание, которое указывает на действие или событие в настоящем, преобразуя вперед истоящее слово, словосочетание или придаточное предложение в определение.

이 (атрибутивное слово) : 말하는 사람에게 가까이 있거나 말하는 사람이 생각하고 있는 대상을 가리킬 때 쓰는 말.

этот; это

Слово, указывающее на что-либо, находящееся возле говорящего, или на то, о чём он думает.

노래 (имя существительное) : 운율에 맞게 지은 가사에 곡을 붙인 음악. 또는 그런 음악을 소리 내어 부름.

песня

Сочетание слов и музыки; а также напевание этой мелодии вслух.

이 음악+이 흐르+면

이 (атрибутивное слово) : 말하는 사람에게 가까이 있거나 말하는 사람이 생각하고 있는 대상을 가리킬 때 쓰는 말.

этот; это

Слово, указывающее на объект, который находится близко к говорящему, или объект, о котором думает говорящий.

음악 (имя существительное) : 목소리나 악기로 박자와 가락이 있게 소리 내어 생각이나 감정을 표현하는 예술.

музыка

Искусство, воплощающееся в звуках голоса или музыкальных инструментов, исполняющих определённую мелодию под соответствующий ритм, и через которые выражаются мысли, чувства, эмоции.

이 : 어떤 상태나 상황의 대상이나 동작의 주체를 나타내는 조사.

нет эквивалента

Частица, показывающая какое-либо состояние, объект ситуации или субъект действия.

흐르다 (глагол) : 빛, 소리, 향기 등이 부드럽게 퍼지다.

струиться; сочиться; протягиваться

Слегка распространяться (о свете, звуке, аромате и т.п.).

-면 : 뒤에 오는 말에 대한 근거나 조건이 됨을 나타내는 연결 어미.

нет эквивалента

Соединительное окончание предиката, присоединяющее придаточное условия, указывающее на то, что является обоснованием или условием того, о чем говорится во второй части предложения.

너+의 눈빛, 너+의 표정

너 (местоимение) : 듣는 사람이 친구나 아랫사람일 때, 그 사람을 가리키는 말.
ты
Употребляется при указании на собеседника, если он является ровесником или человеком, младшим по возрасту или статусу.

의 : 앞의 말이 뒤의 말에 대하여 소유, 소속, 소재, 관계, 기원, 주체의 관계를 가짐을 나타내는 조사.
нет эквивалента
Частица, указывающая на то, что в предыдущем слове содержится значение собственности, принадлежности, сырья, источника, основы в отношении последующего.

눈빛 (имя существительное) : 눈에 나타나는 감정.
нет эквивалента
Чувство, проглядывающееся во взгляде.

너 (местоимение) : 듣는 사람이 친구나 아랫사람일 때, 그 사람을 가리키는 말.
ты
Употребляется при указании на собеседника, если он является ровесником или человеком, младшим по возрасту или статусу.

의 : 앞의 말이 뒤의 말에 대하여 소유, 소속, 소재, 관계, 기원, 주체의 관계를 가짐을 나타내는 조사.
нет эквивалента
Частица, указывающая на то, что в предыдущем слове содержится значение собственности, принадлежности, сырья, источника, основы в отношении последующего.

표정 (имя существительное) : 마음속에 품은 감정이나 생각 등이 얼굴에 드러남. 또는 그런 모습.
выражение лица; чувство, выраженное на лице; мимика
Чувства или мысли, выраженные на лице; данное выражение лица.

나+의 가슴+이 살살 녹+아요.
내

나 (местоимение) : 말하는 사람이 친구나 아랫사람에게 자기를 가리키는 말.
я
Выражение, которым называют себя в разговоре с ровесниками или младшими людьми.

의 : 앞의 말이 뒤의 말에 대하여 소유, 소속, 소재, 관계, 기원, 주체의 관계를 가짐을 나타내는 조사.
нет эквивалента
Частица, указывающая на то, что в предыдущем слове содержится значение собственности, принадлежности, сырья, источника, основы в отношении последующего.

가슴 (имя существительное) : 마음이나 느낌.
грудь; сердце; душа
Душа или чувство.

이 : 어떤 상태나 상황의 대상이나 동작의 주체를 나타내는 조사.
нет эквивалента
Частица, показывающая какое-либо состояние, объект ситуации или субъект действия.

살살 (наречие) : 눈이나 설탕 등이 모르는 사이에 저절로 녹는 모양.
нет эквивалента
Образоподражательное слово, характеризующее действия, связанные с незаметным таянием снега или сахара и т.п.

녹다 (глагол) : 어떤 대상에게 몹시 반하거나 빠지다.
таять
Млеть, приходить в умилённое, разнеженное состояние.

-아요 : (두루높임으로) 어떤 사실을 서술하거나 질문, 명령, 권유함을 나타내는 종결 어미.
нет эквивалента
(нейтрально-вежливый стиль) Финитное окончание предиката в повествовательном, вопросительном или побудительном предложении.

< 3 절(куплет) >

우리 둘+이 부르+는 이 노래

우리 (местоимение) : 말하는 사람이 자기보다 높지 않은 사람에게 자기를 포함한 여러 사람들을 가리키는 말.
мы; наш
Слово, указывающее на несколько человек, включая говорящего (себя) и собеседника, если он не намного старше или выше по социальному статусу.

둘 (имя числительное) : 하나에 하나를 더한 수.
два
Число, полученное путём прибавления одного к одному.

이 : 어떤 상태나 상황의 대상이나 동작의 주체를 나타내는 조사.
нет эквивалента
Частица, показывающая какое-либо состояние, объект ситуации или субъект действия.

부르다 (глагол) : 곡조에 따라 노래하다.
петь
Исполнять голосом какой-либо музыкальный мотив.

-는 : 앞의 말이 관형어의 기능을 하게 만들고 사건이나 동작이 현재 일어남을 나타내는 어미.
нет эквивалента
Окончание, которое указывает на действие или событие в настоящем, преобразуя впереди стоящее слово, словосочетание или придаточное предложение в определение.

이 (атрибутивное слово) : 말하는 사람에게 가까이 있거나 말하는 사람이 생각하고 있는 대상을 가리킬 때 쓰는 말.
этот; это
Слово, указывающее на что-либо, находящееся возле говорящего, или на то, о чём он думает.

노래 (имя существительное) : 운율에 맞게 지은 가사에 곡을 붙인 음악. 또는 그런 음악을 소리 내어 부름.
песня
Сочетание слов и музыки; а также напевание этой мелодии вслух.

우리 둘+만 알(아)+는 이 노래
아는

우리 (местоимение) : 말하는 사람이 자기보다 높지 않은 사람에게 자기를 포함한 여러 사람들을 가리키는 말.
мы; наш
Слово, указывающее на несколько человек, включая говорящего (себя) и собеседника, если он не намного старше или выше по социальному статусу.

둘 (имя числительное) : 하나에 하나를 더한 수.
два
Число, полученное путём прибавления одного к одному.

만 : 다른 것은 제외하고 어느 것을 한정함을 나타내는 조사.
только; просто; исключительно; единственно
Частица, указывающая на ограничение в чём-либо и исключение чего-либо.

알다 (глагол) : 교육이나 경험, 생각 등을 통해 사물이나 상황에 대한 정보 또는 지식을 갖추다.
знать
Владеть информацией или знаниями о предметах или ситуации через обучение, опыт, размышление и т.п.

-는 : 앞의 말이 관형어의 기능을 하게 만들고 사건이나 동작이 현재 일어남을 나타내는 어미.
нет эквивалента
Окончание, которое указывает на действие или событие в настоящем, преобразуя впереди стоящее слово, словосочетание или придаточное предложение в определение.

이 (атрибутивное слово) : 말하는 사람에게 가까이 있거나 말하는 사람이 생각하고 있는 대상을 가리킬 때 쓰는 말.

этот; это

Слово, указывающее на что-либо, находящееся возле говорящего, или на то, о чём он думает.

노래 (имя существительное) : 운율에 맞게 지은 가사에 곡을 붙인 음악. 또는 그런 음악을 소리 내어 부름.

песня

Сочетание слов и музыки; а также напевание этой мелодии вслух.

우리 둘+이 영원히 함께 부르(불ㄹ)+어요.
불러요

우리 (местоимение) : 말하는 사람이 자기보다 높지 않은 사람에게 자기를 포함한 여러 사람들을 가리키는 말.

мы; наш

Слово, указывающее на несколько человек, включая говорящего (себя) и собеседника, если он не намного старше или выше по социальному статусу.

둘 (имя числительное) : 하나에 하나를 더한 수.

два

Число, полученное путём прибавления одного к одному.

이 : 어떤 상태나 상황의 대상이나 동작의 주체를 나타내는 조사.

нет эквивалента

Частица, показывающая какое-либо состояние, объект ситуации или субъект действия.

영원히 (наречие) : 끝없이 이어지는 상태로. 또는 언제까지나 변하지 않는 상태로.

навеки; вечно

Бесконечно продолжаясь. А также навечно неизменно.

함께 (наречие) : 여럿이서 한꺼번에 같이.

вместе; вместе с кем-чем

Все вместе, сообща.

부르다 (глагол) : 곡조에 따라 노래하다.

петь

Исполнять голосом какой-либо музыкальный мотив.

-어요 : (두루높임으로) 어떤 사실을 서술하거나 질문, 명령, 권유함을 나타내는 종결 어미.

нет эквивалента

(нейтрально-вежливый стиль) Финитное окончание предиката в повествовательном, вопр осительном или побудительном предложении.

이 음표+에 우리 사랑 싣+고

이 (атрибутивное слово) : 말하는 사람에게 가까이 있거나 말하는 사람이 생각하고 있는 대상을 가리킬 때 쓰는 말.

этот; это

Слово, указывающее на что-либо, находящееся возле говорящего, или на то, о чём он д умает.

음표 (имя существительное) : 악보에서 음의 길이와 높낮이를 나타내는 기호.

нота

Знак в музыкальной партитуре, который указывает длительность и высоту звука.

에 : 앞말이 어떤 행위나 작용이 미치는 대상임을 나타내는 조사.

нет эквивалента

Окончание, указывающее на объект какого-либо действия, чувства и т.п.

우리 (местоимение) : 말하는 사람이 자기보다 높지 않은 사람에게 자기를 포함한 여러 사람들을 가리키는 말.

мы; наш

Слово, указывающее на несколько человек, включая говорящего (себя) и собеседника, ес ли он не намного старше или выше по социальному статусу.

사랑 (имя существительное) : 상대에게 성적으로 매력을 느껴 열렬히 좋아하는 마음.

любовь

Чувство бережного отношения и пылкости друг к другу между женщиной и мужчиной.

싣다 (глагол) : 어떤 현상이나 뜻을 나타내거나 담다.

отражать; проявлять; наполнять; нести с собой

Выявлять или содержать какое-либо явление, смысл и т.п.

-고 : 앞의 말이 나타내는 행동이나 그 결과가 뒤에 오는 행동이 일어나는 동안에 그대로 지속됨을 나타내는 연결 어미.

нет эквивалента

Соединительное окончание предиката, указывающее на продолжение действия, описанно го в первой части предложения, или на сохранение результата данного действия в тече ние времени выполнения действия, описанного во второй части предложения.

높+고 낮+게 길+고 짧+은 리듬

높다 (имя прилагательное) : 소리가 음의 차례에서 위쪽이거나 진동수가 크다.
высокий; возвышенный; повышенный
Высокий по звучанию или имеющий высокую частоту колебаний (о звуке, голосе и т.п.).

-고 : 두 가지 이상의 대등한 사실을 나열할 때 쓰는 연결 어미.
нет эквивалента
Соединительное окончание предиката, используемое при перечислении двух и более равноправных фактов.

낮다 (имя прилагательное) : 소리가 음의 차례에서 아래쪽이거나 진동수가 작다.
низкий; тихий; негромкий
Низкий по звучанию или имеющий низкую частоту колебаний (о звуке, голосе и т.п.).

-게 : 앞의 말이 뒤에서 가리키는 일의 목적이나 결과, 방식, 정도 등이 됨을 나타내는 연결 어미.
нет эквивалента
Соединительное окончание предиката, указывающее на то, описанное в первой части предложения действие или состояние является целью, результатом, образом действия, степенью и т.п. того, о чём говорится в последующей главной части предложения.

길다 (имя прилагательное) : 한 때에서 다음의 한 때까지 이어지는 시간이 오래다.
длительный; продолжительный; долгий
Продолжительный (о промежутке времени от одного момента до другого).

-고 : 두 가지 이상의 대등한 사실을 나열할 때 쓰는 연결 어미.
нет эквивалента
Соединительное окончание предиката, используемое при перечислении двух и более равноправных фактов.

짧다 (имя прилагательное) : 한 때에서 다른 때까지의 동안이 오래지 않다.
недолгий; короткий
Недолгий во временном промежутке.

-은 : 앞의 말이 관형어의 기능을 하게 만들고 현재의 상태를 나타내는 어미.
нет эквивалента
Окончание, которое указывает на состояние лица или предмета в настоящем, преобразуя впередистоящее слово, словосочетание или придаточное предложение в определение.

리듬 (имя существительное) : 소리의 높낮이, 길이, 세기 등이 일정하게 반복되는 것.
ритм
Равномерное чередование высоты, длины, силы звука и т.п.

이 가락+에 밤새+도록 취하+[여 보]+아요.
취해 봐요

이 (атрибутивное слово) : 말하는 사람에게 가까이 있거나 말하는 사람이 생각하고 있는 대상을 가리킬 때 쓰는 말.
этот; это
Слово, указывающее на что-либо, находящееся возле говорящего, или на то, о чём он думает.

가락 (имя существительное) : 음악에서 음의 높낮이의 흐름.
мелодия; мотив; ритм
Ряд звуков разной высоты в музыке.

에 : 앞말이 어떤 행위나 감정 등의 대상임을 나타내는 조사.
нет эквивалента
Окончание, указывающее на объект какого-либо действия, чувства и т.п.

밤새다 (глагол) : 밤이 지나 아침이 오다.
до рассвета; всю ночь напролёт
От заката до рассвета.

-도록 : 앞에 오는 말이 뒤에 오는 말에 대한 목적이나 결과, 방식, 정도임을 나타내는 연결 어미.
нет эквивалента
Соединительное окончание предиката, указывающее на то, что содержание первой части предложения является целью, результатом, способом или мерой того, что описано во второй части предложения.

취하다 (глагол) : 무엇에 매우 깊이 빠져 마음을 빼앗기다.
опьянеть
Лишиться разума от сильного влияния чего-либо.

-여 보다 : 앞의 말이 나타내는 행동을 시험 삼아 함을 나타내는 표현.
нет эквивалента
Выражение, указывающее на пробу или попытку совершить какое-либо действие.

-아요 : (두루높임으로) 어떤 사실을 서술하거나 질문, 명령, 권유함을 나타내는 종결 어미.
нет эквивалента
(нейтрально-вежливый стиль) Финитное окончание предиката в повествовательном, вопросительном или побудительном предложении.

< 8 >

최고야

너는 최고야.
(ты лучший.)

[발음(произношение)]

< 1 절(куплет) >

엄마, 치킨 먹고 싶어.
엄마, 치킨 먹꼬 시퍼.
eomma, chikin meokgo sipeo.

아빠, 피자 먹고 싶어.
아빠, 피자 먹꼬 시퍼.
appa, pija meokgo sipeo.

치킨 먹고 싶어.
치킨 먹꼬 시퍼.
chikin meokgo sipeo.

피자 먹고 싶어.
피자 먹꼬 시퍼.
pija meokgo sipeo.

시켜 줘, 시켜 줘.
시켜 줘, 시켜 줘.
sikyeo jwo, sikyeo jwo.

전부 시켜 줘.
전부 시켜 줘.
jeonbu sikyeo jwo.

시켜, 뭐든지 시켜.
시켜, 뭐든지 시켜.
sikyeo, mwodeunji sikyeo.

시켜, 전부 다 시켜.
시켜, 전부 다 시켜.
sikyeo, jeonbu da sikyeo.

먹고 싶은 거, 맛보고 싶은 거 전부 다 시켜.
먹꼬 시픈 거, 맏뽀고 시픈 거 전부 다 시켜.
meokgo sipeun geo, matbogo sipeun geo jeonbu da sikyeo.

엄만 언제나 최고야.
엄만 언제나 최고야.
eomman eonjena choegoya.

최고, 최고, 최고
최고, 최고, 최고
choego, choego, choego

아빤 언제나 최고야.
아빤 언제나 최고야.
appan eonjena choegoya.

최고, 최고, 아빠 최고.
최고, 최고, 아빠 최고.
choego, choego, appa choego.

엄마 최고, 아빠 최고, 엄마 최고, 아빠 최고.
엄마 최고, 아빠 최고, 엄마 최고, 아빠 최고.
eomma choego, appa choego, eomma choego, appa choego.

< 2 절(куплет) >

언니, 햄버거 먹고 싶어.
언니, 햄버거 먹꼬 시퍼.
eonni, haembeogeo meokgo sipeo.

오빠, 돈가스 먹고 싶어.
오빠, 돈가스 먹꼬 시퍼.
oppa, dongaseu meokgo sipeo.

햄버거 먹고 싶어.
햄버거 먹꼬 시퍼.
haembeogeo meokgo sipeo.

돈가스 먹고 싶어.
돈가스 먹꼬 시퍼.
dongaseu meokgo sipeo.

시켜 줘, 시켜 줘.
시켜 줘, 시켜 줘.
sikyeo jwo, sikyeo jwo.

전부 시켜 줘.
전부 시켜 줘.
jeonbu sikyeo jwo.

시켜, 뭐든지 시켜.
시켜, 뭐든지 시켜.
sikyeo, mwodeunji sikyeo.

시켜, 전부 다 시켜.
시켜, 전부 다 시켜.
sikyeo, jeonbu da sikyeo.

먹고 싶은 거, 맛보고 싶은 거 전부 다 시켜.
먹꼬 시픈 거, 맏뽀고 시픈 거 전부 다 시켜.
meokgo sipeun geo, matbogo sipeun geo jeonbu da sikyeo.

초밥도, 짜장면도, 짬뽕도, 탕수육도, 떡볶이도, 순대도, 김밥도, 냉면도.
초밥또, 짜장면도, 짬뽕도, 탕수육또, 떡뽀끼도, 순대도, 김밥또, 냉면도.
chobapdo, jjajangmyeondo, jjamppongdo, tangsuyukdo, tteokbokkido, sundaedo, gimbapdo, naengmyeondo.

시켜, 시켜, 뭐든지 시켜.
시켜, 시켜, 뭐든지 시켜.
sikyeo, sikyeo, mwodeunji sikyeo.

먹고 싶은 거 다 시켜.
먹꼬 시픈 거 다 시켜.
meokgo sipeun geo da sikyeo.

뭐든지 다 시켜 줄게.
뭐든지 다 시켜 줄께.
mwodeunji da sikyeo julge.

전부 다 시켜 줄게.
전부 다 시켜 줄께.
jeonbu da sikyeo julge.

언닌 언제나 최고야.
언닌 언제나 최고야.
eonnin eonjena choegoya.

최고, 최고, 최고.
최고, 최고, 최고.
choego, choego, choego.

오빤 언제나 최고야.
오빤 언제나 최고야.
oppan eonjena choegoya.

최고, 최고, 오빠 최고.
최고, 최고, 오빠 최고.
choego, choego, oppa choego.

엄마가 최고야, 엄마 최고.
엄마가 최고야, 엄마 최고.
eommaga choegoya, eomma choego.

아빠가 최고야, 아빠 최고.
아빠가 최고야, 아빠 최고.
appaga choegoya, appa choego.

최고, 최고, 언니 최고.
최고, 최고, 언니 최고.
choego, choego, eonni choego.

오빠가 최고야, 오빠 최고.
오빠가 최고야, 오빠 최고.
oppaga choegoya, oppa choego.

< 1 절(куплет) >

엄마, 치킨 먹+[고 싶]+어.

엄마 (имя существительное) : 격식을 갖추지 않아도 되는 상황에서 어머니를 이르거나 부르는 말.
мама; мамочка; мамуля
Слово, употребляемое при обращении к матери или её упоминании в ситуации, не требующей соблюдения формальностей.

치킨 (имя существительное) : 토막을 낸 닭에 밀가루 등을 묻혀 기름에 튀기거나 구운 음식.
чикин; курица в кляре
Блюдо из курицы, которую нарезают на куски и, обволакивая в муке, обжаривают в масле.

먹다 (глагол) : 음식 등을 입을 통하여 배 속에 들여보내다.
есть; кушать
Принимать пищу во внутрь посредством ротовой полости.

-고 싶다 : 앞의 말이 나타내는 행동을 하기를 원함을 나타내는 표현.
хотеть (что-либо делать)
Выражение, указывающее на желание говорящего совершить какое-либо действие.

-어 : (두루낮춤으로) 어떤 사실을 서술하거나 물음, 명령, 권유를 나타내는 종결 어미.
нет эквивалента
(нейтральный стиль) Финитное окончание предиката в повествовательном, вопросительном или побудительном предложении. <изложение>

아빠, 피자 먹+[고 싶]+어.

아빠 (имя существительное) : 격식을 갖추지 않아도 되는 상황에서 아버지를 이르거나 부르는 말.
папа
Слово, употребляемое при обращении к отцу или его упоминании в ситуации, не требую щей соблюдения формальностей.

피자 (имя существительное) : 이탈리아에서 유래한 것으로 둥글고 납작한 밀가루 반죽 위에 토마토, 고기, 치즈 등을 얹어 구운 음식.
пицца
Итальянское блюдо, состоящее из мучного теста круглой и плоской формы с положенными сверху помидорами, мясом, сыром и прочими продуктами и выпекаемое в печи.

먹다 (глагол) : 음식 등을 입을 통하여 배 속에 들여보내다.
есть; кушать
Принимать пищу во внутрь посредством ротовой полости.

-고 싶다 : 앞의 말이 나타내는 행동을 하기를 원함을 나타내는 표현.
хотеть (что-либо делать)
Выражение, указывающее на желание говорящего совершить какое-либо действие.

-어 : (두루낮춤으로) 어떤 사실을 서술하거나 물음, 명령, 권유를 나타내는 종결 어미.
нет эквивалента
(нейтральный стиль) Финитное окончание предиката в повествовательном, вопросительном или побудительном предложении. <изложение>

치킨 먹+[고 싶]+어.

치킨 (имя существительное) : 토막을 낸 닭에 밀가루 등을 묻혀 기름에 튀기거나 구운 음식.
чикин; курица в кляре
Блюдо из курицы, которую нарезают на куски и, обволакивая в муке, обжаривают в масле.

먹다 (глагол) : 음식 등을 입을 통하여 배 속에 들여보내다.
есть; кушать
Принимать пищу во внутрь посредством ротовой полости.

-고 싶다 : 앞의 말이 나타내는 행동을 하기를 원함을 나타내는 표현.
хотеть (что-либо делать)
Выражение, указывающее на желание говорящего совершить какое-либо действие.

-어 : (두루낮춤으로) 어떤 사실을 서술하거나 물음, 명령, 권유를 나타내는 종결 어미.
нет эквивалента
(нейтральный стиль) Финитное окончание предиката в повествовательном, вопросительном или побудительном предложении. <изложение>

피자 먹+[고 싶]+어.

피자 (имя существительное) : 이탈리아에서 유래한 것으로 둥글고 납작한 밀가루 반죽 위에 토마토, 고기, 치즈 등을 얹어 구운 음식.

пицца

Итальянское блюдо, состоящее из мучного теста круглой и плоской формы с положенными сверху помидорами, мясом, сыром и прочими продуктами и выпекаемое в печи.

먹다 (глагол) : 음식 등을 입을 통하여 배 속에 들여보내다.

есть; кушать

Принимать пищу во внутрь посредством ротовой полости.

-고 싶다 : 앞의 말이 나타내는 행동을 하기를 원함을 나타내는 표현.

хотеть (что-либо делать)

Выражение, указывающее на желание говорящего совершить какое-либо действие.

-어 : (두루낮춤으로) 어떤 사실을 서술하거나 물음, 명령, 권유를 나타내는 종결 어미.

нет эквивалента

(нейтральный стиль) Финитное окончание предиката в повествовательном, вопросительном или побудительном предложении. <изложение>

시키+[어 주]+어, 시키+[어 주]+어.
시켜 줘 시켜 줘

시키다 (глагол) : 음식이나 술, 음료 등을 주문하다.

заказывать; делать заказ

Заказывать еду, спиртное, напитки и т.п.

-어 주다 : 남을 위해 앞의 말이 나타내는 행동을 함을 나타내는 표현.

нет эквивалента

Выражение, указывающее на то, что описанное действие выполняется в интересах другого лица.

-어 : (두루낮춤으로) 어떤 사실을 서술하거나 물음, 명령, 권유를 나타내는 종결 어미.

нет эквивалента

(нейтральный стиль) Финитное окончание предиката в повествовательном, вопросительном или побудительном предложении. <приказ>

전부 시키+[어 주]+어.
시켜 줘

전부 (наречие) : 빠짐없이 다.
всё; полностью
Весь без исключения.

시키다 (глагол) : 음식이나 술, 음료 등을 주문하다.
заказывать; делать заказ
Заказывать еду, спиртное, напитки и т.п.

-어 주다 : 남을 위해 앞의 말이 나타내는 행동을 함을 나타내는 표현.
нет эквивалента
Выражение, указывающее на то, что описанное действие выполняется в интересах другого лица.

-어 : (두루낮춤으로) 어떤 사실을 서술하거나 물음, 명령, 권유를 나타내는 종결 어미.
нет эквивалента
(нейтральный стиль) Финитное окончание предиката в повествовательном, вопросительном или побудительном предложении. <приказ>

시키+어, 뭐+든지 시키+어.
시켜 시켜

시키다 (глагол) : 음식이나 술, 음료 등을 주문하다.
заказывать; делать заказ
Заказывать еду, спиртное, напитки и т.п.

-어 : (두루낮춤으로) 어떤 사실을 서술하거나 물음, 명령, 권유를 나타내는 종결 어미.
нет эквивалента
(нейтральный стиль) Финитное окончание предиката в повествовательном, вопросительном или побудительном предложении. <приказ>

뭐 (местоимение) : 정해지지 않은 대상이나 굳이 이름을 밝힐 필요가 없는 대상을 가리키는 말.
что
Используется для указания на неопределённый предмет или на предмет, который не нуждается в назывании.

든지 : 어느 것이 선택되어도 차이가 없음을 나타내는 조사.
нет эквивалента
Окончание, указывающее на отсутствие разницы в выборе чего-либо.

시키다 (глагол) : 음식이나 술, 음료 등을 주문하다.
заказывать; делать заказ
Заказывать еду, спиртное, напитки и т.п.

-어 : (두루낮춤으로) 어떤 사실을 서술하거나 물음, 명령, 권유를 나타내는 종결 어미.
нет эквивалента
(нейтральный стиль) Финитное окончание предиката в повествовательном, вопросительном или побудительном предложении. <приказ>

시키+어, 전부 다 시키+어.
시켜 시켜

시키다 (глагол) : 음식이나 술, 음료 등을 주문하다.
заказывать; делать заказ
Заказывать еду, спиртное, напитки и т.п.

-어 : (두루낮춤으로) 어떤 사실을 서술하거나 물음, 명령, 권유를 나타내는 종결 어미.
нет эквивалента
(нейтральный стиль) Финитное окончание предиката в повествовательном, вопросительном или побудительном предложении. <приказ>

전부 (наречие) : 빠짐없이 다.
всё; полностью
Весь без исключения.

다 (наречие) : 남거나 빠진 것이 없이 모두.
всё; все
Весь, полный, без изъятия, целиком.

시키다 (глагол) : 음식이나 술, 음료 등을 주문하다.
заказывать; делать заказ
Заказывать еду, спиртное, напитки и т.п.

-어 : (두루낮춤으로) 어떤 사실을 서술하거나 물음, 명령, 권유를 나타내는 종결 어미.
нет эквивалента
(нейтральный стиль) Финитное окончание предиката в повествовательном, вопросительном или побудительном предложении. <приказ>

먹+[고 싶]+[은 거], 맛보+[고 싶]+[은 거] 전부 다 시키+어.
시켜

먹다 (глагол) : 음식 등을 입을 통하여 배 속에 들여보내다.
есть; кушать
Принимать пищу во внутрь посредством ротовой полости.

-고 싶다 : 앞의 말이 나타내는 행동을 하기를 원함을 나타내는 표현.
хотеть (что-либо делать)
Выражение, указывающее на желание говорящего совершить какое-либо действие.

-은 거 : 명사가 아닌 것을 문장에서 명사처럼 쓰이게 하거나 '이다' 앞에 쓰일 수 있게 할 때 쓰는 표현.
нет эквивалента
Выражение, субстантивирующее предшествующее слово неименной части речи или группу слов, которое также может употребляться с глаголом-связкой '이다'.

맛보다 (глагол) : 음식의 맛을 알기 위해 먹어 보다.
пробовать
Пробовать что-либо для определения вкуса.

-고 싶다 : 앞의 말이 나타내는 행동을 하기를 원함을 나타내는 표현.
хотеть (что-либо делать)
Выражение, указывающее на желание говорящего совершить какое-либо действие.

-은 거 : 명사가 아닌 것을 문장에서 명사처럼 쓰이게 하거나 '이다' 앞에 쓰일 수 있게 할 때 쓰는 표현.
нет эквивалента
Выражение, субстантивирующее предшествующее слово неименной части речи или группу слов, которое также может употребляться с глаголом-связкой '이다'.

전부 (наречие) : 빠짐없이 다.
всё; полностью
Весь без исключения.

다 (наречие) : 남거나 빠진 것이 없이 모두.
всё; все
Весь, полный, без изъятия, целиком.

시키다 (глагол) : 음식이나 술, 음료 등을 주문하다.
заказывать; делать заказ
Заказывать еду, спиртное, напитки и т.п.

-어 : (두루낮춤으로) 어떤 사실을 서술하거나 물음, 명령, 권유를 나타내는 종결 어미.
нет эквивалента
(нейтральный стиль) Финитное окончание предиката в повествовательном, вопросительном или побудительном предложении. <приказ>

엄마+는 언제나 최고+(이)+야.

엄만 **최고야**

엄마 (имя существительное) : 격식을 갖추지 않아도 되는 상황에서 어머니를 이르거나 부르는 말.
мама; мамочка; мамуля
Слово, употребляемое при обращении к матери или её упоминании в ситуации, не требующей соблюдения формальностей.

는 : 문장 속에서 어떤 대상이 화제임을 나타내는 조사.
нет эквивалента
Частица, указывающая на то, что какой-либо объект является основной темой в предложении.

언제나 (наречие) : 어느 때에나. 또는 때에 따라 달라지지 않고 변함없이.
всегда; без изменений
В любое время. Или независимо от течения времени.

최고 (имя существительное) : 가장 좋거나 뛰어난 것.
наилучший; самый выдающийся
Превосходный в чем-либо.

이다 : 주어가 지시하는 대상의 속성이나 부류를 지정하는 뜻을 나타내는 서술격 조사.
нет эквивалента
Суффикс повествовательного падежа, выражающий смысл наименования свойства или разряда объекта, на который указывает подлежащее.

-야 : (두루낮춤으로) 어떤 사실에 대하여 서술하거나 물음을 나타내는 종결 어미.
нет эквивалента
(нейтральный стиль) Финитное окончание предиката в повествовательном или вопросительном предложении. <изложение>

최고, 최고, 최고.

최고 (имя существительное) : 가장 좋거나 뛰어난 것.
наилучший; самый выдающийся
Превосходный в чем-либо.

아빠+는 언제나 최고+(이)+야.

아빤 **최고야**

아빠 (имя существительное) : 격식을 갖추지 않아도 되는 상황에서 아버지를 이르거나 부르는 말.
папа
Слово, употребляемое при обращении к отцу или его упоминании в ситуации, не требующей соблюдения формальностей.

는 : 문장 속에서 어떤 대상이 화제임을 나타내는 조사.
нет эквивалента
Частица, указывающая на то, что какой-либо объект является основной темой в предложении.

언제나 (наречие) : 어느 때에나. 또는 때에 따라 달라지지 않고 변함없이.
всегда; без изменений
В любое время. Или независимо от течения времени.

최고 (имя существительное) : 가장 좋거나 뛰어난 것.
наилучший; самый выдающийся
Превосходный в чем-либо.

이다 : 주어가 지시하는 대상의 속성이나 부류를 지정하는 뜻을 나타내는 서술격 조사.
нет эквивалента
Суффикс повествовательного падежа, выражающий смысл наименования свойства или разряда объекта, на который указывает подлежащее.

-야 : (두루낮춤으로) 어떤 사실에 대하여 서술하거나 물음을 나타내는 종결 어미.
нет эквивалента
(нейтральный стиль) Финитное окончание предиката в повествовательном или вопросительном предложении. <изложение>

최고, 최고, 아빠 최고.

최고 (имя существительное) : 가장 좋거나 뛰어난 것.
наилучший; самый выдающийся
Превосходный в чем-либо.

아빠 (имя существительное) : 격식을 갖추지 않아도 되는 상황에서 아버지를 이르거나 부르는 말.
папа
Слово, употребляемое при обращении к отцу или его упоминании в ситуации, не требующей соблюдения формальностей.

최고 (имя существительное) : 가장 좋거나 뛰어난 것.
наилучший; самый выдающийся
Превосходный в чем-либо.

엄마 최고, 아빠 최고, 엄마 최고, 아빠 최고.

엄마 (имя существительное) : 격식을 갖추지 않아도 되는 상황에서 어머니를 이르거나 부르는 말.
мама; мамочка; мамуля
Слово, употребляемое при обращении к матери или её упоминании в ситуации, не требующей соблюдения формальностей.

최고 (имя существительное) : 가장 좋거나 뛰어난 것.
наилучший; самый выдающийся
Превосходный в чем-либо.

아빠 (имя существительное) : 격식을 갖추지 않아도 되는 상황에서 아버지를 이르거나 부르는 말.
папа
Слово, употребляемое при обращении к отцу или его упоминании в ситуации, не требующей соблюдения формальностей.

최고 (имя существительное) : 가장 좋거나 뛰어난 것.
наилучший; самый выдающийся
Превосходный в чем-либо.

< 2 절(куплет) >

언니, 햄버거 먹+[고 싶]+어.

언니 (имя существительное) : 여자가 형제나 친척 형제들 중에서 자기보다 나이가 많은 여자를 이르거나 부르는 말.
старшая сестра
Слово, употребляемое женщиной при обращении к женщине, старшей по возрасту, среди родных или находящихся в родственных отношениях сестёр или её упоминании.

햄버거 (имя существительное) : 둥근 빵 사이에 고기와 채소와 치즈 등을 끼운 음식.
гамбургер
Кушанье из котлеты, овощей, сыра и других продуктов, выложенных внутри разрезанной булки.

먹다 (глагол) : 음식 등을 입을 통하여 배 속에 들여보내다.
есть; кушать
Принимать пищу во внутрь посредством ротовой полости.

-고 싶다 : 앞의 말이 나타내는 행동을 하기를 원함을 나타내는 표현.
хотеть (что-либо делать)
Выражение, указывающее на желание говорящего совершить какое-либо действие.

-어 : (두루낮춤으로) 어떤 사실을 서술하거나 물음, 명령, 권유를 나타내는 종결 어미.
нет эквивалента
(нейтральный стиль) Финитное окончание предиката в повествовательном, вопросительном или побудительном предложении. <изложение>

오빠, 돈가스 먹+[고 싶]+어.

오빠 (имя существительное) : 여자가 형제나 친척 형제들 중에서 자기보다 나이가 많은 남자를 이르거나 부르는 말.
старший брат (для женщины)
Слово, которое обозначает или которым называют женщины старшего родного или состоящего в родственных отношениях брата.

돈가스 (имя существительное) : 도톰하게 썬 돼지고기를 양념하여 빵가루를 묻히고 기름에 튀긴 음식.
свиная котлета
Блюдо из свинины, которую нарезают на кусочки, заправляют и прожаривают на масле, обваляв в пшеничной муке.

먹다 (глагол) : 음식 등을 입을 통하여 배 속에 들여보내다.
есть; кушать
Принимать пищу во внутрь посредством ротовой полости.

-고 싶다 : 앞의 말이 나타내는 행동을 하기를 원함을 나타내는 표현.
хотеть (что-либо делать)
Выражение, указывающее на желание говорящего совершить какое-либо действие.

-어 : (두루낮춤으로) 어떤 사실을 서술하거나 물음, 명령, 권유를 나타내는 종결 어미.
нет эквивалента
(нейтральный стиль) Финитное окончание предиката в повествовательном, вопросительном или побудительном предложении. <изложение>

햄버거 먹+[고 싶]+어.

햄버거 (имя существительное) : 둥근 빵 사이에 고기와 채소와 치즈 등을 끼운 음식.
гамбургер
Кушанье из котлеты, овощей, сыра и других продуктов, выложенных внутри разрезанной булки.

먹다 (глагол) : 음식 등을 입을 통하여 배 속에 들여보내다.
есть; кушать
Принимать пищу во внутрь посредством ротовой полости.

-고 싶다 : 앞의 말이 나타내는 행동을 하기를 원함을 나타내는 표현.
хотеть (что-либо делать)
Выражение, указывающее на желание говорящего совершить какое-либо действие.

-어 : (두루낮춤으로) 어떤 사실을 서술하거나 물음, 명령, 권유를 나타내는 종결 어미.
нет эквивалента
(нейтральный стиль) Финитное окончание предиката в повествовательном, вопросительном или побудительном предложении. <изложение>

돈가스 먹+[고 싶]+어.

돈가스 (имя существительное) : 도톰하게 썬 돼지고기를 양념하여 빵가루를 묻히고 기름에 튀긴 음식.
свиная котлета
Блюдо из свинины, которую нарезают на кусочки, заправляют и прожаривают на масле, обваляв в пшеничной муке.

먹다 (глагол) : 음식 등을 입을 통하여 배 속에 들여보내다.
есть; кушать
Принимать пищу во внутрь посредством ротовой полости.

-고 싶다 : 앞의 말이 나타내는 행동을 하기를 원함을 나타내는 표현.
хотеть (что-либо делать)
Выражение, указывающее на желание говорящего совершить какое-либо действие.

-어 : (두루낮춤으로) 어떤 사실을 서술하거나 물음, 명령, 권유를 나타내는 종결 어미.
нет эквивалента
(нейтральный стиль) Финитное окончание предиката в повествовательном, вопросительном или побудительном предложении. <изложение>

시키+[어 주]+어, 시키+[어 주]+어.
시켜 줘 시켜 줘

시키다 (глагол) : 음식이나 술, 음료 등을 주문하다.
заказывать; делать заказ
Заказывать еду, спиртное, напитки и т.п.

-어 주다 : 남을 위해 앞의 말이 나타내는 행동을 함을 나타내는 표현.
нет эквивалента
Выражение, указывающее на то, что описанное действие выполняется в интересах другого лица.

-어 : (두루낮춤으로) 어떤 사실을 서술하거나 물음, 명령, 권유를 나타내는 종결 어미.
нет эквивалента
(нейтральный стиль) Финитное окончание предиката в повествовательном, вопросительном или побудительном предложении. <приказ>

전부 시키+[어 주]+어.
시켜 줘

전부 (наречие) : 빠짐없이 다.
всё; полностью
Весь без исключения.

시키다 (глагол) : 음식이나 술, 음료 등을 주문하다.
заказывать; делать заказ
Заказывать еду, спиртное, напитки и т.п.

-어 주다 : 남을 위해 앞의 말이 나타내는 행동을 함을 나타내는 표현.
нет эквивалента
Выражение, указывающее на то, что описанное действие выполняется в интересах другого лица.

-어 : (두루낮춤으로) 어떤 사실을 서술하거나 물음, 명령, 권유를 나타내는 종결 어미.
нет эквивалента
(нейтральный стиль) Финитное окончание предиката в повествовательном, вопросительном или побудительном предложении. <приказ>

시키+어, 뭐+든지 시키+어.
시켜 시켜

시키다 (глагол) : 음식이나 술, 음료 등을 주문하다.
заказывать; делать заказ
Заказывать еду, спиртное, напитки и т.п.

-어 : (두루낮춤으로) 어떤 사실을 서술하거나 물음, 명령, 권유를 나타내는 종결 어미.
нет эквивалента
(нейтральный стиль) Финитное окончание предиката в повествовательном, вопросительном или побудительном предложении. <приказ>

뭐 (местоимение) : 정해지지 않은 대상이나 굳이 이름을 밝힐 필요가 없는 대상을 가리키는 말.
что
Используется для указания на неопределённый предмет или на предмет, который не нуждается в назывании.

듣지 : 어느 것이 선택되어도 차이가 없음을 나타내는 조사.
нет эквивалента
Окончание, указывающее на отсутствие разницы в выборе чего-либо.

시키다 (глагол) : 음식이나 술, 음료 등을 주문하다.
заказывать; делать заказ
Заказывать еду, спиртное, напитки и т.п.

-어 : (두루낮춤으로) 어떤 사실을 서술하거나 물음, 명령, 권유를 나타내는 종결 어미.
нет эквивалента
(нейтральный стиль) Финитное окончание предиката в повествовательном, вопросительном или побудительном предложении. <приказ>

시키+어, 전부 다 시키+어.
시켜 시켜

시키다 (глагол) : 음식이나 술, 음료 등을 주문하다.
заказывать; делать заказ
Заказывать еду, спиртное, напитки и т.п.

-어 : (두루낮춤으로) 어떤 사실을 서술하거나 물음, 명령, 권유를 나타내는 종결 어미.
нет эквивалента
(нейтральный стиль) Финитное окончание предиката в повествовательном, вопросительном или побудительном предложении. <приказ>

전부 (наречие) : 빠짐없이 다.
всё; полностью
Весь без исключения.

다 (наречие) : 남거나 빠진 것이 없이 모두.
всё; все
Весь, полный, без изъятия, целиком.

시키다 (глагол) : 음식이나 술, 음료 등을 주문하다.
заказывать; делать заказ
Заказывать еду, спиртное, напитки и т.п.

-어 : (두루낮춤으로) 어떤 사실을 서술하거나 물음, 명령, 권유를 나타내는 종결 어미.
нет эквивалента
(нейтральный стиль) Финитное окончание предиката в повествовательном, вопросительном или побудительном предложении. <приказ>

먹+[고 싶]+[은 거], 맛보+[고 싶]+[은 거] 전부 다 시키+어.
시켜

먹다 (глагол) : 음식 등을 입을 통하여 배 속에 들여보내다.
есть; кушать
Принимать пищу во внутрь посредством ротовой полости.

-고 싶다 : 앞의 말이 나타내는 행동을 하기를 원함을 나타내는 표현.
хотеть (что-либо делать)
Выражение, указывающее на желание говорящего совершить какое-либо действие.

-은 거 : 명사가 아닌 것을 문장에서 명사처럼 쓰이게 하거나 '이다' 앞에 쓰일 수 있게 할 때 쓰는 표현.
нет эквивалента
Выражение, субстантивирующее предшествующее слово неименной части речи или группу слов, которое также может употребляться с глаголом-связкой '이다'.

맛보다 (глагол) : 음식의 맛을 알기 위해 먹어 보다.
пробовать
Пробовать что-либо для определения вкуса.

-고 싶다 : 앞의 말이 나타내는 행동을 하기를 원함을 나타내는 표현.
хотеть (что-либо делать)
Выражение, указывающее на желание говорящего совершить какое-либо действие.

-은 거 : 명사가 아닌 것을 문장에서 명사처럼 쓰이게 하거나 '이다' 앞에 쓰일 수 있게 할 때 쓰는 표현.
нет эквивалента
Выражение, субстантивирующее предшествующее слово неименной части речи или группу слов, которое также может употребляться с глаголом-связкой '이다'.

전부 (наречие) : 빠짐없이 다.
всё; полностью
Весь без исключения.

다 (наречие) : 남거나 빠진 것이 없이 모두.
всё; все
Весь, полный, без изъятия, целиком.

시키다 (глагол) : 음식이나 술, 음료 등을 주문하다.
заказывать; делать заказ
Заказывать еду, спиртное, напитки и т.п.

-어 : (두루낮춤으로) 어떤 사실을 서술하거나 물음, 명령, 권유를 나타내는 종결 어미.
нет эквивалента
(нейтральный стиль) Финитное окончание предиката в повествовательном, вопросительном или побудительном предложении. <приказ>

초밥+도, 짜장면+도, 짬뽕+도, 탕수육+도.

초밥 (имя существительное) : 식초와 소금으로 간을 하여 작게 뭉친 흰밥에 생선을 얹거나 김, 유부 등으로 싸서 만든 일본 음식.
Суши
японское блюдо, приготовленное из белого риса, приправленного уксусом и солью, сформированного в небольшие удлинённые комочки, сверху которых кладётся кусочек сырой рыбы, также такой рис может заворачиваться в сушённую листовую морскую капусту ким, жаренный тофу и т.п.

도 : 둘 이상의 것을 나열함을 나타내는 조사.
нет эквивалента
Частица, указывающая на перечисление чего-либо в количестве более двух.

짜장면 (имя существительное) : 중국식 된장에 고기와 채소 등을 넣어 볶은 양념에 면을 비벼 먹는 음식.
ччаджанмён
Лапша, заправленная густым черным китайским соевым соусом с добавлением обжаренного мяса, овощей и других ингредиентов.

도 : 둘 이상의 것을 나열함을 나타내는 조사.
нет эквивалента
Частица, указывающая на перечисление чего-либо в количестве более двух.

짬뽕 (имя существительное) : 여러 가지 해물과 야채를 볶고 매콤한 국물을 부어 만든 중국식 국수.
нет эквивалента
Китайская лапша со сладковатым бульоном, приготовленная из морепродуктов и овощей.

도 : 둘 이상의 것을 나열함을 나타내는 조사.
нет эквивалента
Частица, указывающая на перечисление чего-либо в количестве более двух.

탕수육 (имя существительное) : 튀김옷을 입혀 튀긴 고기에 식초, 간장, 설탕, 채소 등을 넣고 끓인 녹말 물을 부어 만든 중국요리.
нет эквивалента
Блюдо китайской кухни, приготовленное из свинины в кляре с овощами в кисло-сладком соусе.

도 : 둘 이상의 것을 나열함을 나타내는 조사.
нет эквивалента
Частица, указывающая на перечисление чего-либо в количестве более двух.

떡볶이+도, 순대+도, 김밥+도, 냉면+도.

떡볶이 (имя существительное) : 적당히 자른 가래떡에 간장이나 고추장 등의 양념과 여러 가지 채소를 넣고 볶은 음식.
ттокпокки
Жареные рисовые хлебцы в остром соусе со специями.

도 : 둘 이상의 것을 나열함을 나타내는 조사.
нет эквивалента
Частица, указывающая на перечисление чего-либо в количестве более двух.

순대 (имя существительное) : 당면, 두부, 찹쌀 등을 양념하여 돼지의 창자 속에 넣고 찐 음식.
сундэ
Блюдо из свиной кишки, начинённой массой из крахмальной лапши, соевого творога, клейкого риса и т.п. с приправами, которое готовится на пару.

도 : 둘 이상의 것을 나열함을 나타내는 조사.
нет эквивалента
Частица, указывающая на перечисление чего-либо в количестве более двух.

김밥 (имя существительное) : 밥과 여러 가지 반찬을 김으로 말아 싸서 썰어 먹는 음식.
кимбап
Блюдо из риса с овощной начинкой, завёрнутого в лист из сушёной морской капусты.

도 : 둘 이상의 것을 나열함을 나타내는 조사.
нет эквивалента
Частица, указывающая на перечисление чего-либо в количестве более двух.

냉면 (имя существительное) : 국수를 냉국이나 김칫국 등에 말거나 고추장 양념에 비벼서 먹는 음식.
нэнмён
Лапша, приправленная острой перцовой пастой и подаваемая в холодном бульоне либо в бульоне из корейской квашеной капусты кимчхи.

도 : 둘 이상의 것을 나열함을 나타내는 조사.
нет эквивалента
Частица, указывающая на перечисление чего-либо в количестве более двух.

시키+어, 시키+어, 뭐+든지 시키+어.
시켜 시켜 시켜

시키다 (глагол) : 음식이나 술, 음료 등을 주문하다.
заказывать; делать заказ
Заказывать еду, спиртное, напитки и т.п.

-어 : (두루낮춤으로) 어떤 사실을 서술하거나 물음, 명령, 권유를 나타내는 종결 어미.
нет эквивалента
(нейтральный стиль) Финитное окончание предиката в повествовательном, вопросительном или побудительном предложении. <приказ>

뭐 (местоимение) : 정해지지 않은 대상이나 굳이 이름을 밝힐 필요가 없는 대상을 가리키는 말.
что
Используется для указания на неопределённый предмет или на предмет, который не нуждается в назывании.

든지 : 어느 것이 선택되어도 차이가 없음을 나타내는 조사.
нет эквивалента
Окончание, указывающее на отсутствие разницы в выборе чего-либо.

시키다 (глагол) : 음식이나 술, 음료 등을 주문하다.
заказывать; делать заказ
Заказывать еду, спиртное, напитки и т.п.

-어 : (두루낮춤으로) 어떤 사실을 서술하거나 물음, 명령, 권유를 나타내는 종결 어미.
нет эквивалента
(нейтральный стиль) Финитное окончание предиката в повествовательном, вопросительном или побудительном предложении. <приказ>

먹+[고 싶]+[은 거] 다 시키+어.
시켜

먹다 (глагол) : 음식 등을 입을 통하여 배 속에 들여보내다.
есть; кушать
Принимать пищу во внутрь посредством ротовой полости.

-고 싶다 : 앞의 말이 나타내는 행동을 하기를 원함을 나타내는 표현.
хотеть (что-либо делать)
Выражение, указывающее на желание говорящего совершить какое-либо действие.

-은 거 : 명사가 아닌 것을 문장에서 명사처럼 쓰이게 하거나 '이다' 앞에 쓰일 수 있게 할 때 쓰는 표현.
нет эквивалента
Выражение, субстантивирующее предшествующее слово неименной части речи или группу слов, которое также может употребляться с глаголом-связкой '이다'.

다 (наречие) : 남거나 빠진 것이 없이 모두.
всё; все
Весь, полный, без изъятия, целиком.

시키다 (глагол) : 음식이나 술, 음료 등을 주문하다.
заказывать; делать заказ
Заказывать еду, спиртное, напитки и т.п.

-어 : (두루낮춤으로) 어떤 사실을 서술하거나 물음, 명령, 권유를 나타내는 종결 어미.
нет эквивалента
(нейтральный стиль) Финитное окончание предиката в повествовательном, вопросительном или побудительном предложении. <приказ>

뭐+든지 다 시키+[어 주]+ㄹ게.
시켜 줄게

뭐 (местоимение) : 정해지지 않은 대상이나 굳이 이름을 밝힐 필요가 없는 대상을 가리키는 말.
что
Используется для указания на неопределённый предмет или на предмет, который не нуждается в назывании.

든지 : 어느 것이 선택되어도 차이가 없음을 나타내는 조사.
нет эквивалента
Окончание, указывающее на отсутствие разницы в выборе чего-либо.

다 (наречие) : 남거나 빠진 것이 없이 모두.
всё; все
Весь, полный, без изъятия, целиком.

시키다 (глагол) : 음식이나 술, 음료 등을 주문하다.
заказывать; делать заказ
Заказывать еду, спиртное, напитки и т.п.

-어 주다 : 남을 위해 앞의 말이 나타내는 행동을 함을 나타내는 표현.
нет эквивалента
Выражение, указывающее на то, что описанное действие выполняется в интересах другого лица.

-ㄹ게 : (두루낮춤으로) 말하는 사람이 어떤 행동을 할 것을 듣는 사람에게 약속하거나 의지를 나타내는 종결 어미.
нет эквивалента
(нейтральный стиль) Финитное окончание, указывающее на обещание или сообщение говорящим слушающему о своих будущих действиях.

전부 다 시키+[어 주]+ㄹ게.
시켜 줄게

전부 (наречие) : 빠짐없이 다.
всё; полностью
Весь без исключения.

다 (наречие) : 남거나 빠진 것이 없이 모두.
всё; все
Весь, полный, без изъятия, целиком.

시키다 (глагол) : 음식이나 술, 음료 등을 주문하다.
заказывать; делать заказ
Заказывать еду, спиртное, напитки и т.п.

-어 주다 : 남을 위해 앞의 말이 나타내는 행동을 함을 나타내는 표현.
нет эквивалента
Выражение, указывающее на то, что описанное действие выполняется в интересах другого лица.

-ㄹ게 : (두루낮춤으로) 말하는 사람이 어떤 행동을 할 것을 듣는 사람에게 약속하거나 의지를 나타내는 종결 어미.
нет эквивалента
(нейтральный стиль) Финитное окончание, указывающее на обещание или сообщение говорящим слушающему о своих будущих действиях.

언니+는 언제나 최고+(이)+야.
언닌 최고야

언니 (имя существительное) : 여자가 형제나 친척 형제들 중에서 자기보다 나이가 많은 여자를 이르거나 부르는 말.
старшая сестра
Слово, употребляемое женщиной при обращении к женщине, старшей по возрасту, среди родных или находящихся в родственных отношениях сестёр или её упоминании.

는 : 문장 속에서 어떤 대상이 화제임을 나타내는 조사.
нет эквивалента
Частица, указывающая на то, что какой-либо объект является основной темой в предложении.

언제나 (наречие) : 어느 때에나. 또는 때에 따라 달라지지 않고 변함없이.
всегда; без изменений
В любое время. Или независимо от течения времени.

최고 (имя существительное) : 가장 좋거나 뛰어난 것.
наилучший; самый выдающийся
Превосходный в чем-либо.

이다 : 주어가 지시하는 대상의 속성이나 부류를 지정하는 뜻을 나타내는 서술격 조사.
нет эквивалента
Суффикс повествовательного падежа, выражающий смысл наименования свойства или разряда объекта, на который указывает подлежащее.

-야 : (두루낮춤으로) 어떤 사실에 대하여 서술하거나 물음을 나타내는 종결 어미.
нет эквивалента
(нейтральный стиль) Финитное окончание предиката в повествовательном или вопросительном предложении. <изложение>

최고, 최고, 최고.

최고 (имя существительное) : 가장 좋거나 뛰어난 것.
наилучший; самый выдающийся
Превосходный в чем-либо.

오빠+는 언제나 최고+(이)+야.
오빤 최고야

오빠 (имя существительное) : 여자가 형제나 친척 형제들 중에서 자기보다 나이가 많은 남자를 이르거나 부르는 말.
старший брат (для женщины)
Слово, которое обозначает или которым называют женщины старшего родного или состоящего в родственных отношениях брата.

는 : 문장 속에서 어떤 대상이 화제임을 나타내는 조사.
нет эквивалента
Частица, указывающая на то, что какой-либо объект является основной темой в предложении.

언제나 (наречие) : 어느 때에나. 또는 때에 따라 달라지지 않고 변함없이.
всегда; без изменений
В любое время. Или независимо от течения времени.

최고 (имя существительное) : 가장 좋거나 뛰어난 것.
наилучший; самый выдающийся
Превосходный в чем-либо.

이다 : 주어가 지시하는 대상의 속성이나 부류를 지정하는 뜻을 나타내는 서술격 조사.
нет эквивалента
Суффикс повествовательного падежа, выражающий смысл наименования свойства или разряда объекта, на который указывает подлежащее.

-야 : (두루낮춤으로) 어떤 사실에 대하여 서술하거나 물음을 나타내는 종결 어미.
нет эквивалента
(нейтральный стиль) Финитное окончание предиката в повествовательном или вопросительном предложении. <изложение>

최고, 최고, 오빠 최고.

최고 (имя существительное) : 가장 좋거나 뛰어난 것.
наилучший; самый выдающийся
Превосходный в чем-либо.

오빠 (имя существительное) : 여자가 형제나 친척 형제들 중에서 자기보다 나이가 많은 남자를 이르거나 부르는 말.
старший брат (для женщины)
Слово, которое обозначает или которым называют женщины старшего родного или состоящего в родственных отношениях брата.

최고 (имя существительное) : 가장 좋거나 뛰어난 것.
наилучший; самый выдающийся
Превосходный в чем-либо.

엄마+가 최고+(이)+야, 엄마 최고.
최고야

엄마 (имя существительное) : 격식을 갖추지 않아도 되는 상황에서 어머니를 이르거나 부르는 말.
мама; мамочка; мамуля
Слово, употребляемое при обращении к матери или её упоминании в ситуации, не требующей соблюдения формальностей.

가 : 어떤 상태나 상황에 놓인 대상이나 동작의 주체를 나타내는 조사.
нет эквивалента
Окончание, указывающее на объект какой-либо ситуации, состояния или на лицо, выполняющее какое-либо действие.

최고 (имя существительное) : 가장 좋거나 뛰어난 것.
наилучший; самый выдающийся
Превосходный в чем-либо.

이다 : 주어가 지시하는 대상의 속성이나 부류를 지정하는 뜻을 나타내는 서술격 조사.
нет эквивалента
Суффикс повествовательного падежа, выражающий смысл наименования свойства или разряда объекта, на который указывает подлежащее.

-야 : (두루낮춤으로) 어떤 사실에 대하여 서술하거나 물음을 나타내는 종결 어미.
нет эквивалента
(нейтральный стиль) Финитное окончание предиката в повествовательном или вопросительном предложении. <изложение>

엄마 (имя существительное) : 격식을 갖추지 않아도 되는 상황에서 어머니를 이르거나 부르는 말.
мама; мамочка; мамуля
Слово, употребляемое при обращении к матери или её упоминании в ситуации, не требующей соблюдения формальностей.

최고 (имя существительное) : 가장 좋거나 뛰어난 것.
наилучший; самый выдающийся
Превосходный в чем-либо.

아빠+가 최고+(이)+야, 아빠 최고.
최고야

아빠 (имя существительное) : 격식을 갖추지 않아도 되는 상황에서 아버지를 이르거나 부르는 말.
папа
Слово, употребляемое при обращении к отцу или его упоминании в ситуации, не требующей соблюдения формальностей.

가 : 어떤 상태나 상황에 놓인 대상이나 동작의 주체를 나타내는 조사.
нет эквивалента
Окончание, указывающее на объект какой-либо ситуации, состояния или на лицо, выполняющее какое-либо действие.

최고 (имя существительное) : 가장 좋거나 뛰어난 것.
наилучший; самый выдающийся
Превосходный в чем-либо.

이다 : 주어가 지시하는 대상의 속성이나 부류를 지정하는 뜻을 나타내는 서술격 조사.
нет эквивалента
Суффикс повествовательного падежа, выражающий смысл наименования свойства или разряда объекта, на который указывает подлежащее.

-야 : (두루낮춤으로) 어떤 사실에 대하여 서술하거나 물음을 나타내는 종결 어미.
нет эквивалента
(нейтральный стиль) Финитное окончание предиката в повествовательном или вопросительном предложении. <изложение>

아빠 (имя существительное) : 격식을 갖추지 않아도 되는 상황에서 아버지를 이르거나 부르는 말.
папа
Слово, употребляемое при обращении к отцу или его упоминании в ситуации, не требующей соблюдения формальностей.

최고 (имя существительное) : 가장 좋거나 뛰어난 것.
наилучший; самый выдающийся
Превосходный в чем-либо.

최고, 최고, 언니 최고.

최고 (имя существительное) : 가장 좋거나 뛰어난 것.
наилучший; самый выдающийся
Превосходный в чем-либо.

언니 (имя существительное) : 여자가 형제나 친척 형제들 중에서 자기보다 나이가 많은 여자를 이르거나 부르는 말.

старшая сестра

Слово, употребляемое женщиной при обращении к женщине, старшей по возрасту, среди родных или находящихся в родственных отношениях сестёр или её упоминании.

최고 (имя существительное) : 가장 좋거나 뛰어난 것.

наилучший; самый выдающийся

Превосходный в чем-либо.

오빠+가 최고+(이)+야, 오빠 최고.
최고야

오빠 (имя существительное) : 여자가 형제나 친척 형제들 중에서 자기보다 나이가 많은 남자를 이르거나 부르는 말.

старший брат (для женщины)

Слово, которое обозначает или которым называют женщины старшего родного или состоящего в родственных отношениях брата.

가 : 어떤 상태나 상황에 놓인 대상이나 동작의 주체를 나타내는 조사.

нет эквивалента

Окончание, указывающее на объект какой-либо ситуации, состояния или на лицо, выполняющее какое-либо действие.

최고 (имя существительное) : 가장 좋거나 뛰어난 것.

наилучший; самый выдающийся

Превосходный в чем-либо.

이다 : 주어가 지시하는 대상의 속성이나 부류를 지정하는 뜻을 나타내는 서술격 조사.

нет эквивалента

Суффикс повествовательного падежа, выражающий смысл наименования свойства или разряда объекта, на который указывает подлежащее.

-야 : (두루낮춤으로) 어떤 사실에 대하여 서술하거나 물음을 나타내는 종결 어미.

нет эквивалента

(нейтральный стиль) Финитное окончание предиката в повествовательном или вопросительном предложении. <изложение>

오빠 (имя существительное) : 여자가 형제나 친척 형제들 중에서 자기보다 나이가 많은 남자를 이르거나 부르는 말.

старший брат (для женщины)

Слово, которое обозначает или которым называют женщины старшего родного или состоящего в родственных отношениях брата.

최고 (имя существительное) : 가장 좋거나 뛰어난 것.
наилучший; самый выдающийся
Превосходный в чем-либо.

< 9 >

어쩌라고?

나한테 어떻게 하라고?
(Что ты хочешь чтобы я сделал?)

[발음(произношение)]

< 1 절(куплет) >

가라고, 가라고, 가라고.
가라고, 가라고, 가라고.
garago, garago, garago.

보기 싫으니까 가라고, 가라고.
보기 시르니까 가라고, 가라고.
bogi sireunikka garago, garago.

알았어.
아라써.
arasseo.

나 갈게.
나 갈게.
na galge.

가란다고 진짜 가.
가란다고 진짜 가.
garandago jinjja ga.

알았어.
아라써.
arasseo.

안 갈게.
안 갈께.
an galge.

가라는데 왜 안 가?
가라는데 왜 안 가?
garaneunde wae an ga?

알았어.
아라써.
arasseo.

가면 되지.
가면 되지.
gamyeon doeji.

가라고 하면 안 가야지.
가라고 하면 안 가야지.
garago hamyeon an gayaji.

짜증 나, 짜증 나, 짜증 나.
짜증 나, 짜증 나, 짜증 나.
jjajeung na, jjajeung na, jjajeung na.

어쩌라고? 어쩌라고? 어쩌라고? 어쩌라고?
어쩌라고? 어쩌라고? 어쩌라고? 어쩌라고?
eojjeorago? eojjeorago? eojjeorago? eojjeorago?

도대체 나보고 어쩌라고?
도대체 나보고 어쩌라고?
dodaeche nabogo eojjeorago?

도대체 나보고 어쩌라고?
도대체 나보고 어쩌라고?
dodaeche nabogo eojjeorago?

도대체 나보고 어쩌라고?
도대체 나보고 어쩌라고?
dodaeche nabogo eojjeorago?

어쩌라고?
어쩌라고?
eojjeorago?

< 2 절(куплет) >

왜 안 가?
왜 안 가?
wae an ga?

왜 안 가?
왜 안 가?
wae an ga?

왜 안 가?
왜 안 가?
wae an ga?

가라는데 왜 안 가?
가라는데 왜 안 가?
garaneunde wae an ga?

왜 안 가?
왜 안 가?
wae an ga?

알았어.
아라써.
arasseo.

가면 되지.
가면 되지.
gamyeon doeji.

가란다고 진짜 가.
가란다고 진짜 가.
garandago jinjja ga.

가라는데 왜 안 가?
가라는데 왜 안 가?
garaneunde wae an ga?

가도 화내.
가도 화내.
gado hwanae.

안 가도 화내.
안 가도 화내.
an gado hwanae.

짜증 나, 짜증 나, 짜증 나.
짜증 나, 짜증 나, 짜증 나.
jjajeung na, jjajeung na, jjajeung na.

어쩌라고? 어쩌라고? 어쩌라고? 어쩌라고?
어쩌라고? 어쩌라고? 어쩌라고? 어쩌라고?
eojjeorago? eojjeorago? eojjeorago? eojjeorago?

도대체 나보고 어쩌라고?
도대체 나보고 어쩌라고?
dodaeche nabogo eojjeorago?

도대체 나보고 어쩌라고?
도대체 나보고 어쩌라고?
dodaeche nabogo eojjeorago?

도대체 나보고 어쩌라고?
도대체 나보고 어쩌라고?
dodaeche nabogo eojjeorago?

어쩌라고?
어쩌라고?
eojjeorago?

가라고, 가라고, 가라고.
가라고, 가라고, 가라고.
garago, garago, garago.

보기 싫으니까 가라고, 가라고.
보기 시르니까 가라고, 가라고.
bogi sireunikka garago, garago.

알았어.
아라써
arasseo.

나 갈게.
나 갈께
na galge.

어쩌라고?
어쩌라고?
eojjeorago?

< 1 절(куплет) >

가+라고, 가+라고, 가+라고.

가다 (глагол) : 한 곳에서 다른 곳으로 장소를 이동하다.
ходить; уходить; идти
Передвигаться с одного места на другое.

-라고 : (두루낮춤으로) 말하는 사람의 생각이나 주장을 듣는 사람에게 강조하여 말함을 나타내는 종결 어미.
нет эквивалента
(нейтральный стиль) Финитное окончание, употребляемое для подчеркивания говорящим своей мысли или утверждения.

보+기 싫+으니까 가+라고, 가+라고.

보다 (глагол) : 눈으로 대상의 존재나 겉모습을 알다.
смотреть; осматривать; видеть
Направить взгляд, чтобы узнать о существовании или внешнем виде объекта.

-기 : 앞의 말이 명사의 기능을 하게 하는 어미.
нет эквивалента
Окончание, позволяющее впередистоящему слову или выражению выполнять функцию имени существительного.

싫다 (имя прилагательное) : 어떤 일을 하고 싶지 않다.
не хотеть; не желать
Не хотеть что-либо делать.

-으니까 : 뒤에 오는 말에 대하여 앞에 오는 말이 원인이나 근거, 전제가 됨을 강조하여 나타내는 연결 어미.
нет эквивалента
Соединительное окончание, указывающее на то, что содержание первой части предложения является причиной, обоснованием, предпосылкой того, о чём говорится во второй части предложения.

가다 (глагол) : 한 곳에서 다른 곳으로 장소를 이동하다.
ходить; уходить; идти
Передвигаться с одного места на другое.

-라고 : (두루낮춤으로) 말하는 사람의 생각이나 주장을 듣는 사람에게 강조하여 말함을 나타내는 종결 어미.
нет эквивалента
(нейтральный стиль) Финитное окончание, употребляемое для подчеркивания говорящим своей мысли или утверждения.

알+았+어.

알다 (глагол) : 상대방의 어떤 명령이나 요청에 대해 그대로 하겠다는 동의의 뜻을 나타내는 말.
понятно; я понял
Слово, выражающее согласие с приказом или требованием другого человека и намерение поступить согласно их содержанию.

-았- : 어떤 사건이 과거에 완료되었거나 그 사건의 결과가 현재까지 지속되는 상황을 나타내는 어미.
нет эквивалента
Окончание, указывающее на полное завершение какого-либо события в прошлом и сохранения данного результата до настоящего времени.

-어 : (두루낮춤으로) 어떤 사실을 서술하거나 물음, 명령, 권유를 나타내는 종결 어미.
нет эквивалента
(нейтральный стиль) Финитное окончание предиката в повествовательном, вопросительном или побудительном предложении. <изложение>

나 가+ㄹ게.
갈게

나 (местоимение) : 말하는 사람이 친구나 아랫사람에게 자기를 가리키는 말.
я
Выражение, которым называют себя в разговоре с ровесниками или младшими людьми.

가다 (глагол) : 한 곳에서 다른 곳으로 장소를 이동하다.
ходить; уходить; идти
Передвигаться с одного места на другое.

-ㄹ게 : (두루낮춤으로) 말하는 사람이 어떤 행동을 할 것을 듣는 사람에게 약속하거나 의지를 나타내는 종결 어미.
нет эквивалента
(нейтральный стиль) Финитное окончание, указывающее на обещание или сообщение говорящим слушающему о своих будущих действиях.

가+라고 하+ㄴ다고 진짜 가+(아).
가란다고 가

가다 (глагол) : 한 곳에서 다른 곳으로 장소를 이동하다.
ходить; уходить; идти
Передвигаться с одного места на другое.

-라고 : 다른 사람에게서 들은 내용을 간접적으로 전달하거나 주어의 생각, 의견 등을 나타내는 표현.
нет эквивалента
Выражение, употребляемое для оформления косвенной речи при передаче чужих слов или мыслей.

하다 (глагол) : 무엇에 대해 말하다.
обсуждать
Говорить о чём-либо.

-ㄴ다고 : 어떤 행위의 목적, 의도를 나타내거나 어떤 상황의 이유, 원인을 나타내는 연결 어미.
нет эквивалента
Соединительное окончание, указывающее на намерение, цель какого-либо действия или на причину какой-либо ситуации.

진짜 (наречие) : 꾸밈이나 거짓이 없이 참으로.
на самом деле; действительно
Действительно без приукрашивания и обмана.

가다 (глагол) : 한 곳에서 다른 곳으로 장소를 이동하다.
ходить; уходить; идти
Передвигаться с одного места на другое.

-아 : (두루낮춤으로) 어떤 사실을 서술하거나 물음, 명령, 권유를 나타내는 종결 어미.
нет эквивалента
(нейтральный стиль) Финитное окончание предиката в повествовательном, вопросительном или побудительном предложении. <изложение>

알+았+어.

알다 (глагол) : 상대방의 어떤 명령이나 요청에 대해 그대로 하겠다는 동의의 뜻을 나타내는 말.
понятно; я понял
Слово, выражающее согласие с приказом или требованием другого человека и намерение поступить согласно их содержанию.

-았- : 어떤 사건이 과거에 완료되었거나 그 사건의 결과가 현재까지 지속되는 상황을 나타내는 어미.
нет эквивалента
Окончание, указывающее на полное завершение какого-либо события в прошлом и сохранения данного результата до настоящего времени.

-어 : (두루낮춤으로) 어떤 사실을 서술하거나 물음, 명령, 권유를 나타내는 종결 어미.
нет эквивалента
(нейтральный стиль) Финитное окончание предиката в повествовательном, вопросительном или побудительном предложении. <изложение>

안 가+ㄹ게.
갈게

안 (наречие) : 부정이나 반대의 뜻을 나타내는 말.
не; нет; ни
Выражение, означающее отрицание или противоположность.

가다 (глагол) : 한 곳에서 다른 곳으로 장소를 이동하다.
ходить; уходить; идти
Передвигаться с одного места на другое.

-ㄹ게 : (두루낮춤으로) 말하는 사람이 어떤 행동을 할 것을 듣는 사람에게 약속하거나 의지를 나타내는 종결 어미.
нет эквивалента
(нейтральный стиль) Финитное окончание, указывающее на обещание или сообщение говорящим слушающему о своих будущих действиях.

가+라는데 왜 안 가+(아)?
가

가다 (глагол) : 한 곳에서 다른 곳으로 장소를 이동하다.
ходить; уходить; идти
Передвигаться с одного места на другое.

-라는데 : 명령이나 요청 등의 말을 전달하며 자신의 말을 이어 나타내는 표현.
нет эквивалента
Выражение, употребляемое при косвенной передаче повеления или просьбы, после которого следует связанная с передаваемым сообщением мысль говорящего.

왜 (наречие) : 무슨 이유로. 또는 어째서.
почему; зачем
По какой причине.

안 (наречие) : 부정이나 반대의 뜻을 나타내는 말.
не; нет; ни
Выражение, означающее отрицание или противоположность.

가다 (глагол) : 한 곳에서 다른 곳으로 장소를 이동하다.
ходить; уходить; идти
Передвигаться с одного места на другое.

-아 : (두루낮춤으로) 어떤 사실을 서술하거나 물음, 명령, 권유를 나타내는 종결 어미.
нет эквивалента
(нейтральный стиль) Финитное окончание предиката в повествовательном, вопросительном или побудительном предложении. <вопрос>

알+았+어.

알다 (глагол) : 상대방의 어떤 명령이나 요청에 대해 그대로 하겠다는 동의의 뜻을 나타내는 말.
понятно; я понял
Слово, выражающее согласие с приказом или требованием другого человека и намерение поступить согласно их содержанию.

-았- : 어떤 사건이 과거에 완료되었거나 그 사건의 결과가 현재까지 지속되는 상황을 나타내는 어미.
нет эквивалента
Окончание, указывающее на полное завершение какого-либо события в прошлом и сохранения данного результата до настоящего времени.

-어 : (두루낮춤으로) 어떤 사실을 서술하거나 물음, 명령, 권유를 나타내는 종결 어미.
нет эквивалента
(нейтральный стиль) Финитное окончание предиката в повествовательном, вопросительном или побудительном предложении. <изложение>

가+[면 되]+지.

가다 (глагол) : 한 곳에서 다른 곳으로 장소를 이동하다.
ходить; уходить; идти
Передвигаться с одного места на другое.

-면 되다 : 조건이 되는 어떤 행동을 하거나 어떤 상태만 갖추어지면 문제가 없거나 충분함을 나타내는 표현.
нет эквивалента
Выражение с условной конструкцией, обозначающее, что некое действие или событие, о котором говорится в придаточном условия, является достаточным, допустимым, удовлетворительным.

-지 : (두루낮춤으로) 말하는 사람이 자신에 대한 이야기나 자신의 생각을 친근하게 말할 때 쓰는 종결 어미.
нет эквивалента
(нейтральный стиль) Финитное окончание предиката, используемое в речи говорящего о самом себе или выражении своей мысли.

가+라고 하+면 안 가+(아)야지.
가야지

가다 (глагол) : 한 곳에서 다른 곳으로 장소를 이동하다.
ходить; уходить; идти
Передвигаться с одного места на другое.

-라고 : 다른 사람에게서 들은 내용을 간접적으로 전달하거나 주어의 생각, 의견 등을 나타내는 표현.
нет эквивалента
Выражение, употребляемое для оформления косвенной речи при передаче чужих слов или мыслей.

하다 (глагол) : 무엇에 대해 말하다.
обсуждать
Говорить о чём-либо.

-면 : 뒤에 오는 말에 대한 근거나 조건이 됨을 나타내는 연결 어미.
нет эквивалента
Соединительное окончание предиката, присоединяющее придаточное условия, указывающее на то, что является обоснованием или условием того, о чем говорится во второй части предложения.

안 (наречие) : 부정이나 반대의 뜻을 나타내는 말.
не; нет; ни
Выражение, означающее отрицание или противоположность.

가다 (глагол) : 한 곳에서 다른 곳으로 장소를 이동하다.
ходить; уходить; идти
Передвигаться с одного места на другое.

-아야지 : (두루낮춤으로) 듣는 사람이나 다른 사람이 어떤 일을 해야 하거나 어떤 상태여야 함을 나타내는 종결 어미.
нет эквивалента
(нейтральный стиль) Финитное окончание предиката, указывающее на необходимость какого-либо действия или состояния второго или третьего лица.

짜증 나+(아), 짜증 나+(아), 짜증 나+(아).
나 나 나

짜증 (имя существительное) : 마음에 들지 않아서 화를 내거나 싫은 느낌을 겉으로 드러내는 일. 또는 그런 성미.
недовольство; раздражительность
Показ недовольства из-за того, что что-либо не нравится. А также такой характер.

나다 (глагол) : 어떤 감정이나 느낌이 생기다.
возникать
Появляться (о каких-либо чувствах или ощущении).

-아 : (두루낮춤으로) 어떤 사실을 서술하거나 물음, 명령, 권유를 나타내는 종결 어미.
нет эквивалента
(нейтральный стиль) Финитное окончание предиката в повествовательном, вопросительном или побудительном предложении. <изложение>

어쩌+라고? 어쩌+라고? 어쩌+라고? 어쩌+라고?

어쩌다 (глагол) : 무엇을 어떻게 하다.
случайно; ненамеренно; нечаянно
Делать (что-то) как-то.

-라고 : (두루낮춤으로) 들은 사실을 되물으면서 확인함을 나타내는 종결 어미.
нет эквивалента
(нейтральный стиль) Финитное окончание, употребляемое при переспрашивании у собеседника только что услышанного факта.

도대체 나+보고 어쩌+라고?

도대체 (наречие) : 아주 궁금해서 묻는 말인데.
в самом деле; действительно
Очень любопытно, но всё-таки.

나 (местоимение) : 말하는 사람이 친구나 아랫사람에게 자기를 가리키는 말.
я
Выражение, которым называют себя в разговоре с ровесниками или младшими людьми.

보고 : 어떤 행동이 미치는 대상임을 나타내는 조사.
нет эквивалента
Окончание, указывающее на предмет, подвергающийся какому-либо воздействию.

어쩌다 (глагол) : 무엇을 어떻게 하다.
случайно; ненамеренно; нечаянно
Делать (что-то) как-то.

-라고 : (두루낮춤으로) 들은 사실을 되물으면서 확인함을 나타내는 종결 어미.
нет эквивалента
(нейтральный стиль) Финитное окончание, употребляемое при переспрашивании у собеседника только что услышанного факта.

어쩌+라고?

어쩌다 (глагол) : 무엇을 어떻게 하다.
случайно; ненамеренно; нечаянно
Делать (что-то) как-то.

-라고 : (두루낮춤으로) 들은 사실을 되물으면서 확인함을 나타내는 종결 어미.
нет эквивалента
(нейтральный стиль) Финитное окончание, употребляемое при переспрашивании у собеседника только что услышанного факта.

< 2 절(куплет) >

왜 안 가+(아)? 왜 안 가+(아)? 왜 안 가+(아)?
가 가 가

왜 (наречие) : 무슨 이유로. 또는 어째서.
почему; зачем
По какой причине.

안 (наречие) : 부정이나 반대의 뜻을 나타내는 말.
не; нет; ни
Выражение, означающее отрицание или противоположность.

가다 (глагол) : 한 곳에서 다른 곳으로 장소를 이동하다.
ходить; уходить; идти
Передвигаться с одного места на другое.

-아 : (두루낮춤으로) 어떤 사실을 서술하거나 물음, 명령, 권유를 나타내는 종결 어미.
нет эквивалента
(нейтральный стиль) Финитное окончание предиката в повествовательном, вопросительном или побудительном предложении. <вопрос>

가+라는데 왜 안 가+(아)?
가

가다 (глагол) : 한 곳에서 다른 곳으로 장소를 이동하다.
ходить; уходить; идти
Передвигаться с одного места на другое.

-라는데 : 명령이나 요청 등의 말을 전달하며 자신의 말을 이어 나타내는 표현.
нет эквивалента
Выражение, употребляемое при косвенной передаче повеления или просьбы, после которого следует связанная с передаваемым сообщением мысль говорящего.

왜 (наречие) : 무슨 이유로. 또는 어째서.
почему; зачем
По какой причине.

안 (наречие) : 부정이나 반대의 뜻을 나타내는 말.
не; нет; ни
Выражение, означающее отрицание или противоположность.

가다 (глагол) : 한 곳에서 다른 곳으로 장소를 이동하다.
ходить; уходить; идти
Передвигаться с одного места на другое.

-아 : (두루낮춤으로) 어떤 사실을 서술하거나 물음, 명령, 권유를 나타내는 종결 어미.
нет эквивалента
(нейтральный стиль) Финитное окончание предиката в повествовательном, вопросительном или побудительном предложении. <вопрос>

왜 안 가+(아)?
가

왜 (наречие) : 무슨 이유로. 또는 어째서.
почему; зачем
По какой причине.

안 (наречие) : 부정이나 반대의 뜻을 나타내는 말.
не; нет; ни
Выражение, означающее отрицание или противоположность.

가다 (глагол) : 한 곳에서 다른 곳으로 장소를 이동하다.
ходить; уходить; идти
Передвигаться с одного места на другое.

-아 : (두루낮춤으로) 어떤 사실을 서술하거나 물음, 명령, 권유를 나타내는 종결 어미.
нет эквивалента
(нейтральный стиль) Финитное окончание предиката в повествовательном, вопросительном или побудительном предложении. <вопрос>

알+았+어.

알다 (глагол) : 상대방의 어떤 명령이나 요청에 대해 그대로 하겠다는 동의의 뜻을 나타내는 말.
понятно; я понял
Слово, выражающее согласие с приказом или требованием другого человека и намерение поступить согласно их содержанию.

-았- : 어떤 사건이 과거에 완료되었거나 그 사건의 결과가 현재까지 지속되는 상황을 나타내는 어미.
нет эквивалента
Окончание, указывающее на полное завершение какого-либо события в прошлом и сохранения данного результата до настоящего времени.

-어 : (두루낮춤으로) 어떤 사실을 서술하거나 물음, 명령, 권유를 나타내는 종결 어미.
нет эквивалента
(нейтральный стиль) Финитное окончание предиката в повествовательном, вопросительном или побудительном предложении. <изложение>

가+[면 되]+지.

가다 (глагол) : 한 곳에서 다른 곳으로 장소를 이동하다.
ходить; уходить; идти
Передвигаться с одного места на другое.

-면 되다 : 조건이 되는 어떤 행동을 하거나 어떤 상태만 갖추어지면 문제가 없거나 충분함을 나타내는 표현.
нет эквивалента
Выражение с условной конструкцией, обозначающее, что некое действие или событие, о котором говорится в придаточном условия, является достаточным, допустимым, удовлетворительным.

-지 : (두루낮춤으로) 말하는 사람이 자신에 대한 이야기나 자신의 생각을 친근하게 말할 때 쓰는 종결 어미.
нет эквивалента
(нейтральный стиль) Финитное окончание предиката, используемое в речи говорящего о самом себе или выражении своей мысли.

가+라고 하+ㄴ다고 진짜 가+(아).

가란다고 가

가다 (глагол) : 한 곳에서 다른 곳으로 장소를 이동하다.
ходить; уходить; идти
Передвигаться с одного места на другое.

-라고 : 다른 사람에게서 들은 내용을 간접적으로 전달하거나 주어의 생각, 의견 등을 나타내는 표현.
нет эквивалента
Выражение, употребляемое для оформления косвенной речи при передаче чужих слов или мыслей.

하다 (глагол) : 무엇에 대해 말하다.
обсуждать
Говорить о чём-либо.

-ㄴ다고 : 어떤 행위의 목적, 의도를 나타내거나 어떤 상황의 이유, 원인을 나타내는 연결 어미.
нет эквивалента
Соединительное окончание, указывающее на намерение, цель какого-либо действия или на причину какой-либо ситуации.

진짜 (наречие) : 꾸밈이나 거짓이 없이 참으로.
на самом деле; действительно
Действительно без приукрашивания и обмана.

가다 (глагол) : 한 곳에서 다른 곳으로 장소를 이동하다.
ходить; уходить; идти
Передвигаться с одного места на другое.

-아 : (두루낮춤으로) 어떤 사실을 서술하거나 물음, 명령, 권유를 나타내는 종결 어미.
нет эквивалента
(нейтральный стиль) Финитное окончание предиката в повествовательном, вопросительном или побудительном предложении. <изложение>

가+라는데 왜 안 가+(아)?
가

가다 (глагол) : 한 곳에서 다른 곳으로 장소를 이동하다.
ходить; уходить; идти
Передвигаться с одного места на другое.

-라는데 : 명령이나 요청 등의 말을 전달하며 자신의 말을 이어 나타내는 표현.
нет эквивалента
Выражение, употребляемое при косвенной передаче повеления или просьбы, после которого следует связанная с передаваемым сообщением мысль говорящего.

왜 (наречие) : 무슨 이유로. 또는 어째서.
почему; зачем
По какой причине.

안 (наречие) : 부정이나 반대의 뜻을 나타내는 말.
не; нет; ни
Выражение, означающее отрицание или противоположность.

가다 (глагол) : 한 곳에서 다른 곳으로 장소를 이동하다.
ходить; уходить; идти
Передвигаться с одного места на другое.

-아 : (두루낮춤으로) 어떤 사실을 서술하거나 물음, 명령, 권유를 나타내는 종결 어미.
нет эквивалента
(нейтральный стиль) Финитное окончание предиката в повествовательном, вопросительном или побудительном предложении. <вопрос>

가+(아)도 화내+(어).
가도 화내

가다 (глагол) : 한 곳에서 다른 곳으로 장소를 이동하다.
ходить; уходить; идти
Передвигаться с одного места на другое.

-아도 : 앞에 오는 말을 가정하거나 인정하지만 뒤에 오는 말에는 관계가 없거나 영향을 끼치지 않음을 나타내는 연결 어미.
нет эквивалента
Соединительное окончание со значением уступки, указывающее на то, что некий факт или обстоятельство, признание, допущение или предположение которого содержится в первой части предложения, не влияет или не имеет отношения к тому, о чём говорится во второй части.

화내다 (глагол) : 몹시 기분이 상해 노여워하는 감정을 드러내다.
злиться; сердиться
Выражать чувство недовольства по причине плохого настроения.

-어 : (두루낮춤으로) 어떤 사실을 서술하거나 물음, 명령, 권유를 나타내는 종결 어미.
нет эквивалента
(нейтральный стиль) Финитное окончание предиката в повествовательном, вопросительном или побудительном предложении. <изложение>

안 가+(아)도 화내+(어).
가도 화내

안 (наречие) : 부정이나 반대의 뜻을 나타내는 말.
не; нет; ни
Выражение, означающее отрицание или противоположность.

가다 (глагол) : 한 곳에서 다른 곳으로 장소를 이동하다.
ходить; уходить; идти
Передвигаться с одного места на другое.

-아도 : 앞에 오는 말을 가정하거나 인정하지만 뒤에 오는 말에는 관계가 없거나 영향을 끼치지 않음을 나타내는 연결 어미.

нет эквивалента

Соединительное окончание со значением уступки, указывающее на то, что некий факт или обстоятельство, признание, допущение или предположение которого содержится в первой части предложения, не влияет или не имеет отношения к тому, о чём говорится во второй части.

화내다 (глагол) : 몹시 기분이 상해 노여워하는 감정을 드러내다.

злиться; сердиться

Выражать чувство недовольства по причине плохого настроения.

-어 : (두루낮춤으로) 어떤 사실을 서술하거나 물음, 명령, 권유를 나타내는 종결 어미.

нет эквивалента

(нейтральный стиль) Финитное окончание предиката в повествовательном, вопросительном или побудительном предложении. <изложение>

짜증 나+(아), 짜증 나+(아), 짜증 나+(아).
나 나 나

짜증 (имя существительное) : 마음에 들지 않아서 화를 내거나 싫은 느낌을 겉으로 드러내는 일. 또는 그런 성미.

недовольство; раздражительность

Показ недовольства из-за того, что что-либо не нравится. А также такой характер.

나다 (глагол) : 어떤 감정이나 느낌이 생기다.

возникать

Появляться (о каких-либо чувствах или ощущении).

-아 : (두루낮춤으로) 어떤 사실을 서술하거나 물음, 명령, 권유를 나타내는 종결 어미.

нет эквивалента

(нейтральный стиль) Финитное окончание предиката в повествовательном, вопросительном или побудительном предложении. <изложение>

어쩌+라고? 어쩌+라고? 어쩌+라고? 어쩌+라고?

어쩌다 (глагол) : 무엇을 어떻게 하다.

случайно; ненамеренно; нечаянно

Делать (что-то) как-то.

-라고 : (두루낮춤으로) 들은 사실을 되물으면서 확인함을 나타내는 종결 어미.
нет эквивалента
(нейтральный стиль) Финитное окончание, употребляемое при переспрашивании у собеседника только что услышанного факта.

도대체 나+보고 어쩌+라고?

도대체 (наречие) : 아주 궁금해서 묻는 말인데.
в самом деле; действительно
Очень любопытно, но всё-таки.

나 (местоимение) : 말하는 사람이 친구나 아랫사람에게 자기를 가리키는 말.
я
Выражение, которым называют себя в разговоре с ровесниками или младшими людьми.

보고 : 어떤 행동이 미치는 대상임을 나타내는 조사.
нет эквивалента
Окончание, указывающее на предмет, подвергающийся какому-либо воздействию.

어쩌다 (глагол) : 무엇을 어떻게 하다.
случайно; ненамеренно; нечаянно
Делать (что-то) как-то.

-라고 : (두루낮춤으로) 들은 사실을 되물으면서 확인함을 나타내는 종결 어미.
нет эквивалента
(нейтральный стиль) Финитное окончание, употребляемое при переспрашивании у собеседника только что услышанного факта.

어쩌+라고?

어쩌다 (глагол) : 무엇을 어떻게 하다.
случайно; ненамеренно; нечаянно
Делать (что-то) как-то.

-라고 : (두루낮춤으로) 들은 사실을 되물으면서 확인함을 나타내는 종결 어미.
нет эквивалента
(нейтральный стиль) Финитное окончание, употребляемое при переспрашивании у собеседника только что услышанного факта.

가+라고, 가+라고, 가+라고.

가다 (глагол) : 한 곳에서 다른 곳으로 장소를 이동하다.
ходить; уходить; идти
Передвигаться с одного места на другое.

-라고 : (두루낮춤으로) 말하는 사람의 생각이나 주장을 듣는 사람에게 강조하여 말함을 나타내는 종결 어미.
нет эквивалента
(нейтральный стиль) Финитное окончание, употребляемое для подчеркивания говорящим своей мысли или утверждения.

보+기 싫+으니까 가+라고, 가+라고.

보다 (глагол) : 눈으로 대상의 존재나 겉모습을 알다.
смотреть; осматривать; видеть
Направить взгляд, чтобы узнать о существовании или внешнем виде объекта.

-기 : 앞의 말이 명사의 기능을 하게 하는 어미.
нет эквивалента
Окончание, позволяющее впередистоящему слову или выражению выполнять функцию имени существительного.

싫다 (имя прилагательное) : 어떤 일을 하고 싶지 않다.
не хотеть; не желать
Не хотеть что-либо делать.

-으니까 : 뒤에 오는 말에 대하여 앞에 오는 말이 원인이나 근거, 전제가 됨을 강조하여 나타내는 연결 어미.
нет эквивалента
Соединительное окончание, указывающее на то, что содержание первой части предложения является причиной, обоснованием, предпосылкой того, о чём говорится во второй части предложения.

가다 (глагол) : 한 곳에서 다른 곳으로 장소를 이동하다.
ходить; уходить; идти
Передвигаться с одного места на другое.

-라고 : (두루낮춤으로) 말하는 사람의 생각이나 주장을 듣는 사람에게 강조하여 말함을 나타내는 종결 어미.
нет эквивалента
(нейтральный стиль) Финитное окончание, употребляемое для подчеркивания говорящим своей мысли или утверждения.

알+았+어.

알다 (глагол) : 상대방의 어떤 명령이나 요청에 대해 그대로 하겠다는 동의의 뜻을 나타내는 말.
понятно; я понял
Слово, выражающее согласие с приказом или требованием другого человека и намерение поступить согласно их содержанию.

-았- : 어떤 사건이 과거에 완료되었거나 그 사건의 결과가 현재까지 지속되는 상황을 나타내는 어미.
нет эквивалента
Окончание, указывающее на полное завершение какого-либо события в прошлом и сохранения данного результата до настоящего времени.

-어 : (두루낮춤으로) 어떤 사실을 서술하거나 물음, 명령, 권유를 나타내는 종결 어미.
нет эквивалента
(нейтральный стиль) Финитное окончание предиката в повествовательном, вопросительном или побудительном предложении. <изложение>

나 가+ㄹ게.
갈게

나 (местоимение) : 말하는 사람이 친구나 아랫사람에게 자기를 가리키는 말.
я
Выражение, которым называют себя в разговоре с ровесниками или младшими людьми.

가다 (глагол) : 한 곳에서 다른 곳으로 장소를 이동하다.
ходить; уходить; идти
Передвигаться с одного места на другое.

-ㄹ게 : (두루낮춤으로) 말하는 사람이 어떤 행동을 할 것을 듣는 사람에게 약속하거나 의지를 나타내는 종결 어미.
нет эквивалента
(нейтральный стиль) Финитное окончание, указывающее на обещание или сообщение говорящим слушающему о своих будущих действиях.

어쩌+라고?

어쩌다 (глагол) : 무엇을 어떻게 하다.
случайно; ненамеренно; нечаянно
Делать (что-то) как-то.

-라고 : (두루낮춤으로) 들은 사실을 되물으면서 확인함을 나타내는 종결 어미.
нет эквивалента
(нейтральный стиль) Финитное окончание, употребляемое при переспрашивании у собеседника только что услышанного факта.

< 10 >

궁금해

나는 궁금해.
(Мне любопытно.)

[발음(произношение)]

< 1 절(куплет) >

파도처럼 내 맘속으로 밀려 오다 바람처럼 흔적 없이 사라져.
파도처럼 내 맘소그로 밀려 오다 바람처럼 흔적 업씨 사라저.
padocheoreom nae mamsogeuro millyeooda baramcheoreom heunjeok eopsi sarajeo.

파도는 멈출 수가 없는 거니?
파도는 멈출 쑤가 엄는 거니?
padoneun meomchul suga eomneun geoni?

바람은 머물 수가 없는 거니?
바라믄 머물 쑤가 엄는 거니?
barameun meomul suga eomneun geoni?

피어나는 내 맘이 시들지 않게 그치지 않는 세찬 비를 뿌려줘.
피어나는 내 마미 시들지 안케 그치지 안는 세찬 비를 뿌려줘.
pieonaneun nae mami sideulji anke geuchiji anneun sechan bireul ppuryeojwo.

어떤 사람인지 궁금해.
어떤 사라민지 궁금해.
eotteon saraminji gunggeumhae.

너의 그 향기가 궁금해.
너에 그 향기가 궁금해.
neoe geu hyanggiga gunggeumhae.

어떤 사랑일지 너의 그 느낌이.
어떤 사랑일찌 너에 그 느끼미.
eotteon sarangilji neoe geu neukkimi.

궁금해, 궁금해, 궁금해, 궁금해, 궁금해.
궁금해, 궁금해, 궁금해, 궁금해, 궁금해.
gunggeumhae, gunggeumhae, gunggeumhae, gunggeumhae, gunggeumhae.

< 2 절(куплет) >

감미로운 미소로 눈을 맞추면서 고개만 끄덕이다 말없이 사라져.
감미로운 미소로 누늘 맏추면서 고개만 끄더기다 마럽씨 사라저.
gammiroun misoro nuneul matchumyeonseo gogaeman kkeudeogida mareopsi sarajeo.

파도처럼 밀려드는 사랑이 보여.
파도처럼 밀려드는 사랑이 보여.
padocheoreom millyeodeuneun sarangi boyeo.

바람처럼 스치는 사랑이 느껴져.
바람처럼 스치는 사랑이 느껴저.
baramcheoreom seuchineun sarangi neukkyeojeo.

타오르는 열정이 꺼지지 않게 폭풍이 되어 내게 다가와 줘.
타오르는 열쩡이 꺼지지 안케 폭풍이 되어 내게 다가와 줘.
taoreuneun yeoljeongi kkeojiji anke pokpungi doeeo naege dagawa jwo.

어떤 사람인지 궁금해.
어떤 사라민지 궁금해.
eotteon saraminji gunggeumhae.

너의 그 향기가 궁금해.
너에 그 향기가 궁금해.
neoe geu hyanggiga gunggeumhae.

어떤 사랑일지 너의 그 느낌이.
어떤 사랑일찌 너에 그 느끼미.
eotteon sarangilji neoe geu neukkimi.

궁금해, 궁금해, 궁금해, 궁금해, 궁금해.
궁금해, 궁금해, 궁금해, 궁금해, 궁금해.
gunggeumhae, gunggeumhae, gunggeumhae, gunggeumhae, gunggeumhae.

< 3 절(куплет) >

바람을 붙잡을 수 없더라도.
바라믈 붇짜블 쑤 업떠라도.
barameul butjabeul su eopdeorado.

파도가 비에 젖지 않더라도.
파도가 비에 전찌 안터라도.
padoga bie jeotji anteorado.

내일은 가슴이 아프더라도.
내이른 가스미 아프더라도.
naeireun gaseumi apeudeorado.

미련과 후회만 남더라도.
미련과 후회만 남더라도.
miryeongwa huhoeman namdeorado.

어떤 사람인지 궁금해.
어떤 사라민지 궁금해.
eotteon saraminji gunggeumhae.

너의 그 향기가 궁금해.
너에 그 향기가 궁금해.
neoe geu hyanggiga gunggeumhae.

어떤 사랑일지 너의 그 느낌이.
어떤 사랑일찌 너에 그 느끼미.
eotteon sarangilji neoe geu neukkimi.

궁금해, 궁금해, 궁금해, 궁금해, 궁금해.
궁금해, 궁금해, 궁금해, 궁금해, 궁금해.
gunggeumhae, gunggeumhae, gunggeumhae, gunggeumhae, gunggeumhae.

< 1 절(куплет) >

파도+처럼 나+의 맘속+으로 밀리+[어 오]+다
내　　　　　　　　밀려 오다

파도 (имя существительное) : 바다에 이는 물결.
волна
Морская волна.

처럼 : 모양이나 정도가 서로 비슷하거나 같음을 나타내는 조사.
как; подобно
Окончание, указывающее на схожесть или одинаковость чего-либо между собой.

나 (местоимение) : 말하는 사람이 친구나 아랫사람에게 자기를 가리키는 말.
я
Выражение, которым называют себя в разговоре с ровесниками или младшими людьми.

의 : 앞의 말이 뒤의 말에 대하여 소유, 소속, 소재, 관계, 기원, 주체의 관계를 가짐을 나타내는 조사.
нет эквивалента
Частица, указывающая на то, что в предыдущем слове содержится значение собственности, принадлежности, сырья, источника, основы в отношении последующего.

맘속 (имя существительное) : 마음의 깊은 곳.
нет эквивалента
В глубине души.

으로 : 움직임의 방향을 나타내는 조사.
нет эквивалента
Частица, показывающая направление движения.

밀리다 (глагол) : 방향의 반대쪽에서 힘이 가해져서 움직여지다.
толкать; отталкивать; теснить; слегка подталкивать локтем; отхлынуть
Двигаться в противоположную сторону резкими толчками.

-어 오다 : 앞의 말이 나타내는 행동이나 상태가 어떤 기준점으로 가까워지면서 계속 진행됨을 나타내는 표현.
нет эквивалента
Выражение, указывающее на действие или состояние, которое непрерывно длится, приближаясь к какой-либо контрольной точке.

-다 : 어떤 행동이나 상태 등이 중단되고 다른 행동이나 상태로 바뀜을 나타내는 연결 어미.
нет эквивалента
Соединительное окончание предиката, указывающее на прекращение действия или состояния, которое сменяется другим действием или состоянием.

바람+처럼 흔적 없이 사라지+어.
사라져

바람 (имя существительное) : 기압의 변화 또는 사람이나 기계에 의해 일어나는 공기의 움직임.
воздух
Изменение атмосферного давления, а также движение воздуха, возникающее под действием машины или человека.

처럼 : 모양이나 정도가 서로 비슷하거나 같음을 나타내는 조사.
как; подобно
Окончание, указывающее на схожесть или одинаковость чего-либо между собой.

흔적 (имя существительное) : 사물이나 현상이 없어지거나 지나간 뒤에 남겨진 것.
след
Нечто остающееся после исчезновения предмета или явления или их прохождения.

없이 (наречие) : 사람, 사물, 현상 등이 어떤 곳에 자리나 공간을 차지하고 존재하지 않게.
без
Без существования человека, предмета, явления и т.п. в каком-либо месте или пространстве.

사라지다 (глагол) : 어떤 현상이나 물체의 자취 등이 없어지다.
исчезать; скрываться; пропадать; теряться
Исчезать (о каком-либо явлении, следе от предмета и т.п.).

-어 : (두루낮춤으로) 어떤 사실을 서술하거나 물음, 명령, 권유를 나타내는 종결 어미.
нет эквивалента
(нейтральный стиль) Финитное окончание предиката в повествовательном, вопросительном или побудительном предложении. <изложение>

파도+는 멈추+[ㄹ 수가 없]+[는 거]+(이)+니?
멈출 수가 없는 거니

파도 (имя существительное) : 바다에 이는 물결.
волна
Морская волна.

는 : 문장 속에서 어떤 대상이 화제임을 나타내는 조사.
нет эквивалента
Частица, указывающая на то, что какой-либо объект является основной темой в предложении.

멈추다 (глагол) : 동작이나 상태가 계속되지 않다.
остановиться; прекратиться
Прерваться, приостановиться в своём развитии, течении
(о каком-либо действии или состоянии).

-ㄹ 수가 없다 : 앞에 오는 말이 나타내는 일이 가능하지 않음을 나타내는 표현.
нет эквивалента
Выражение, указывающее на невозможность какого-либо действия или события.

-는 거 : 명사가 아닌 것을 문장에서 명사처럼 쓰이게 하거나 '이다' 앞에 쓰일 수 있게 할 때 쓰는 표현.
нет эквивалента
Выражение, субстантивирующее предшествующее слово неименной части речи или группу слов, которое также может употребляться с глаголом-связкой '이다'.

이다 : 주어가 지시하는 대상의 속성이나 부류를 지정하는 뜻을 나타내는 서술격 조사.
нет эквивалента
Суффикс повествовательного падежа, выражающий смысл наименования свойства или разряда объекта, на который указывает подлежащее.

-니 : (아주낮춤으로) 물음을 나타내는 종결 어미.
нет эквивалента
(простой стиль) Финитное окончание предиката, указывающее на вопрос.

바람+은 머물+[(ㄹ) 수가 없]+[는 거]+(이)+니?

머물 수가 없는 거니

바람 (имя существительное) : 기압의 변화 또는 사람이나 기계에 의해 일어나는 공기의 움직임.
воздух
Изменение атмосферного давления, а также движение воздуха, возникающее под действием машины или человека.

은 : 문장 속에서 어떤 대상이 화제임을 나타내는 조사.
нет эквивалента
Частица, показывающая то, что какой-то объект является главной темой в предложении.

머물다 (глагол) : 도중에 멈추거나 일시적으로 어떤 곳에 묵다.
останавливаться (на ночь)
Остановиться в дороге и временно где-либо заночевать.

-ㄹ 수가 없다 : 앞에 오는 말이 나타내는 일이 가능하지 않음을 나타내는 표현.
нет эквивалента
Выражение, указывающее на невозможность какого-либо действия или события.

-는 거 : 명사가 아닌 것을 문장에서 명사처럼 쓰이게 하거나 '이다' 앞에 쓰일 수 있게 할 때 쓰는 표현.
нет эквивалента
Выражение, субстантивирующее предшествующее слово неименной части речи или группу слов, которое также может употребляться с глаголом-связкой '이다'.

이다 : 주어가 지시하는 대상의 속성이나 부류를 지정하는 뜻을 나타내는 서술격 조사.
нет эквивалента
Суффикс повествовательного падежа, выражающий смысл наименования свойства или разряда объекта, на который указывает подлежащее.

-니 : (아주낮춤으로) 물음을 나타내는 종결 어미.
нет эквивалента
(простой стиль) Финитное окончание предиката, указывающее на вопрос.

피어나+는 나+의 맘+이 시들+[지 않]+게
내

피어나다 (глагол) : 어떤 느낌이나 생각 등이 일어나다.
возникать
Появляться (о чувстве, мысли и т.п.).

-는 : 앞의 말이 관형어의 기능을 하게 만들고 사건이나 동작이 현재 일어남을 나타내는 어미.
нет эквивалента
Окончание, которое указывает на действие или событие в настоящем, преобразуя впередистоящее слово, словосочетание или придаточное предложение в определение.

나 (местоимение) : 말하는 사람이 친구나 아랫사람에게 자기를 가리키는 말.
я
Выражение, которым называют себя в разговоре с ровесниками или младшими людьми.

의 : 앞의 말이 뒤의 말에 대하여 소유, 소속, 소재, 관계, 기원, 주체의 관계를 가짐을 나타내는 조사.
нет эквивалента
Частица, указывающая на то, что в предыдущем слове содержится значение собственности, принадлежности, сырья, источника, основы в отношении последующего.

맘 (имя существительное) : 좋아하는 마음이나 관심.
желание; симпатия
Желание или интерес.

이 : 어떤 상태나 상황의 대상이나 동작의 주체를 나타내는 조사.
нет эквивалента
Частица, показывающая какое-либо состояние, объект ситуации или субъект действия.

시들다 (глагол) : 어떤 일에 대한 관심이나 기세가 이전보다 줄어들다.
увядать; ослабевать; угасать
Утрачивать бодрость, жизнерадостность или интерес к чему-либо.

-지 않다 : 앞의 말이 나타내는 행위나 상태를 부정하는 뜻을 나타내는 표현.
нет эквивалента
Выражение, обозначающее отрицание какого-либо действия или состояния.

-게 : 앞의 말이 뒤에서 가리키는 일의 목적이나 결과, 방식, 정도 등이 됨을 나타내는 연결 어미.
нет эквивалента
Соединительное окончание предиката, указывающее на то, описанное в первой части предложения действие или состояние является целью, результатом, образом действия, степенью и т.п. того, о чём говорится в последующей главной части предложения.

그치+[지 않]+는 세차+ㄴ 비+를 뿌리+[어 주]+어.

세찬 뿌려 줘

그치다 (глагол) : 계속되던 일, 움직임, 현상 등이 계속되지 않고 멈추다.
прекращаться; переставать; кончаться
Прекращаться (о каком-либо продолжавшемся деле, движении, явлении и т.п.).

-지 않다 : 앞의 말이 나타내는 행위나 상태를 부정하는 뜻을 나타내는 표현.
нет эквивалента
Выражение, обозначающее отрицание какого-либо действия или состояния.

-는 : 앞의 말이 관형어의 기능을 하게 만들고 사건이나 동작이 현재 일어남을 나타내는 어미.
нет эквивалента
Окончание, которое указывает на действие или событие в настоящем, преобразуя впередистоящее слово, словосочетание или придаточное предложение в определение.

세차다 (имя прилагательное) : 기운이나 일이 되어가는 형편 등이 힘 있고 거세다.
нет эквивалента
Сильный и мощный (о положении духа или дел).

-ㄴ : 앞의 말이 관형어의 기능을 하게 만들고 현재의 상태를 나타내는 어미.
нет эквивалента
Окончание, указывающее на состояние лица или предмета в настоящий момент, при котором впередистоящее слово, словосочетание или придаточное предложение выполняет функцию определения.

비 (имя существительное) : 높은 곳에서 구름을 이루고 있던 수증기가 식어서 뭉쳐 떨어지는 물방울.
дождь
Атмосферные осадки, выпадающие из облаков в виде капель воды.

를 : 동작이 직접적으로 영향을 미치는 대상을 나타내는 조사.
нет эквивалента
Частица, указывающая на объект, на который непосредственно распространяется влияние действия.

뿌리다 (глагол) : 눈이나 비 등이 날려 떨어지다. 또는 떨어지게 하다.
лить; идти
Широко падать (о каплях дождя или снеге и т.п.). Или позволять упасть.

-어 주다 : 남을 위해 앞의 말이 나타내는 행동을 함을 나타내는 표현.
нет эквивалента
Выражение, указывающее на то, что описанное действие выполняется в интересах друго го лица.

-어 : (두루낮춤으로) 어떤 사실을 서술하거나 물음, 명령, 권유를 나타내는 종결 어미.
нет эквивалента
(нейтральный стиль) Финитное окончание предиката в повествовательном, вопросительном или побудительном предложении. <приказ>

어떤 사람+이+ㄴ지 궁금하+여.
사람인지 궁금해

어떤 (атрибутивное слово) : 사람이나 사물의 특징, 내용, 성격, 성질, 모양 등이 무엇인지 물을 때 쓰는 말.
какой; какой бы то ни был; какой-либо
Слова, употребляемые при вопросе об особенности, сущности, характере, натуре, внешнем виде и т.п. человека или предметов.

사람 (имя существительное) : 생각할 수 있으며 언어와 도구를 만들어 사용하고 사회를 이루어 사는 존재.
человек
Живое существо, образующее общество и обладающее способностью мыслить, производить и использовать язык и орудия труда.

이다 : 주어가 지시하는 대상의 속성이나 부류를 지정하는 뜻을 나타내는 서술격 조사.
нет эквивалента
Суффикс повествовательного падежа, выражающий смысл наименования свойства или разряда объекта, на который указывает подлежащее.

-ㄴ지 : 뒤에 오는 말의 내용에 대한 막연한 이유나 판단을 나타내는 연결 어미.
нет эквивалента
Соединительное предикативное окончание, указывающее на неопределённую причину или оценку говорящим того, о чём говорится во второй части предложения.

궁금하다 (имя прилагательное) : 무엇이 무척 알고 싶다.
интересоваться
Сильно желать что-то знать.

-여 : (두루낮춤으로) 어떤 사실을 서술하거나 물음, 명령, 권유를 나타내는 종결 어미.
нет эквивалента
(нейтральный стиль) Финитное окончание предиката в повествовательном, вопросительном или побудительном предложении. <изложение>

너+의 그 향기+가 <u>궁금하+여</u>.
궁금해

너 (местоимение) : 듣는 사람이 친구나 아랫사람일 때, 그 사람을 가리키는 말.
ты
Употребляется при указании на собеседника, если он является ровесником или человеком, младшим по возрасту или статусу.

의 : 앞의 말이 뒤의 말에 대하여 소유, 소속, 소재, 관계, 기원, 주체의 관계를 가짐을 나타내는 조사.
нет эквивалента
Частица, указывающая на то, что в предыдущем слове содержится значение собственности, принадлежности, сырья, источника, основы в отношении последующего.

그 (атрибутивное слово) : 듣는 사람에게 가까이 있거나 듣는 사람이 생각하고 있는 대상을 가리킬 때 쓰는 말.
тот
Указывает на предмет, находящийся близко к слушающему, или на предмет, о котором думает слушающий.

향기 (имя существительное) : 좋은 냄새.
запах; душистый аромат
Приятный запах.

가 : 어떤 상태나 상황에 놓인 대상이나 동작의 주체를 나타내는 조사.
нет эквивалента
Окончание, указывающее на объект какой-либо ситуации, состояния или на лицо, выполняющее какое-либо действие.

궁금하다 (имя прилагательное) : 무엇이 무척 알고 싶다.
интересоваться
Сильно желать что-то знать.

-여 : (두루낮춤으로) 어떤 사실을 서술하거나 물음, 명령, 권유를 나타내는 종결 어미.
нет эквивалента
(нейтральный стиль) Финитное окончание предиката в повествовательном, вопросительном или побудительном предложении. <изложение>

어떤 <u>사랑+이+ㄹ지</u> 너+의 그 느낌+이.
사랑일지

어떤 (атрибутивное слово) : 사람이나 사물의 특징, 내용, 성격, 성질, 모양 등이 무엇인지 물을 때 쓰는 말.
какой; какой бы то ни был; какой-либо
Слова, употребляемые при вопросе об особенности, сущности, характере, натуре, внешнем виде и т.п. человека или предметов.

사랑 (имя существительное) : 상대에게 성적으로 매력을 느껴 열렬히 좋아하는 마음.
любовь
Чувство бережного отношения и пылкости друг к другу между женщиной и мужчиной.

이다 : 주어가 지시하는 대상의 속성이나 부류를 지정하는 뜻을 나타내는 서술격 조사.
нет эквивалента
Суффикс повествовательного падежа, выражающий смысл наименования свойства или разряда объекта, на который указывает подлежащее.

-ㄹ지 : 어떠한 추측에 대한 막연한 의문을 갖고 그것을 뒤에 오는 말이 나타내는 사실이나 판단과 관련시킬 때 쓰는 연결 어미.
нет эквивалента
Соединительное окончание предиката, связывающее некоторое смутное предположение с фактом или суждением, выраженным во второй части предложения.

너 (местоимение) : 듣는 사람이 친구나 아랫사람일 때, 그 사람을 가리키는 말.
ты
Употребляется при указании на собеседника, если он является ровесником или человеком, младшим по возрасту или статусу.

의 : 앞의 말이 뒤의 말에 대하여 소유, 소속, 소재, 관계, 기원, 주체의 관계를 가짐을 나타내는 조사.
нет эквивалента
Частица, указывающая на то, что в предыдущем слове содержится значение собственности, принадлежности, сырья, источника, основы в отношении последующего.

그 (атрибутивное слово) : 듣는 사람에게 가까이 있거나 듣는 사람이 생각하고 있는 대상을 가리킬 때 쓰는 말.
тот
Указывает на предмет, находящийся близко к слушающему, или на предмет, о котором думает слушающий.

느낌 (имя существительное) : 몸이나 마음에서 일어나는 기분이나 감정.
чувство; ощущение
Настроение или эмоции, возникающие в теле или душе.

이 : 어떤 상태나 상황의 대상이나 동작의 주체를 나타내는 조사.
нет эквивалента
Частица, показывающая какое-либо состояние, объект ситуации или субъект действия.

궁금하+여, 궁금하+여, 궁금하+여, 궁금하+여, 궁금하+여.
궁금해 궁금해 궁금해 궁금해 궁금해

궁금하다 (имя прилагательное) : 무엇이 무척 알고 싶다.
интересоваться
Сильно желать что-то знать.

-여 : (두루낮춤으로) 어떤 사실을 서술하거나 물음, 명령, 권유를 나타내는 종결 어미.
нет эквивалента
(нейтральный стиль) Финитное окончание предиката в повествовательном, вопросительном или побудительном предложении. <изложение>

< 2 절(куплет) >

감미롭(감미로우)+ㄴ 미소+로 [눈을 맞추]+면서
감미로운

감미롭다 (имя прилагательное) : 달콤한 느낌이 있다.
сладостный; сладостный
Наличие сладостного ощущения.

-ㄴ : 앞의 말이 관형어의 기능을 하게 만들고 현재의 상태를 나타내는 어미.
нет эквивалента
Окончание, указывающее на состояние лица или предмета в настоящий момент, при котором впередистоящее слово, словосочетание или придаточное предложение выполняет функцию определения.

미소 (имя существительное) : 소리 없이 빙긋이 웃는 웃음.
улыбка
Беззвучный смех.

로 : 어떤 일의 방법이나 방식을 나타내는 조사.
нет эквивалента
Частица, указывающая на способ или метод для выполнения какой-либо работы.

눈을 맞추다 (идиома) : 서로 눈을 마주 보다.
нет эквивалента
Смотреть друг другу в глаза.

-면서 : 두 가지 이상의 동작이나 상태가 함께 일어남을 나타내는 연결 어미.
нет эквивалента
Соединительное окончание предиката, указывающее на одновременность двух или более действий или состояний.

고개+만 끄덕이+다 말없이 사라지+어.
사라져

고개 (имя существительное) : 목을 포함한 머리 부분.
загривок; голова
Голова, включая шею.

만 : 다른 것은 제외하고 어느 것을 한정함을 나타내는 조사.
только; просто; исключительно; единственно
Частица, указывающая на ограничение в чём-либо и исключение чего-либо.

끄덕이다 (глагол) : 머리를 가볍게 아래위로 움직이다.
кивать; покачивать; качать
Покачивать головой, слегка наклоняя её вперёд.

-다 : 어떤 행동이나 상태 등이 중단되고 다른 행동이나 상태로 바뀜을 나타내는 연결 어미.
нет эквивалента
Соединительное окончание предиката, указывающее на прекращение действия или состояния, которое сменяется другим действием или состоянием.

말없이 (наречие) : 아무 말도 하지 않고.
молча; безмолвно; безгласно; молчаливо; в молчании; в полном молчании
Не говоря ни слова.

사라지다 (глагол) : 어떤 현상이나 물체의 자취 등이 없어지다.
исчезать; скрываться; пропадать; теряться
Исчезать (о каком-либо явлении, следе от предмета и т.п.).

-어 : (두루낮춤으로) 어떤 사실을 서술하거나 물음, 명령, 권유를 나타내는 종결 어미.
нет эквивалента
(нейтральный стиль) Финитное окончание предиката в повествовательном, вопросительном или побудительном предложении. <изложение>

파도+처럼 밀려들(밀려드)+는 사랑+이 보이+어.
밀려드는 보여

파도 (имя существительное) : 바다에 이는 물결.
волна
Морская волна.

처럼 : 모양이나 정도가 서로 비슷하거나 같음을 나타내는 조사.
как; подобно
Окончание, указывающее на схожесть или одинаковость чего-либо между собой.

밀려들다 (глагол) : 한꺼번에 많이 몰려 들어오다.
нахлынуть
Прийти, появиться во множестве в один момент.

-는 : 앞의 말이 관형어의 기능을 하게 만들고 사건이나 동작이 현재 일어남을 나타내는 어미.
нет эквивалента
Окончание, которое указывает на действие или событие в настоящем, преобразуя впередистоящее слово, словосочетание или придаточное предложение в определение.

사랑 (имя существительное) : 상대에게 성적으로 매력을 느껴 열렬히 좋아하는 마음.
любовь
Чувство бережного отношения и пылкости друг к другу между женщиной и мужчиной.

이 : 어떤 상태나 상황의 대상이나 동작의 주체를 나타내는 조사.
нет эквивалента
Частица, показывающая какое-либо состояние, объект ситуации или субъект действия.

보이다 (глагол) : 눈으로 대상의 존재나 겉모습을 알게 되다.
быть видным; виднеться
Ознакамливаться зрительно (о существовании какого-либо объекта или формы).

-어 : (두루낮춤으로) 어떤 사실을 서술하거나 물음, 명령, 권유를 나타내는 종결 어미.
нет эквивалента
(нейтральный стиль) Финитное окончание предиката в повествовательном, вопросительном или побудительном предложении. <изложение>

바람+처럼 스치+는 사랑+이 느끼+어지+어.
느껴져

바람 (имя существительное) : 기압의 변화 또는 사람이나 기계에 의해 일어나는 공기의 움직임.
воздух
Изменение атмосферного давления, а также движение воздуха, возникающее под действием машины или человека.

처럼 : 모양이나 정도가 서로 비슷하거나 같음을 나타내는 조사.
как; подобно
Окончание, указывающее на схожесть или одинаковость чего-либо между собой.

스치다 (глагол) : 냄새, 바람, 소리 등이 약하게 잠시 느껴지다.
пронестись (о запахе, ветре, звуке)
Быстро распространиться, дав возможность слегка прочувствовать.

-는 : 앞의 말이 관형어의 기능을 하게 만들고 사건이나 동작이 현재 일어남을 나타내는 어미.
нет эквивалента
Окончание, которое указывает на действие или событие в настоящем, преобразуя впередистоящее слово, словосочетание или придаточное предложение в определение.

사랑 (имя существительное) : 상대에게 성적으로 매력을 느껴 열렬히 좋아하는 마음.
любовь
Чувство бережного отношения и пылкости друг к другу между женщиной и мужчиной.

이 : 어떤 상태나 상황의 대상이나 동작의 주체를 나타내는 조사.
нет эквивалента
Частица, показывающая какое-либо состояние, объект ситуации или субъект действия.

느끼다 (глагол) : 마음속에서 어떤 감정을 경험하다.
чувствовать
Испытывать какое-либо чувство в душе.

-어지다 : 앞에 오는 말이 나타내는 상태로 점점 되어 감을 나타내는 표현.
нет эквивалента
Выражение, указывающее на постепенный переход к описанному состоянию.

-어 : (두루낮춤으로) 어떤 사실을 서술하거나 물음, 명령, 권유를 나타내는 종결 어미.
нет эквивалента
(нейтральный стиль) Финитное окончание предиката в повествовательном, вопросительном или побудительном предложении. <изложение>

타오르+는 열정+이 꺼지+[지 않]+게

타오르다 (глагол) : 마음이 불같이 뜨거워지다.
разгораться (о жажде и т.п.)
Загораться (идеей, желанием и т.п.).

-는 : 앞의 말이 관형어의 기능을 하게 만들고 사건이나 동작이 현재 일어남을 나타내는 어미.
нет эквивалента
Окончание, которое указывает на действие или событие в настоящем, преобразуя впередистоящее слово, словосочетание или придаточное предложение в определение.

열정 (имя существительное) : 어떤 일에 뜨거운 애정을 가지고 열심히 하는 마음.
страсть; горячее чувство; пыл
Страстное увлечение чем-либо, выполнение чего-либо со всей душой.

이 : 어떤 상태나 상황의 대상이나 동작의 주체를 나타내는 조사.
нет эквивалента
Частица, показывающая какое-либо состояние, объект ситуации или субъект действия.

꺼지다 (глагол) : 어떤 감정이 풀어지거나 사라지다.
утихать
Пропадать (о каком-либо чувстве).

-지 않다 : 앞의 말이 나타내는 행위나 상태를 부정하는 뜻을 나타내는 표현.
нет эквивалента
Выражение, обозначающее отрицание какого-либо действия или состояния.

-게 : 앞의 말이 뒤에서 가리키는 일의 목적이나 결과, 방식, 정도 등이 됨을 나타내는 연결 어미.
нет эквивалента
Соединительное окончание предиката, указывающее на то, описанное в первой части предложения действие или состояние является целью, результатом, образом действия, степенью и т.п. того, о чём говорится в последующей главной части предложения.

폭풍+이 되+어 나+에게 다가오+[아 주]+어.
내게 다가와 줘

폭풍 (имя существительное) : 매우 세차게 부는 바람.
ураган
Очень сильный ветер.

이 : 바뀌게 되는 대상이나 부정하는 대상임을 나타내는 조사.
нет эквивалента
Частица, указывающая на меняющийся или отрицаемый объект.

되다 (глагол) : 다른 것으로 바뀌거나 변하다.
стать
Изменяться или заменяться на другое.

-어 : 앞의 말이 뒤의 말보다 먼저 일어났거나 뒤의 말에 대한 방법이나 수단이 됨을 나타내는 연결 어미.
нет эквивалента
Соединительное окончание, указывающее на то, что действие, описанное в первой части предложения произошло раньше действия, описанного во второй части предложения, или на то, что оно является способом или средством его выполнения.

나 (местоимение) : 말하는 사람이 친구나 아랫사람에게 자기를 가리키는 말.
я
Выражение, которым называют себя в разговоре с ровесниками или младшими людьми.

에게 : 어떤 행동이 미치는 대상임을 나타내는 조사.
кому-, чему-либо
Окончание, указывающее на предмет, подвергающийся влиянию какого-либо действия.

다가오다 (глагол) : 어떤 대상이 있는 쪽으로 가까이 옮기어 오다.
подходить; подступать; приближаться
Перемещаться и подходить близко к какому-либо объекту.

-아 주다 : 남을 위해 앞의 말이 나타내는 행동을 함을 나타내는 표현.
нет эквивалента
Выражение, указывающее на то, что описанное действие выполняется в интересах другого лица.

-어 : (두루낮춤으로) 어떤 사실을 서술하거나 물음, 명령, 권유를 나타내는 종결 어미.
нет эквивалента
(нейтральный стиль) Финитное окончание предиката в повествовательном, вопросительном или побудительном предложении. <приказ>

어떤 사람+이+ㄴ지 궁금하+여.
사람인지 궁금해

어떤 (атрибутивное слово) : 사람이나 사물의 특징, 내용, 성격, 성질, 모양 등이 무엇인지 물을 때 쓰는 말.
какой; какой бы то ни был; какой-либо
Слова, употребляемые при вопросе об особенности, сущности, характере, натуре, внешнем виде и т.п. человека или предметов.

사람 (имя существительное) : 생각할 수 있으며 언어와 도구를 만들어 사용하고 사회를 이루어 사는 존재.
человек
Живое существо, образующее общество и обладающее способностью мыслить, производить и использовать язык и орудия труда.

이다 : 주어가 지시하는 대상의 속성이나 부류를 지정하는 뜻을 나타내는 서술격 조사.
нет эквивалента
Суффикс повествовательного падежа, выражающий смысл наименования свойства или разряда объекта, на который указывает подлежащее.

-ㄴ지 : 뒤에 오는 말의 내용에 대한 막연한 이유나 판단을 나타내는 연결 어미.
нет эквивалента
Соединительное предикативное окончание, указывающее на неопределённую причину или оценку говорящим того, о чём говорится во второй части предложения.

궁금하다 (имя прилагательное) : 무엇이 무척 알고 싶다.
интересоваться
Сильно желать что-то знать.

-여 : (두루낮춤으로) 어떤 사실을 서술하거나 물음, 명령, 권유를 나타내는 종결 어미.
нет эквивалента
(нейтральный стиль) Финитное окончание предиката в повествовательном, вопросительном или побудительном предложении. <изложение>

너+의 그 향기+가 궁금하+여.
궁금해

너 (местоимение) : 듣는 사람이 친구나 아랫사람일 때, 그 사람을 가리키는 말.
ты
Употребляется при указании на собеседника, если он является ровесником или человеком, младшим по возрасту или статусу.

의 : 앞의 말이 뒤의 말에 대하여 소유, 소속, 소재, 관계, 기원, 주체의 관계를 가짐을 나타내는 조사.
нет эквивалента
Частица, указывающая на то, что в предыдущем слове содержится значение собственности, принадлежности, сырья, источника, основы в отношении последующего.

그 (атрибутивное слово) : 듣는 사람에게 가까이 있거나 듣는 사람이 생각하고 있는 대상을 가리킬 때 쓰는 말.
тот
Указывает на предмет, находящийся близко к слушающему, или на предмет, о котором думает слушающий.

향기 (имя существительное) : 좋은 냄새.
запах; душистый аромат
Приятный запах.

가 : 어떤 상태나 상황에 놓인 대상이나 동작의 주체를 나타내는 조사.
нет эквивалента
Окончание, указывающее на объект какой-либо ситуации, состояния или на лицо, выполняющее какое-либо действие.

궁금하다 (имя прилагательное) : 무엇이 무척 알고 싶다.
интересоваться
Сильно желать что-то знать.

-여 : (두루낮춤으로) 어떤 사실을 서술하거나 물음, 명령, 권유를 나타내는 종결 어미.
нет эквивалента
(нейтральный стиль) Финитное окончание предиката в повествовательном, вопросительном или побудительном предложении. <изложение>

어떤 사랑+이+ㄹ지 너+의 그 느낌+이.
사랑일지

어떤 (атрибутивное слово) : 사람이나 사물의 특징, 내용, 성격, 성질, 모양 등이 무엇인지 물을 때 쓰는 말.
какой; какой бы то ни был; какой-либо
Слова, употребляемые при вопросе об особенности, сущности, характере, натуре, внешнем виде и т.п. человека или предметов.

사랑 (имя существительное) : 상대에게 성적으로 매력을 느껴 열렬히 좋아하는 마음.
любовь
Чувство бережного отношения и пылкости друг к другу между женщиной и мужчиной.

이다 : 주어가 지시하는 대상의 속성이나 부류를 지정하는 뜻을 나타내는 서술격 조사.
нет эквивалента
Суффикс повествовательного падежа, выражающий смысл наименования свойства или разряда объекта, на который указывает подлежащее.

-ㄹ지 : 어떠한 추측에 대한 막연한 의문을 갖고 그것을 뒤에 오는 말이 나타내는 사실이나 판단과 관련시킬 때 쓰는 연결 어미.
нет эквивалента
Соединительное окончание предиката, связывающее некоторое смутное предположение с фактом или суждением, выраженным во второй части предложения.

너 (местоимение) : 듣는 사람이 친구나 아랫사람일 때, 그 사람을 가리키는 말.
ты
Употребляется при указании на собеседника, если он является ровесником или человеком, младшим по возрасту или статусу.

의 : 앞의 말이 뒤의 말에 대하여 소유, 소속, 소재, 관계, 기원, 주체의 관계를 가짐을 나타내는 조사.
нет эквивалента
Частица, указывающая на то, что в предыдущем слове содержится значение собственности, принадлежности, сырья, источника, основы в отношении последующего.

그 (атрибутивное слово) : 듣는 사람에게 가까이 있거나 듣는 사람이 생각하고 있는 대상을 가리킬 때 쓰는 말.
тот
Указывает на предмет, находящийся близко к слушающему, или на предмет, о котором думает слушающий.

느낌 (имя существительное) : 몸이나 마음에서 일어나는 기분이나 감정.
чувство; ощущение
Настроение или эмоции, возникающие в теле или душе.

이 : 어떤 상태나 상황의 대상이나 동작의 주체를 나타내는 조사.
нет эквивалента
Частица, показывающая какое-либо состояние, объект ситуации или субъект действия.

궁금하+여, 궁금하+여, 궁금하+여, 궁금하+여, 궁금하+여.
궁금해 궁금해 궁금해 궁금해 궁금해

궁금하다 (имя прилагательное) : 무엇이 무척 알고 싶다.
интересоваться
Сильно желать что-то знать.

-여 : (두루낮춤으로) 어떤 사실을 서술하거나 물음, 명령, 권유를 나타내는 종결 어미.
нет эквивалента
(нейтральный стиль) Финитное окончание предиката в повествовательном, вопросительном или побудительном предложении. <изложение>

< 3 절(куплет) >

바람+을 붙잡+[을 수 없]+더라도.

바람 (имя существительное) : 기압의 변화 또는 사람이나 기계에 의해 일어나는 공기의 움직임.
воздух
Изменение атмосферного давления, а также движение воздуха, возникающее под действием машины или человека.

을 : 동작이 직접적으로 영향을 미치는 대상을 나타내는 조사.
нет эквивалента
Частица, указывающая на объект, на который действие оказывает непосредственное влияние.

붙잡다 (глагол) : 무엇을 놓치지 않도록 단단히 잡다.
хватать; удерживать
Крепко держать что-либо, чтобы не упустить.

-을 수 없다 : 앞에 오는 말이 나타내는 일이 가능하지 않음을 나타내는 표현.
нет эквивалента
Выражение, указывающее на невозможность какого-либо действия или события.

-더라도 : 앞에 오는 말을 가정하거나 인정하지만 뒤에 오는 말에는 관계가 없거나 영향을 끼치지 않음을 나타내는 연결 어미.
нет эквивалента
Соединительное окончание со значением уступки, указывающее на то, что некий факт или обстоятельство, признание, допущение или предположение которого содержится в первой части предложения, не влияет или не имеет отношения к тому, о чём говорится во второй части.

파도+가 비+에 젖+[지 않]+더라도.

파도 (имя существительное) : 바다에 이는 물결.
волна
Морская волна.

가 : 어떤 상태나 상황에 놓인 대상이나 동작의 주체를 나타내는 조사.
нет эквивалента
Окончание, указывающее на объект какой-либо ситуации, состояния или на лицо, выполняющее какое-либо действие.

비 (имя существительное) : 높은 곳에서 구름을 이루고 있던 수증기가 식어서 뭉쳐 떨어지는 물방울.
дождь
Атмосферные осадки, выпадающие из облаков в виде капель воды.

에 : 앞말이 어떤 일의 원인임을 나타내는 조사.
нет эквивалента
Окончание, указывающее на причину какого-либо дела.

젖다 (глагол) : 액체가 스며들어 축축해지다.
увлажниться; намокать
Стать мокрым из-за проникновения жидкости.

-지 않다 : 앞의 말이 나타내는 행위나 상태를 부정하는 뜻을 나타내는 표현.
нет эквивалента
Выражение, обозначающее отрицание какого-либо действия или состояния.

-더라도 : 앞에 오는 말을 가정하거나 인정하지만 뒤에 오는 말에는 관계가 없거나 영향을 끼치지 않음을 나타내는 연결 어미.
нет эквивалента
Соединительное окончание со значением уступки, указывающее на то, что некий факт или обстоятельство, признание, допущение или предположение которого содержится в первой части предложения, не влияет или не имеет отношения к тому, о чём говорится во второй части.

내일+은 가슴+이 아프+더라도.

내일 (имя существительное) : 오늘의 다음 날.
завтра; завтрашний день
День, следующий после сегодняшнего.

은 : 문장 속에서 어떤 대상이 화제임을 나타내는 조사.
нет эквивалента
Частица, показывающая то, что какой-то объект является главной темой в предложении.

가슴 (имя существительное) : 마음이나 느낌.
грудь; сердце; душа
Душа или чувство.

이 : 어떤 상태나 상황의 대상이나 동작의 주체를 나타내는 조사.
нет эквивалента
Частица, показывающая какое-либо состояние, объект ситуации или субъект действия.

아프다 (имя прилагательное) : 슬픔이나 연민으로 마음에 괴로운 느낌이 있다.
болеть; свербеть
Мучиться в душе от грусти или жалости.

-더라도 : 앞에 오는 말을 가정하거나 인정하지만 뒤에 오는 말에는 관계가 없거나 영향을 끼치지 않음을 나타내는 연결 어미.
нет эквивалента
Соединительное окончание со значением уступки, указывающее на то, что некий факт или обстоятельство, признание, допущение или предположение которого содержится в первой части предложения, не влияет или не имеет отношения к тому, о чём говорится во второй части.

미련+과 후회+만 남+더라도.

미련 (имя существительное) : 잊어버리거나 그만두어야 할 것을 깨끗이 잊거나 포기하지 못하고 여전히 끌리는 마음.
неотвязная мысль; сожаление
Чувство привязанности, неспособности позабыть, отказаться или оставить кого-что.

과 : 앞과 뒤의 명사를 같은 자격으로 이어 줄 때 쓰는 조사.
нет эквивалента
Частица, связывающая предыдущее и последующее существительное по схожести.

후회 (имя существительное) : 이전에 자신이 한 일이 잘못임을 깨닫고 스스로 자신의 잘못을 꾸짖음.
сожаление
Осознание проделанной прежде ошибки и упрекание самого себя.

만 : 다른 것은 제외하고 어느 것을 한정함을 나타내는 조사.
только; просто; исключительно; единственно
Частица, указывающая на ограничение в чём-либо и исключение чего-либо.

남다 (глагол) : 잊히지 않다.
оставаться; остаться
Не суметь забыть.

-더라도 : 앞에 오는 말을 가정하거나 인정하지만 뒤에 오는 말에는 관계가 없거나 영향을 끼치지 않음을 나타내는 연결 어미.
нет эквивалента
Соединительное окончание со значением уступки, указывающее на то, что некий факт или обстоятельство, признание, допущение или предположение которого содержится в первой части предложения, не влияет или не имеет отношения к тому, о чём говорится во второй части.

어떤 사람+이+ㄴ지 궁금하+여.
사람인지 궁금해

어떤 (атрибутивное слово) : 사람이나 사물의 특징, 내용, 성격, 성질, 모양 등이 무엇인지 물을 때 쓰는 말.
какой; какой бы то ни был; какой-либо
Слова, употребляемые при вопросе об особенности, сущности, характере, натуре, внешнем виде и т.п. человека или предметов.

사람 (имя существительное) : 생각할 수 있으며 언어와 도구를 만들어 사용하고 사회를 이루어 사는 존재.
человек
Живое существо, образующее общество и обладающее способностью мыслить, производить и использовать язык и орудия труда.

이다 : 주어가 지시하는 대상의 속성이나 부류를 지정하는 뜻을 나타내는 서술격 조사.
нет эквивалента
Суффикс повествовательного падежа, выражающий смысл наименования свойства или разряда объекта, на который указывает подлежащее.

-ㄴ지 : 뒤에 오는 말의 내용에 대한 막연한 이유나 판단을 나타내는 연결 어미.
нет эквивалента
Соединительное предикативное окончание, указывающее на неопределённую причину или оценку говорящим того, о чём говорится во второй части предложения.

궁금하다 (имя прилагательное) : 무엇이 무척 알고 싶다.
интересоваться
Сильно желать что-то знать.

-여 : (두루낮춤으로) 어떤 사실을 서술하거나 물음, 명령, 권유를 나타내는 종결 어미.
нет эквивалента
(нейтральный стиль) Финитное окончание предиката в повествовательном, вопросительном или побудительном предложении. <изложение>

너+의 그 향기+가 궁금하+여.
궁금해

너 (местоимение) : 듣는 사람이 친구나 아랫사람일 때, 그 사람을 가리키는 말.
ты
Употребляется при указании на собеседника, если он является ровесником или человеком, младшим по возрасту или статусу.

의 : 앞의 말이 뒤의 말에 대하여 소유, 소속, 소재, 관계, 기원, 주체의 관계를 가짐을 나타내는 조사.
нет эквивалента
Частица, указывающая на то, что в предыдущем слове содержится значение собственности, принадлежности, сырья, источника, основы в отношении последующего.

그 (атрибутивное слово) : 듣는 사람에게 가까이 있거나 듣는 사람이 생각하고 있는 대상을 가리킬 때 쓰는 말.
тот
Указывает на предмет, находящийся близко к слушающему, или на предмет, о котором думает слушающий.

향기 (имя существительное) : 좋은 냄새.
запах; душистый аромат
Приятный запах.

가 : 어떤 상태나 상황에 놓인 대상이나 동작의 주체를 나타내는 조사.
нет эквивалента
Окончание, указывающее на объект какой-либо ситуации, состояния или на лицо, выполняющее какое-либо действие.

궁금하다 (имя прилагательное) : 무엇이 무척 알고 싶다.
интересоваться
Сильно желать что-то знать.

-여 : (두루낮춤으로) 어떤 사실을 서술하거나 물음, 명령, 권유를 나타내는 종결 어미.
нет эквивалента
(нейтральный стиль) Финитное окончание предиката в повествовательном, вопросительном или побудительном предложении. <изложение>

어떤 사랑+이+ㄹ지 너+의 그 느낌+이.
사랑일지

어떤 (атрибутивное слово) : 사람이나 사물의 특징, 내용, 성격, 성질, 모양 등이 무엇인지 물을 때 쓰는 말.
какой; какой бы то ни был; какой-либо
Слова, употребляемые при вопросе об особенности, сущности, характере, натуре, внешнем виде и т.п. человека или предметов.

사랑 (имя существительное) : 상대에게 성적으로 매력을 느껴 열렬히 좋아하는 마음.
любовь
Чувство бережного отношения и пылкости друг к другу между женщиной и мужчиной.

이다 : 주어가 지시하는 대상의 속성이나 부류를 지정하는 뜻을 나타내는 서술격 조사.
нет эквивалента
Суффикс повествовательного падежа, выражающий смысл наименования свойства или разряда объекта, на который указывает подлежащее.

-ㄹ지 : 어떠한 추측에 대한 막연한 의문을 갖고 그것을 뒤에 오는 말이 나타내는 사실이나 판단과 관련시킬 때 쓰는 연결 어미.
нет эквивалента
Соединительное окончание предиката, связывающее некоторое смутное предположение с фактом или суждением, выраженным во второй части предложения.

너 (местоимение) : 듣는 사람이 친구나 아랫사람일 때, 그 사람을 가리키는 말.
ты
Употребляется при указании на собеседника, если он является ровесником или человеком, младшим по возрасту или статусу.

의 : 앞의 말이 뒤의 말에 대하여 소유, 소속, 소재, 관계, 기원, 주체의 관계를 가짐을 나타내는 조사.
нет эквивалента
Частица, указывающая на то, что в предыдущем слове содержится значение собственности, принадлежности, сырья, источника, основы в отношении последующего.

그 (атрибутивное слово) : 듣는 사람에게 가까이 있거나 듣는 사람이 생각하고 있는 대상을 가리킬 때 쓰는 말.
тот
Указывает на предмет, находящийся близко к слушающему, или на предмет, о котором думает слушающий.

느낌 (имя существительное) : 몸이나 마음에서 일어나는 기분이나 감정.
чувство; ощущение
Настроение или эмоции, возникающие в теле или душе.

이 : 어떤 상태나 상황의 대상이나 동작의 주체를 나타내는 조사.
нет эквивалента
Частица, показывающая какое-либо состояние, объект ситуации или субъект действия.

궁금하+여, 궁금하+여, 궁금하+여, 궁금하+여, 궁금하+여.
궁금해 궁금해 궁금해 궁금해 궁금해

궁금하다 (имя прилагательное) : 무엇이 무척 알고 싶다.
интересоваться
Сильно желать что-то знать.

-여 : (두루낮춤으로) 어떤 사실을 서술하거나 물음, 명령, 권유를 나타내는 종결 어미.
нет эквивалента
(нейтральный стиль) Финитное окончание предиката в повествовательном, вопросительном или побудительном предложении. <изложение>

< 참고(справка) 문헌(Библиография) >

고려대학교 한국어대사전, 고려대학교 민족문화연구원, 2009
우리말샘, 국립국어원, 2016
표준국어대사전, 국립국어원, 1999
한국어교육 문법 자료편, 한글파크, 2016
한국어 교육학 사전, 하우, 2014
한국어기초사전, 국립국어원, 2016
한국어 문법 총론 Ⅰ, 집문당, 2015

노래로 배우는 한국어 1 русский язык(перевод)

발 행 | 2024년 6월 12일
저 자 | 주식회사 한글2119연구소
펴낸이 | 한건희
펴낸곳 | 주식회사 부크크
출판사등록 | 2014.07.15.(제2014-16호)
주 소 | 서울특별시 금천구 가산디지털1로 119 SK트윈타워 A동 305호
전 화 | 1670-8316
이메일 | info@bookk.co.kr

ISBN | 979-11-410-8911-5

www.bookk.co.kr